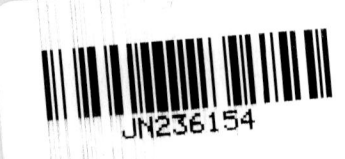

毎日を楽しく彩る

折り紙

ORIGAMI

指先から伝わるぬくもりのインテリア

日本折紙協会監修

永岡書店

はじめに

日本には美しい多種多様な紙があり、その品揃えは世界一といわれています。本書では、そんなさまざまな紙を使って、日常生活に役立つ「創作折り紙」をご紹介します。折り紙の美しい形や色彩は、暮らしに潤いを与えるとともに、生活を便利にしてくれるはず。自分で紙を選び、作り上げるというクリエイティブな喜びも味わえます。

鶴や風船しか折ったことがない初心者から、折り紙の魅力を知り尽くした経験者まで、十分に満足できる「毎日を楽しく彩る折り紙」。本書で新しい折り紙の世界をお楽しみください。

CONTENTS

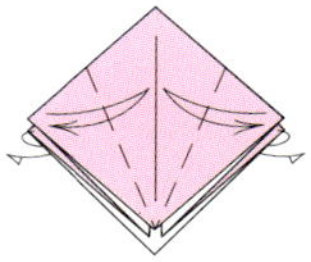

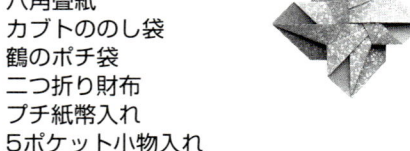

PART 3
食卓が楽しくなる
折り紙で作るダイニンググッズ

PART 4
居間を華やかに彩る
折り紙で作るリビンググッズ

PART 5
台所＆家事室にあると便利
折り紙で作るハウスワークグッズ

PART 6
寝室に安らぎを与える
折り紙で作るベッドルームグッズ

PART 7
子供に温もりを伝える
折り紙で作るプレイルームグッズ

コラム
こんな場所にも折り紙を

折り紙を折る前に

折り図の記号を覚える

折り紙の折り図は、おもに矢印と罫線、図によって表現されています。折り図をスムーズに読むためには、これらの記号の読み方を頭に入れておく必要があります。といっても必要な事項は下記の19だけ。折る前にこの記号を覚えておきましょう。折り図は記号さえ読めれば、外国の方にも読んでいただくことができます。そのため、記号の意味を英語でも併記しました。

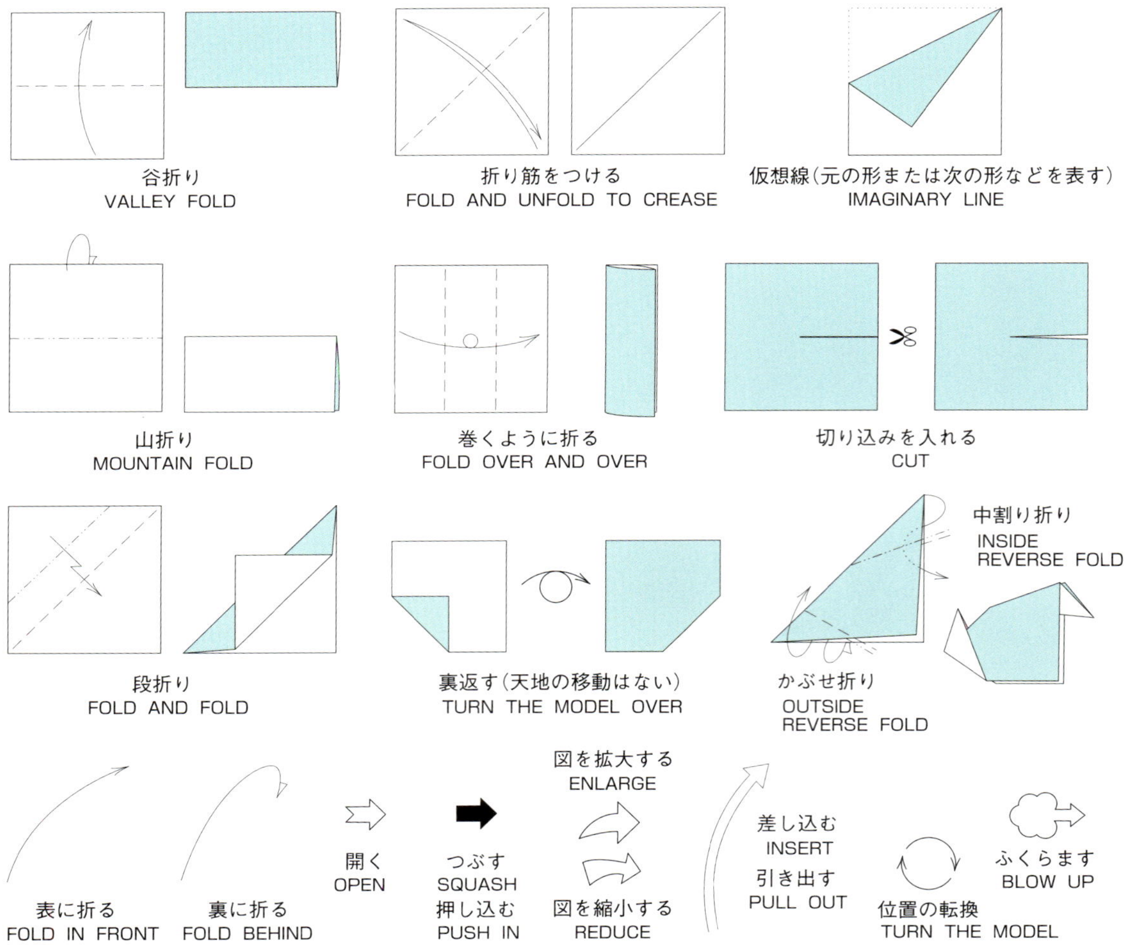

難易度の見方

本書で紹介している各作品の折り図では、難易度を★印で表しています。初心者を対象に次の3段階に分けました。

★———簡単
★★———普通
★★★——むずかしい

用意する紙のサイズ

折り図には用意する紙のサイズを記してあります。これは目安となるサイズで、カラーページで紹介した作品の実寸です。1ミリ単位で示していますが、それほど厳密に合わせる必要はありません。特に、長方形の場合は多少違ってもOK。正方形は寸法は変えても、縦横のサイズはピッタリ同じに合わせましょう。

用意する紙の種類

本書の折り図には用意する紙として、厚手の和紙、薄手の洋紙などと記してあります。これは、その作品に合うおすすめの紙。折りやすい紙であり、仕上がりが美しく、実際に使ったときに便利な紙です。

折りにくい紙をきれいに折るコツ

●厚手の紙をきっちり折る方法

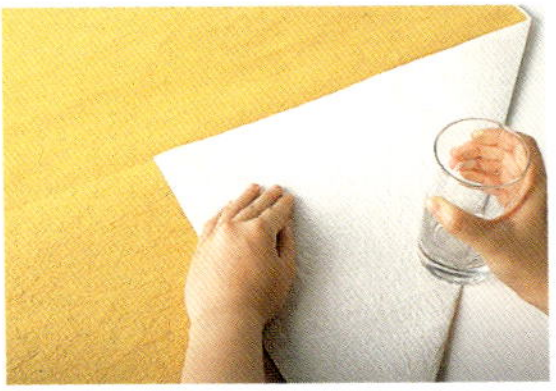

①グラスの底や側面を折り目に当てて、こするようにして折る。

②かなり厚手の紙でも、これだけきれいに折り筋をつけることができる。

●大きい紙を対角線に折る方法

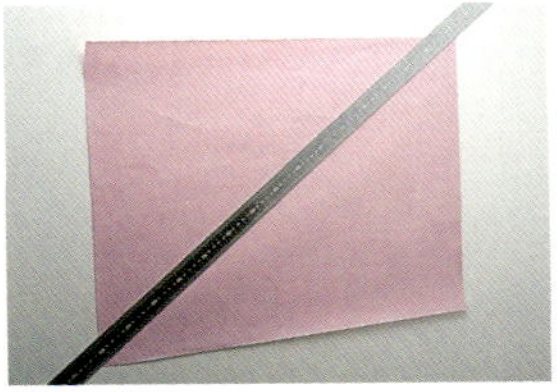

①定規などの長い棒を、紙の対角線上に置く。

②このまま紙を折り曲げると、ずれたりせずにきれいに折ることができる。

●三角形を手早くきれいに折る方法

①三角形の頂点を合わせたら、そこから垂直に左手を下ろして、底辺の中央に折り筋をつける。

②頂点を押さえていた手を離し、底辺を折る。

③すべての角をきちんと合わせて折るよりも、手早くきれいに折れる。大きい紙を使って三角形を折るときは、特にこの方法が役に立つ。

「折り紙の基本形」を知っておこう

創作折り紙でも、その折る工程を細かく見てみると、なじみのある鶴や風船などの折り方の一部をそのまま利用していることがあります。このように昔から伝わった折り方で、いろいろな折り紙によく使われている折り方を「基本形」と呼んでいます。

基本形には「鶴」や「風船」などのように仕上がり作品があるものと、「かんのん」のように仕上がり作品はなく、折り方だけのものがあります。

基本形を知っていれば、難しそうに見える折り図でも「この部分は鶴の折り方と同じだ」「ここはざぶとんと同じ」などと折り図を分けて考えることができます。実際、難易度の高いといわれている折り紙には、いろいろな基本形がたくさん使われていることがよくあります。

また、自分でオリジナル作品を作るときにも、基本形を知っていれば、それを利用して創作することができます。

本書でも、基本形を使った作品が数多くあります。基本形は決まった折り方をするため、それぞれの作品の折り図では、一部を簡略化しているところもあります。詳しい折り方は、このページを参照してください。

[かんのん基本形]

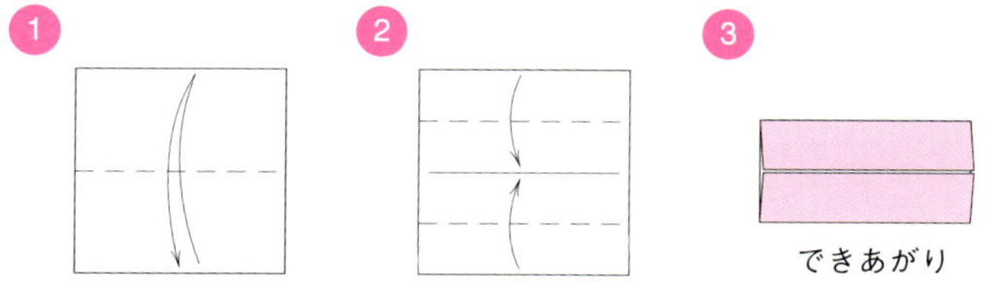
1
2
3
できあがり

[正方基本形]

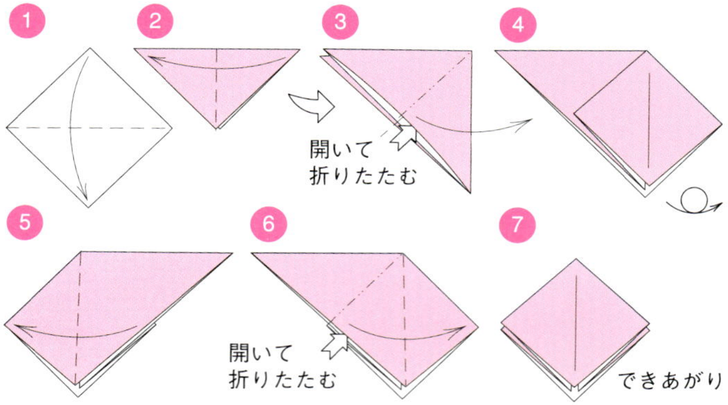
1
2
3
開いて
折りたたむ
4
5
6
開いて
折りたたむ
7
できあがり

[鶴基本形]

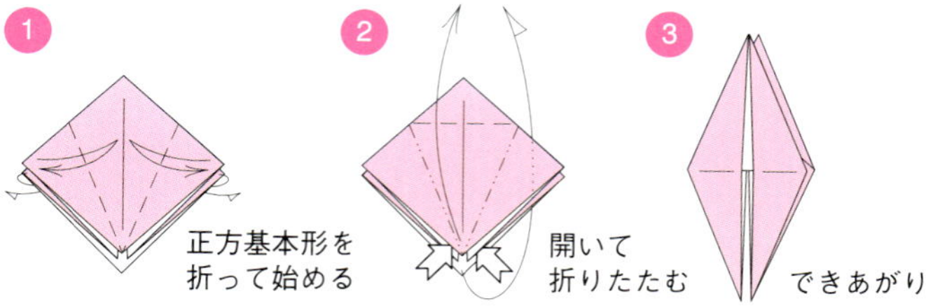
1
正方基本形を
折って始める
2
開いて
折りたたむ
3
できあがり

[カエル基本形]

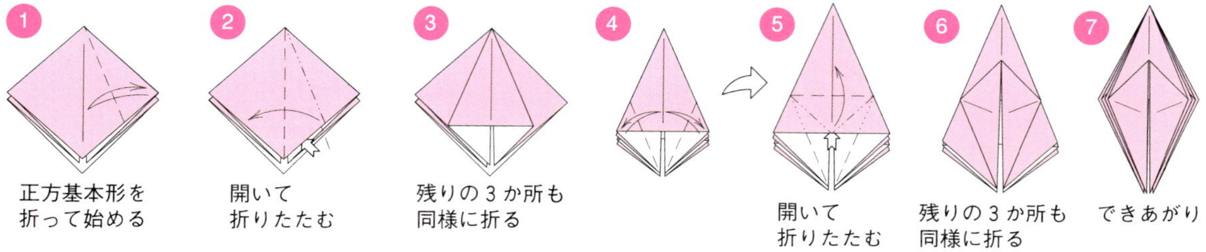
1
正方基本形を
折って始める
2
開いて
折りたたむ
3
残りの3か所も
同様に折る
4
5
開いて
折りたたむ
6
残りの3か所も
同様に折る
7
できあがり

[凧基本形]

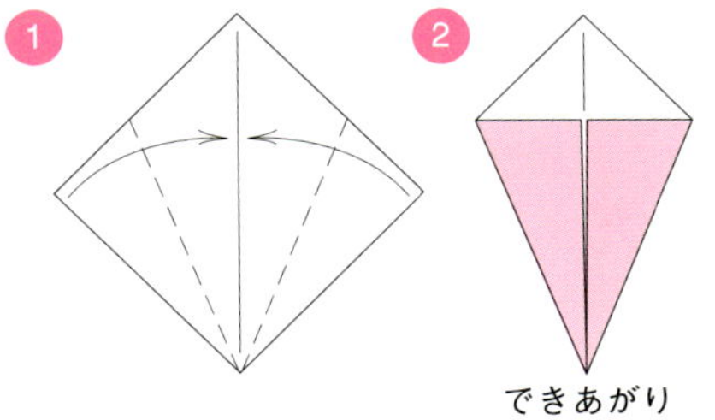

[魚基本形]

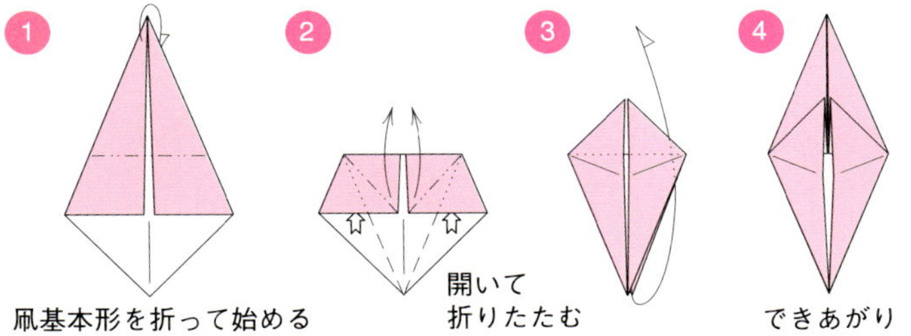

[風船基本形]

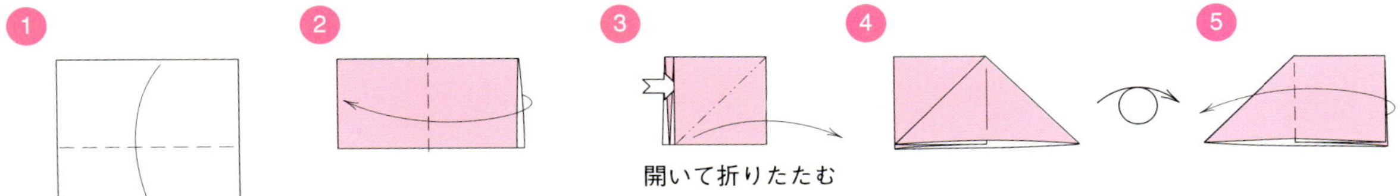

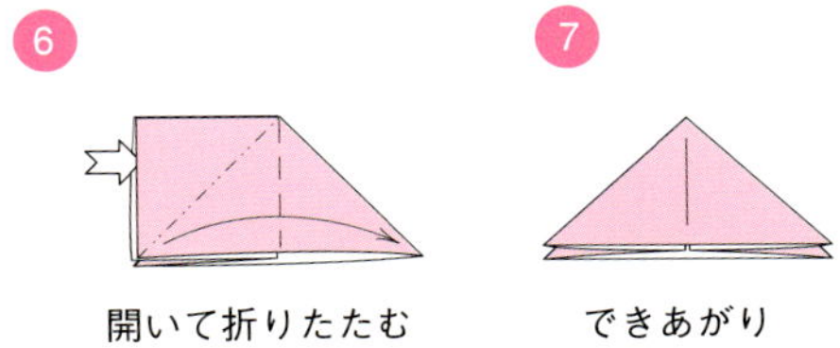

[ざぶとん基本形]

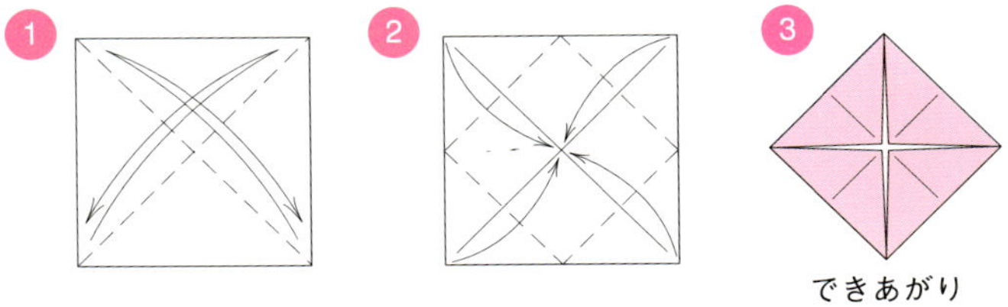

[にそうぶね基本形]

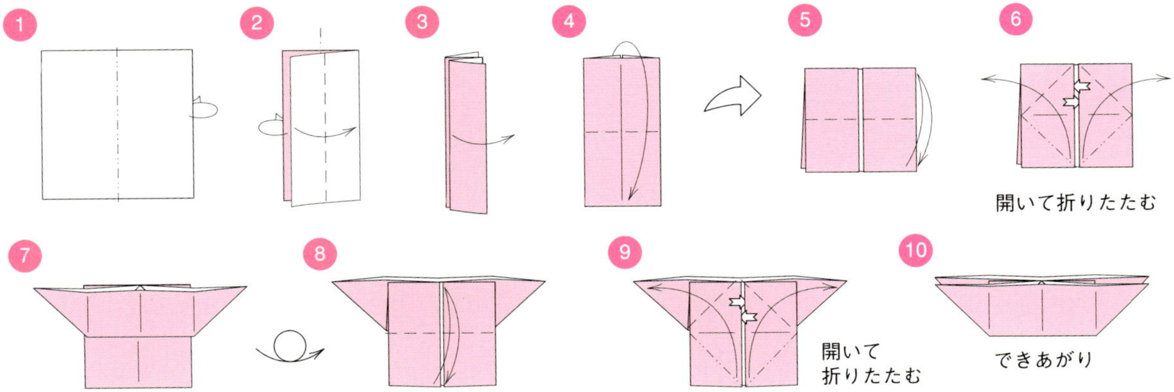

PART 1

GIFT GOODS

贈る人の気持ちが伝わる

折り紙で作るギフトグッズ

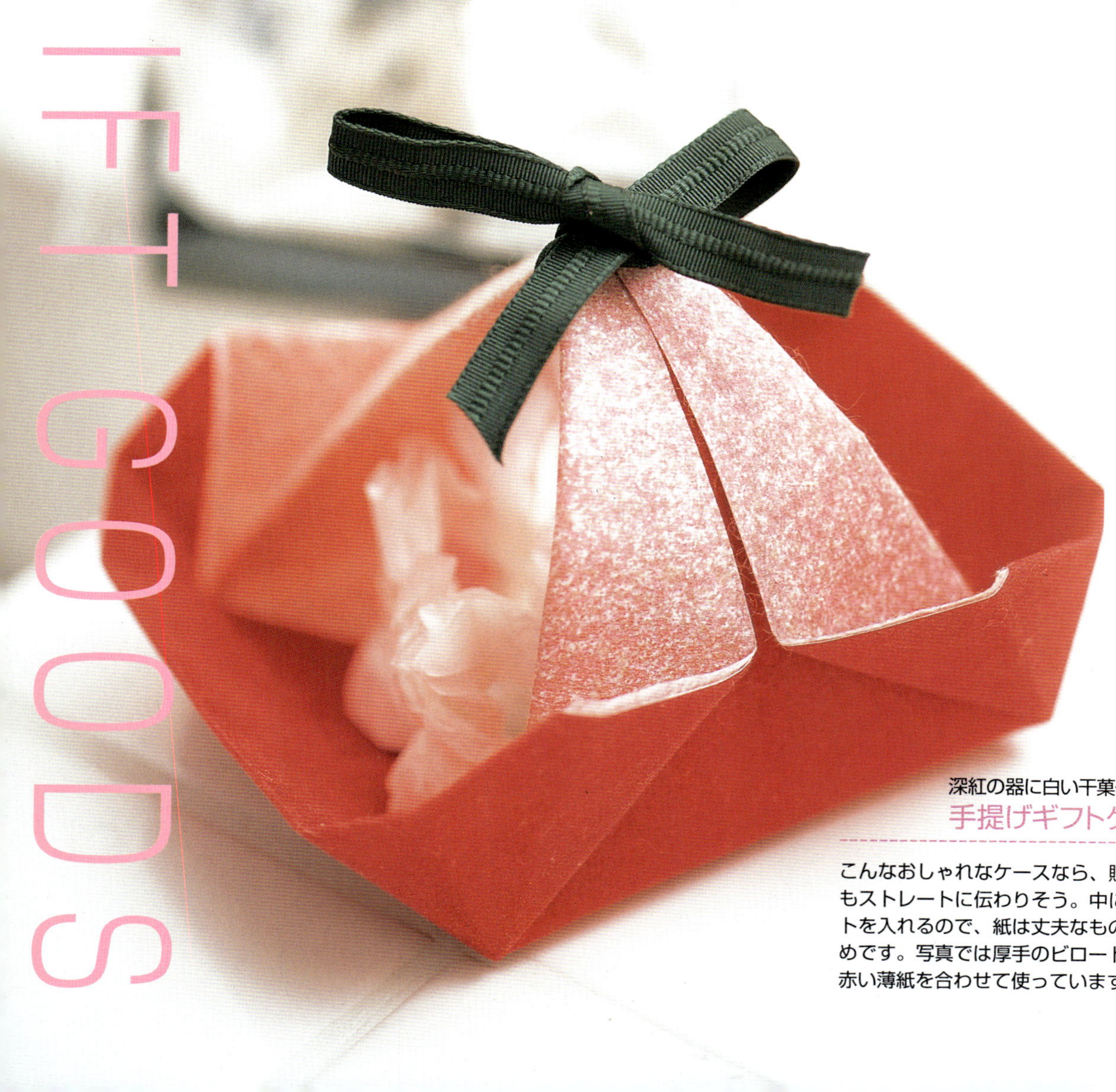

深紅の器に白い干菓子を入れて

手提げギフトケース

こんなおしゃれなケースなら、贈る気持ちもストレートに伝わりそう。中にプレゼントを入れるので、紙は丈夫なものがおすすめです。写真では厚手のビロード風の紙に赤い薄紙を合わせて使っています。

折り紙で作るものといえば、ポチ袋やのし袋、一筆しのばせる畳紙《たとうがみ》など、贈り物として使うケースがよくあります。そこでPART1ではまず折り紙のギフトグッズからご紹介しましょう。比較的簡単にできるものが多いので、初めての人にもおすすめです。

畳紙としても利用できる

巾着ギフトボックス

写真では、手作りクッキーを入れてみました。口の部分にリボンやひもを通すと巾着のようになります。紙はしっかりした厚手のものがおすすめ。裏紙がアクセントになるので、リバーシブルの紙を使いました。

巾着ギフトボックス　難易度★★

後藤いく作

●用意する紙●24×24cm　厚手の紙

●アドバイス●ポイントは、図19で折り筋をしっかりつけること。ここできちんと折り筋がついていれば、図20で立体にするときにスムーズに折れるし、きれいに仕上がります。

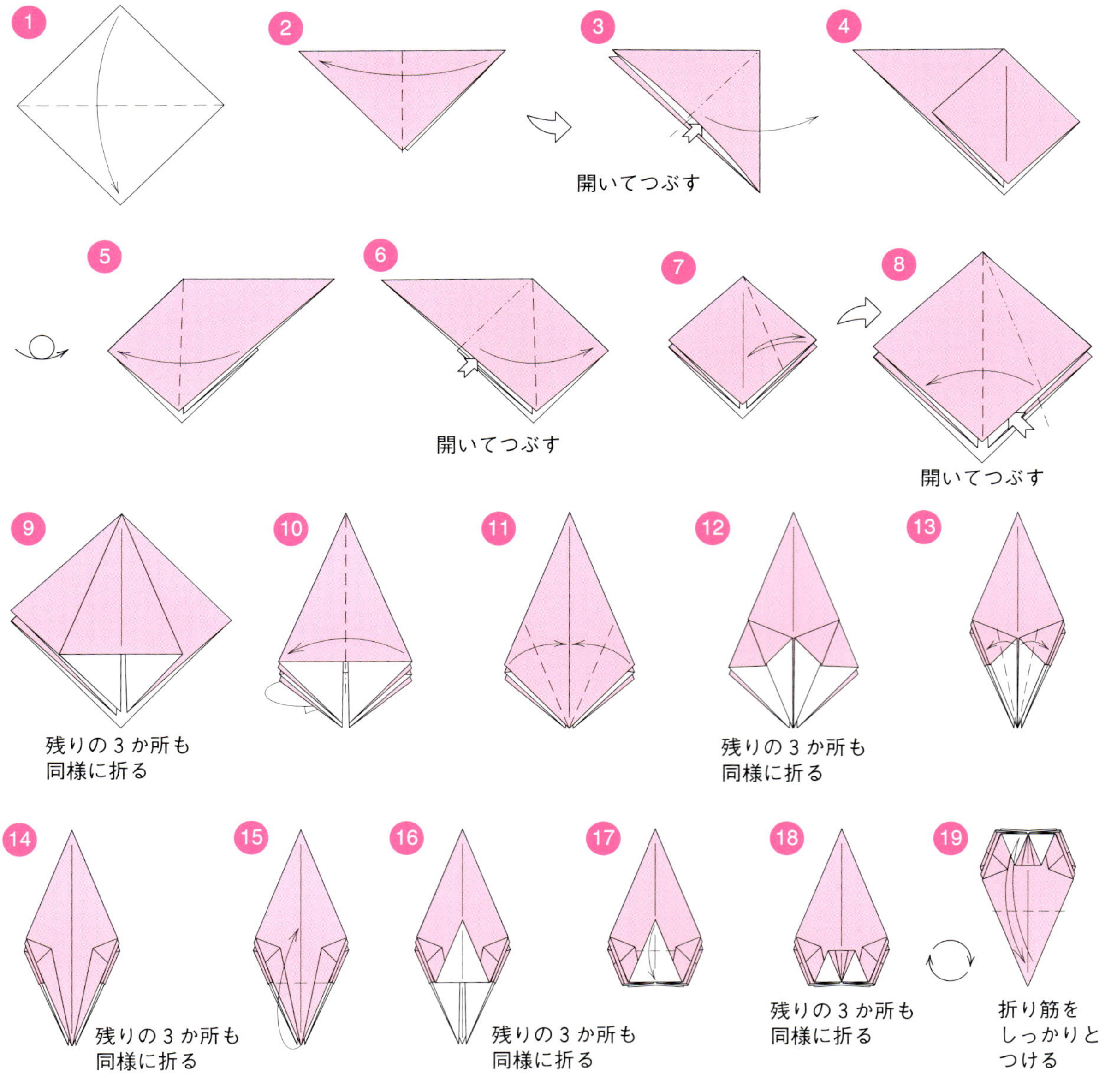

手提げギフトケース　難易度★★　大橋皓也作

●用意する紙●20×20cm　厚手の紙

●アドバイス●初めての人は、図4から5にかけて、難しく感じるかもしれません。写真を参考にしてみましょう。底の部分を作るために、図9で折り筋をしっかりつけておくことも大切です。

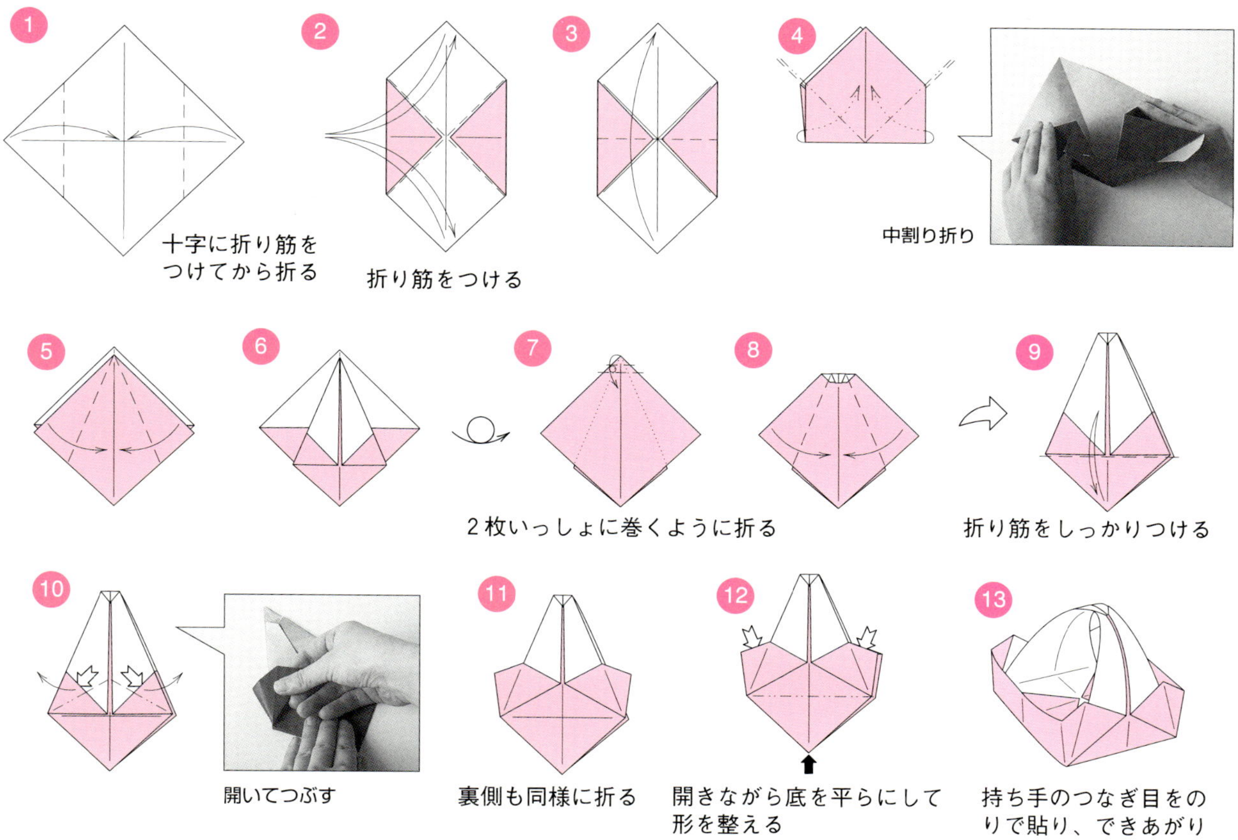

1
十字に折り筋を
つけてから折る
2
折り筋をつける
3
4
中割り折り
5
6
7
2枚いっしょに巻くように折る
8
9
折り筋をしっかりつける
10
開いてつぶす
11
裏側も同様に折る
12
開きながら底を平らにして
形を整える
13
持ち手のつなぎ目をのりで貼り、できあがり

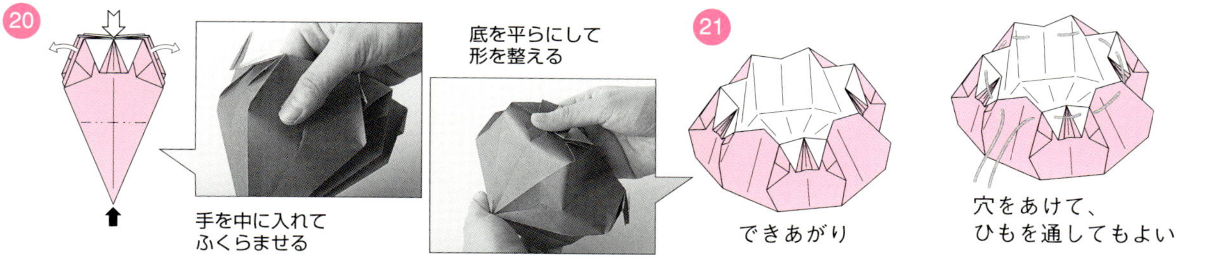

20
手を中に入れて
ふくらませる
底を平らにして
形を整える
21
できあがり
穴をあけて、
ひもを通してもよい

紙を替えるだけで印象が変わる

本のラッピング

シンプルな包み方だけに、紙を替えるだけで印象がガラッと変わります。写真左のように厚手の上等な紙で包めばノーブルな印象に、右のような薄手のラッピング用紙を使えばカジュアルな雰囲気に仕上がります。

美しい折り筋がポイント

花のギフト包み

庭に花が咲いたら、こんなラッピングをして、贈ってみてはいかがでしょうか。改まった印象なので、ちょっと気の張る相手にも満足してもらえそう…。水引でも似合いそうなクラシックなイメージの花包みです。

花のギフト包み　難易度★　荒木真喜雄作

●用意する紙●ブルーの花包み46×46cm　ピンクの花包み39×39cm　薄手の紙

●アドバイス●手軽に折れる花包みです。紙は厚手、薄手どちらでも構いませんが、初めての人は薄手の方が折りやすいかもしれません。贈る花の量や大きさに合わせて、紙のサイズも調節してみましょう。

1
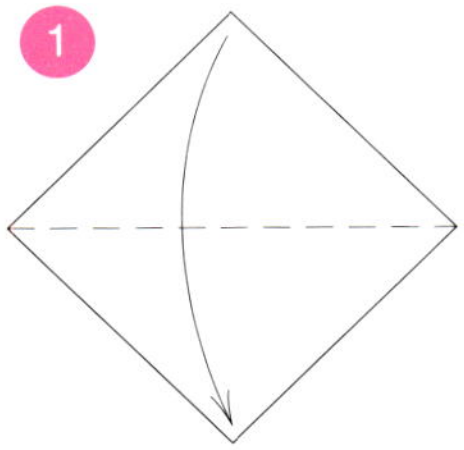

2
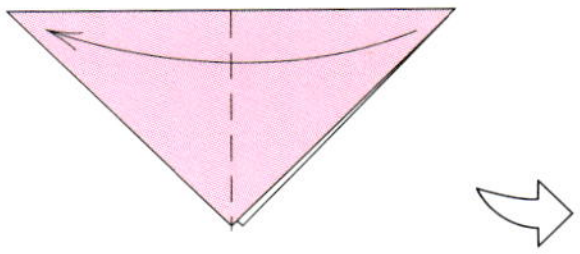

3
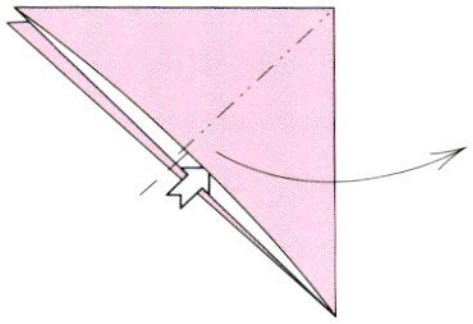
開いて折りたたむ

4
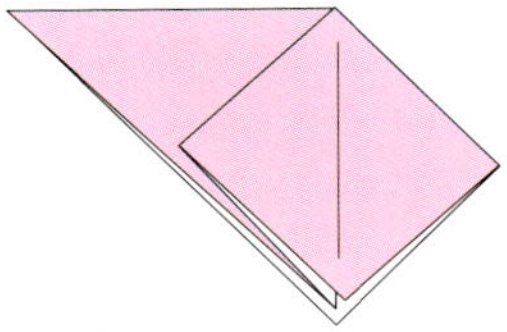

5
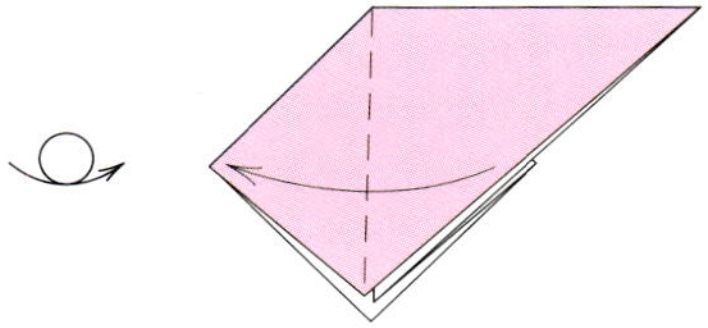

6
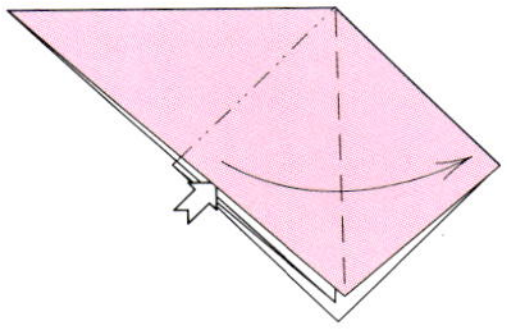
開いて折りたたむ

7
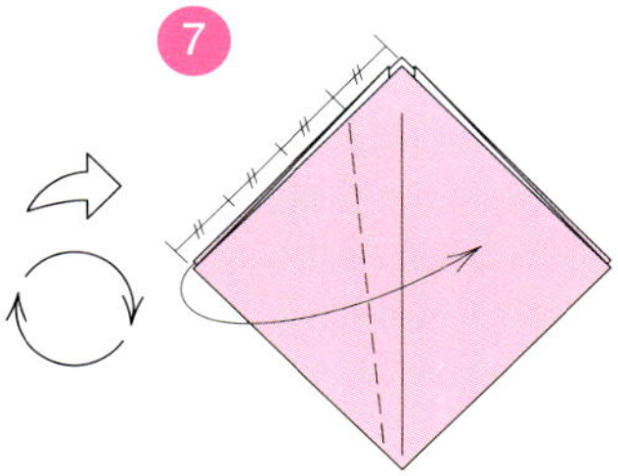
2枚いっしょに折る

8
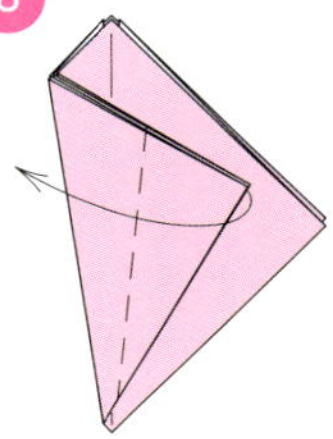
2枚いっしょに折る

9
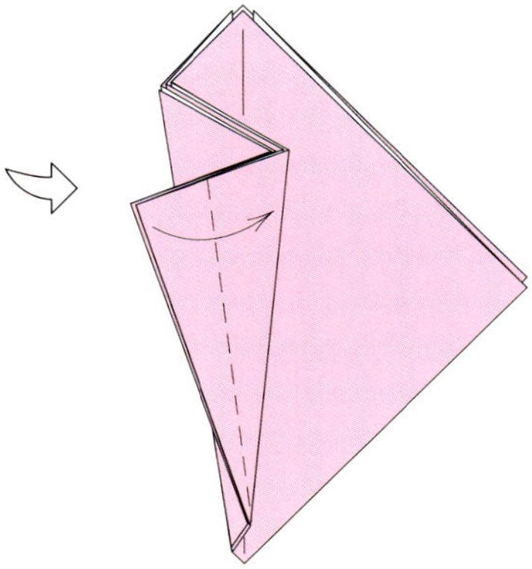
上の1枚を折る

10
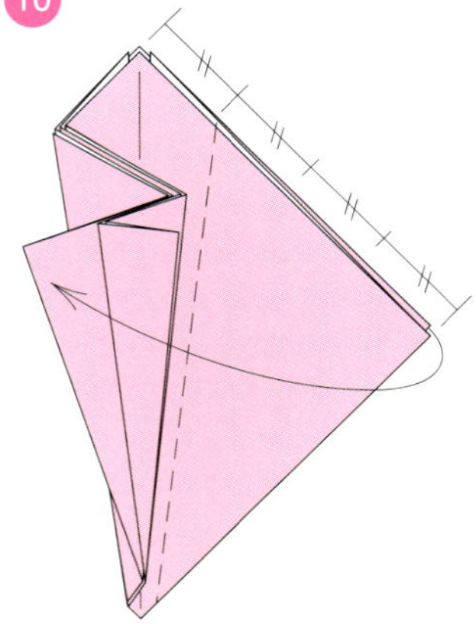
2枚いっしょに折る

11
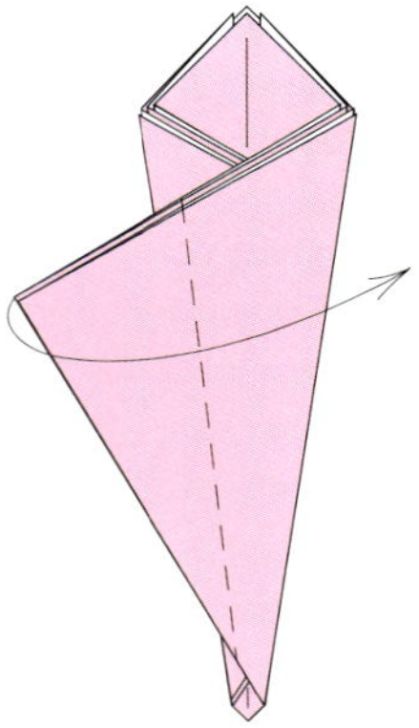
2枚いっしょに折る

12
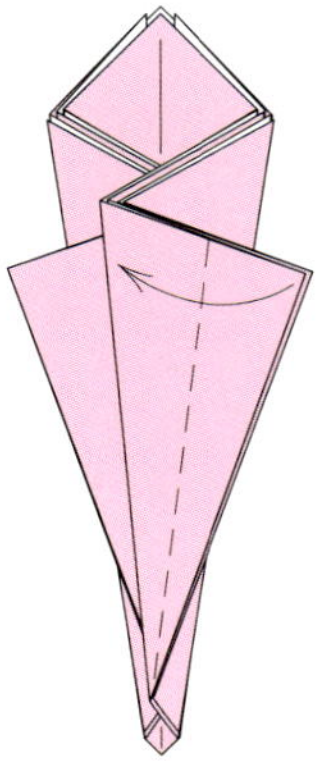
上の1枚を折る

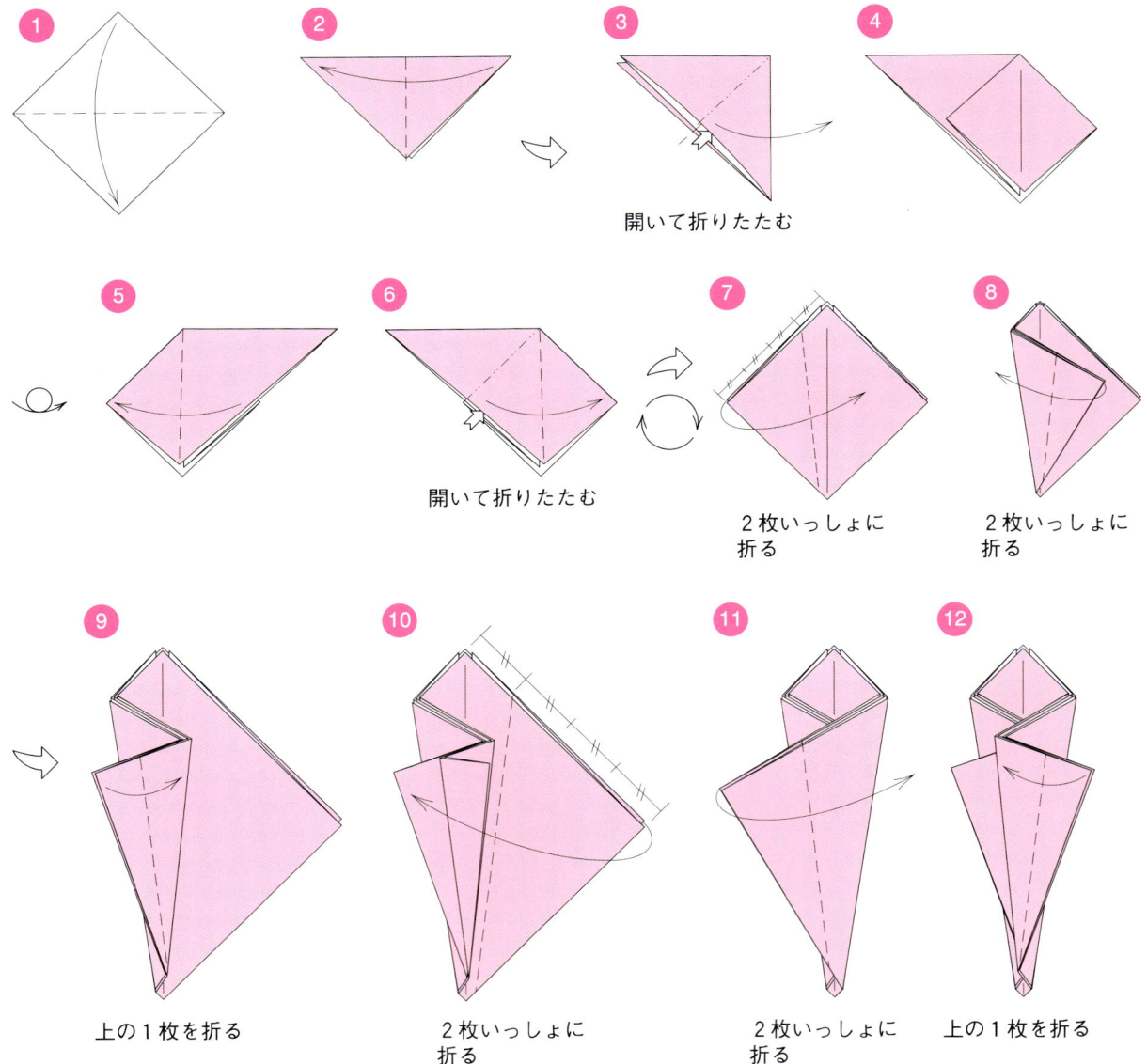

本のラッピング　難易度★　荒木真喜雄作

●用意する紙●53×35.5cm

●アドバイス●花包み同様、初めての人でも手軽にできるラッピングです。写真ではB6版の本を包んでいます。裏紙がポイントになるので、リバーシブルの紙か、紙を2枚重ねて使うとよいでしょう。重ねるときは、紙の裏同士を合わせて使います。

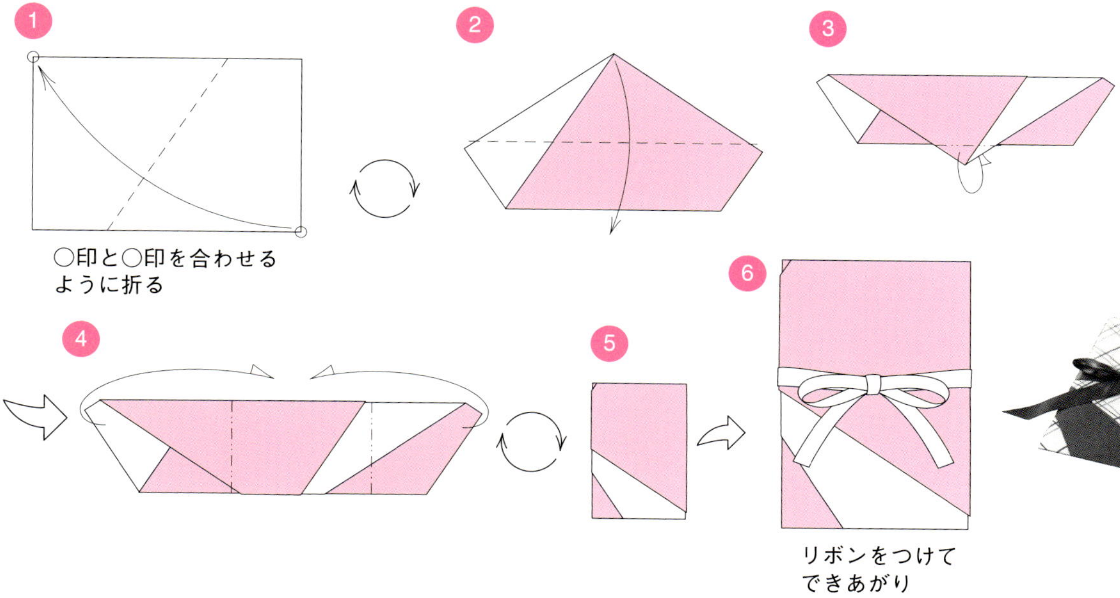
1
○印と○印を合わせるように折る
2
3
4
5
6
リボンをつけてできあがり

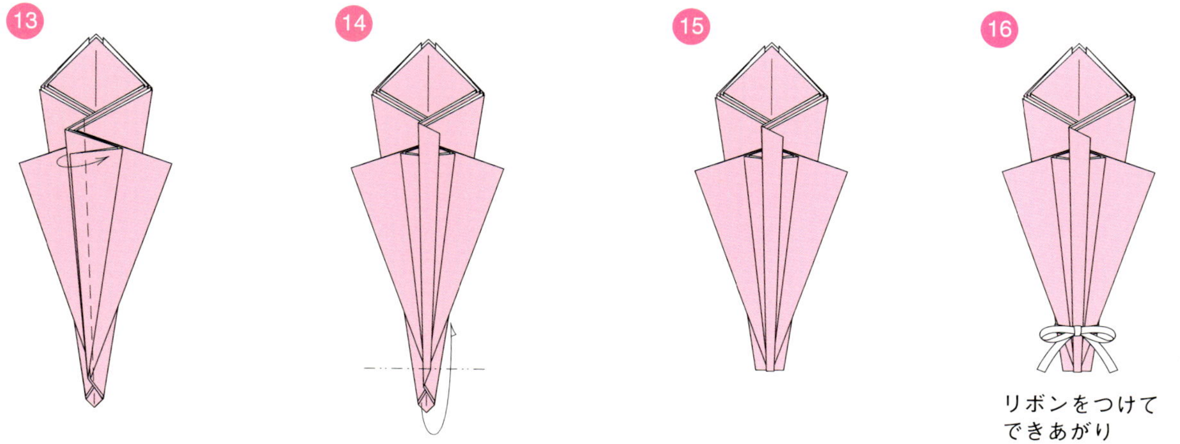
13
14
15
16
リボンをつけてできあがり

殻にカードを差し込んで贈る

カタツムリのカードホルダー

感謝の気持ちや祝福の気持ちをカタツムリに託してみましょう。簡単に立たせることができるので、テーブルのネームカードにも最適です。写真のように光沢のある紙や玉虫色に変わる紙を使っても楽しいものです。

MESSAGE CARDHOLDER & ENVELOPE

なんだか手紙が書きたくなる

蝶の封筒

封筒の口が、蝶の形になるおしゃれな封筒です。ポイントは裏紙の色。アクセントになるような反対色や、写真のような白を使うと印象的な仕上がりになります。こんなすてきな封筒があれば、筆無精も直る…かもしれません。

蝶の封筒　難易度★★　川畑文昭作

●用意する紙●24×24cm　薄手の紙

●アドバイス●蝶の部分は細かい作業が多いので少し難しく感じるかもしれません。左右の羽が対称になるように注意して折りましょう。一度大きい紙で練習してみるのもよい方法です。

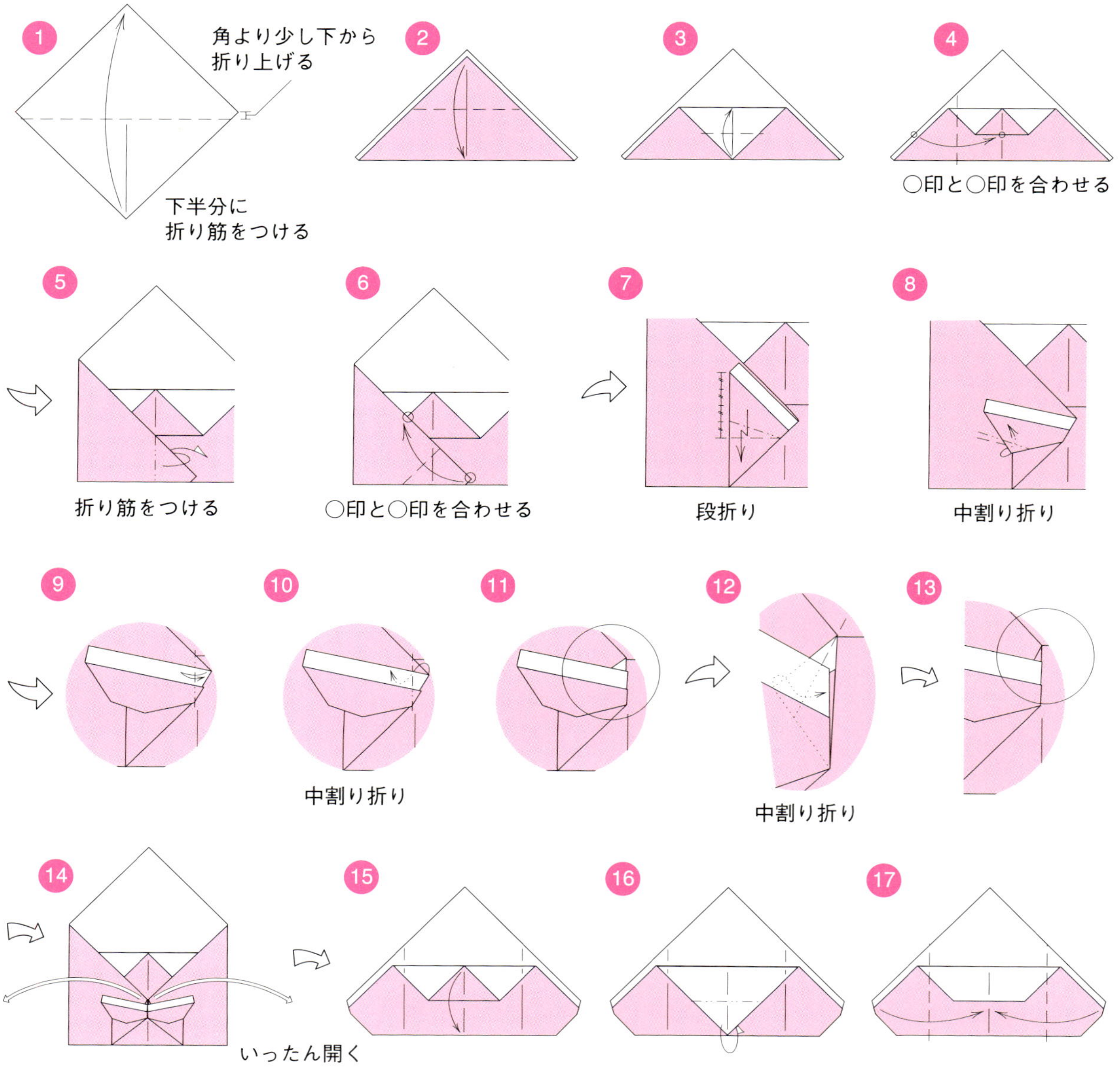

カタツムリのカードホルダー　難易度★　半田文直作

●用意する紙●15×15cm　柄や色の異なる紙を2枚

●アドバイス●初心者でも手軽に折れる折り紙です。カタツムリの殻の部分と体の部分は別の紙で折るので、相性のいい色や柄の紙を選びましょう。紙の厚さは薄手でも厚手でも構いません。

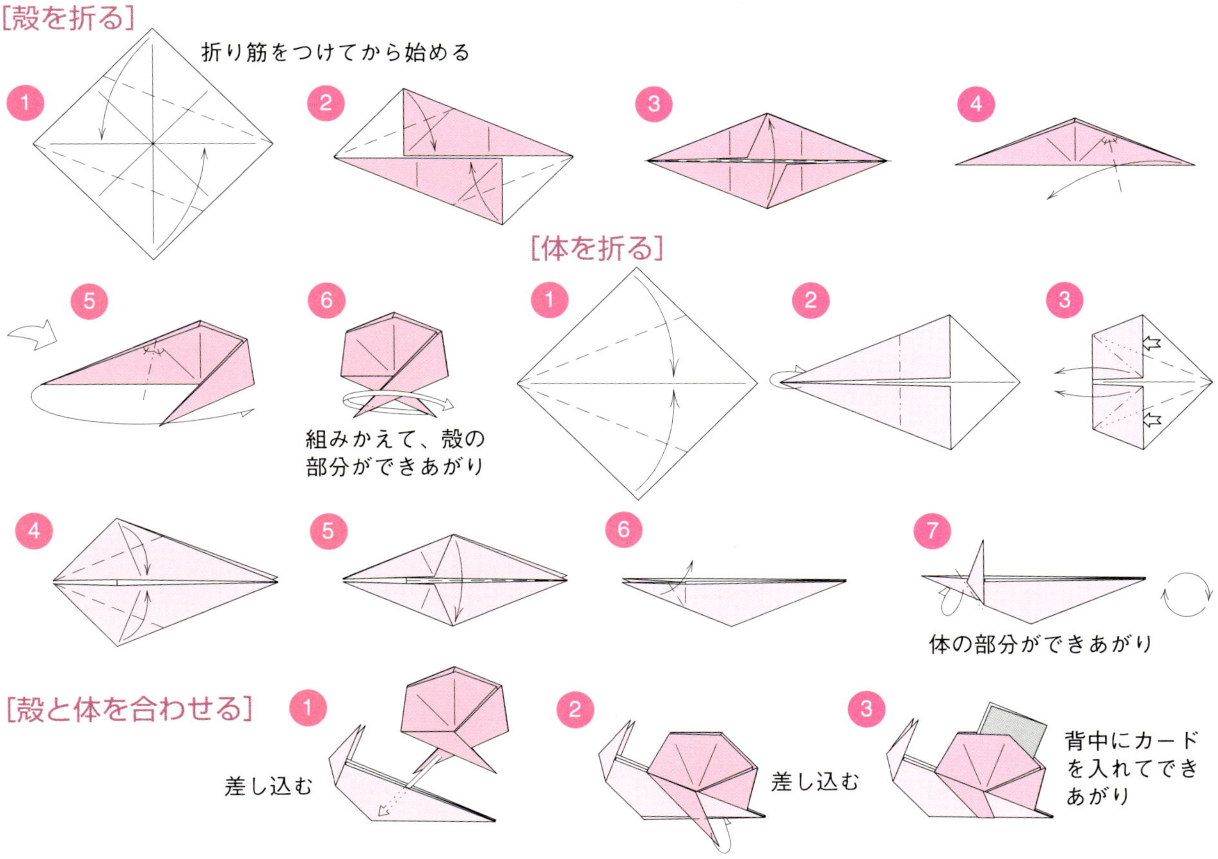

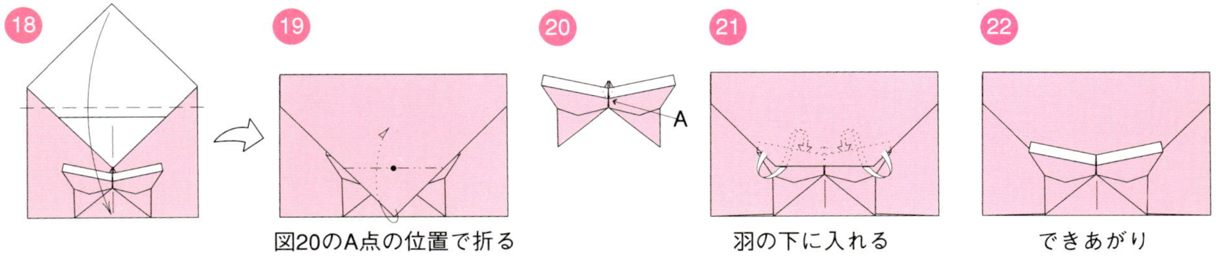

心付けを包めばポチ袋にもなる

花畳紙

畳紙は中に一筆しのばせれば手紙として、お金を入れればポチ袋として、また糸や針などの小物入れとして、さまざまな用途に使うことができます。この花畳紙は裏地が表に出るので、裏紙の色も意識して紙を選びましょう。

無地の紙で折ると折り筋が映える

八角畳紙

きれいな折り筋がポイントの畳紙です。無地の紙で折るとそのよさが引き立ちます。紙は和紙がよく似合います。硬い紙で折ればカッチリとした印象に、柔らかい和紙で折れば温かみのある印象に仕上がります。

チップを渡すとき、こんな紙に包んで渡せば、感謝の気持ちも届きそう。クリップなどの小物を持ち運ぶときにも便利です。

花畳紙 難易度★★ 山田裕子作

●用意する紙●15×15cm

●アドバイス●図1から図3にかけての折り筋をしっかりつけておくと、図6までの工程がスムーズに運びます。図13から15にかけても難しい箇所ですが、14の途中経過図を参考にしてみてください。

1
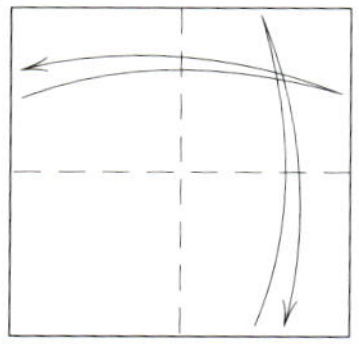
折り筋をつける

2
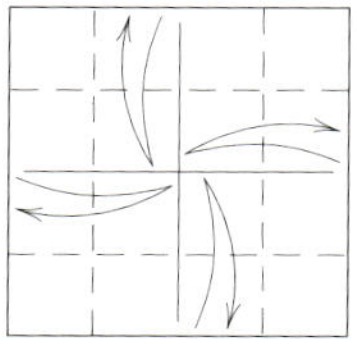

3
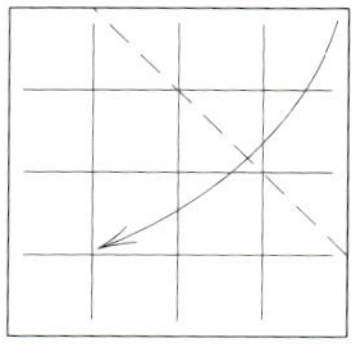

4
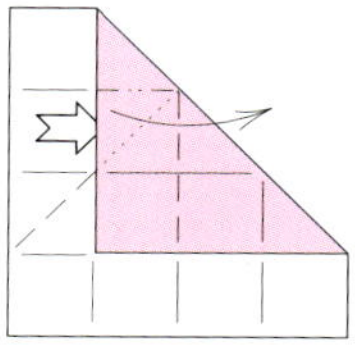
いったん開いて図5のように折りたたむ

5
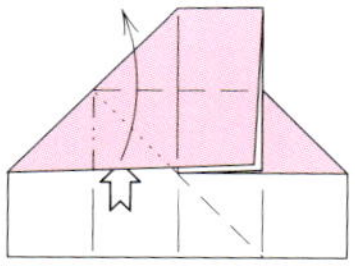
開いて図6のように折りたたむ

6
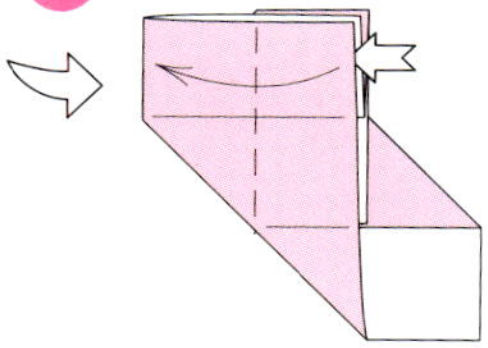

7
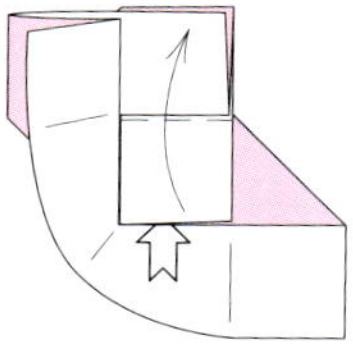

8
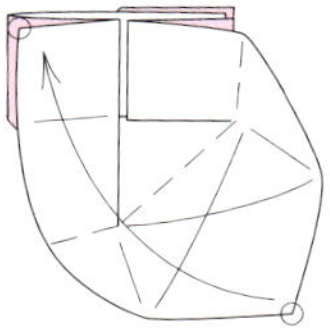
○印と○印を合わせる

9
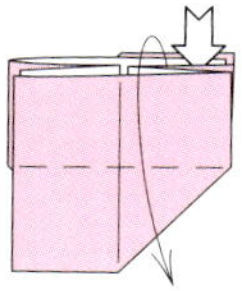
手前に開く

10
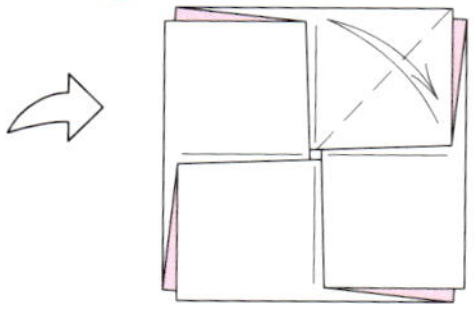

11
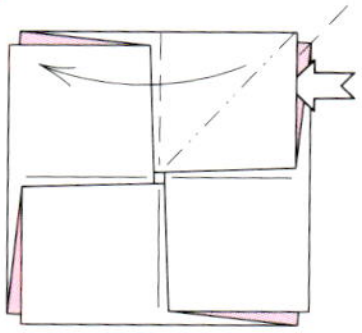
開いて三角形になるようにつぶす

12
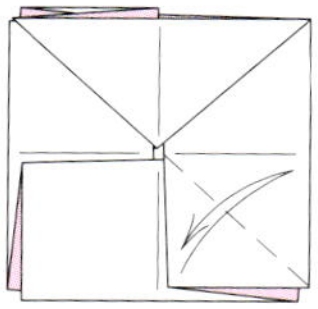
残りの3か所も同様に折る

13
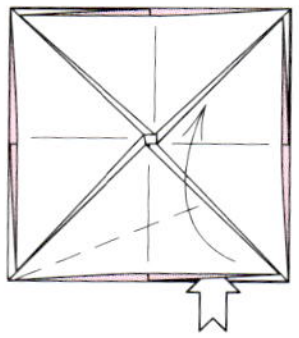
開いてつぶす

14
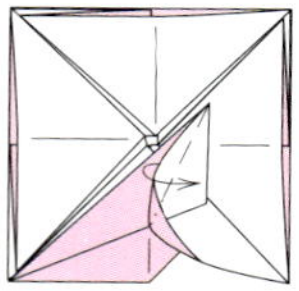
途中経過

15
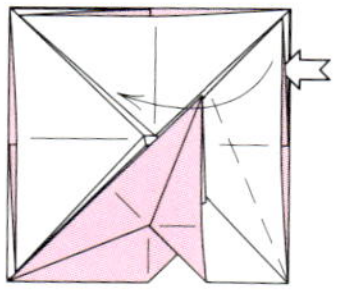
残りの3か所も同様に折る

16
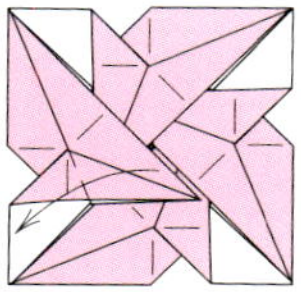
いったん戻す

17
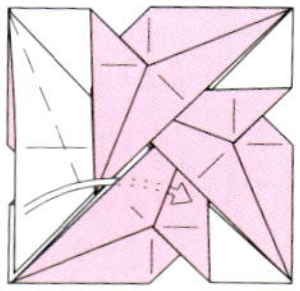
差し込む

18

できあがり

差し込む位置をかえるとこんな形もできる

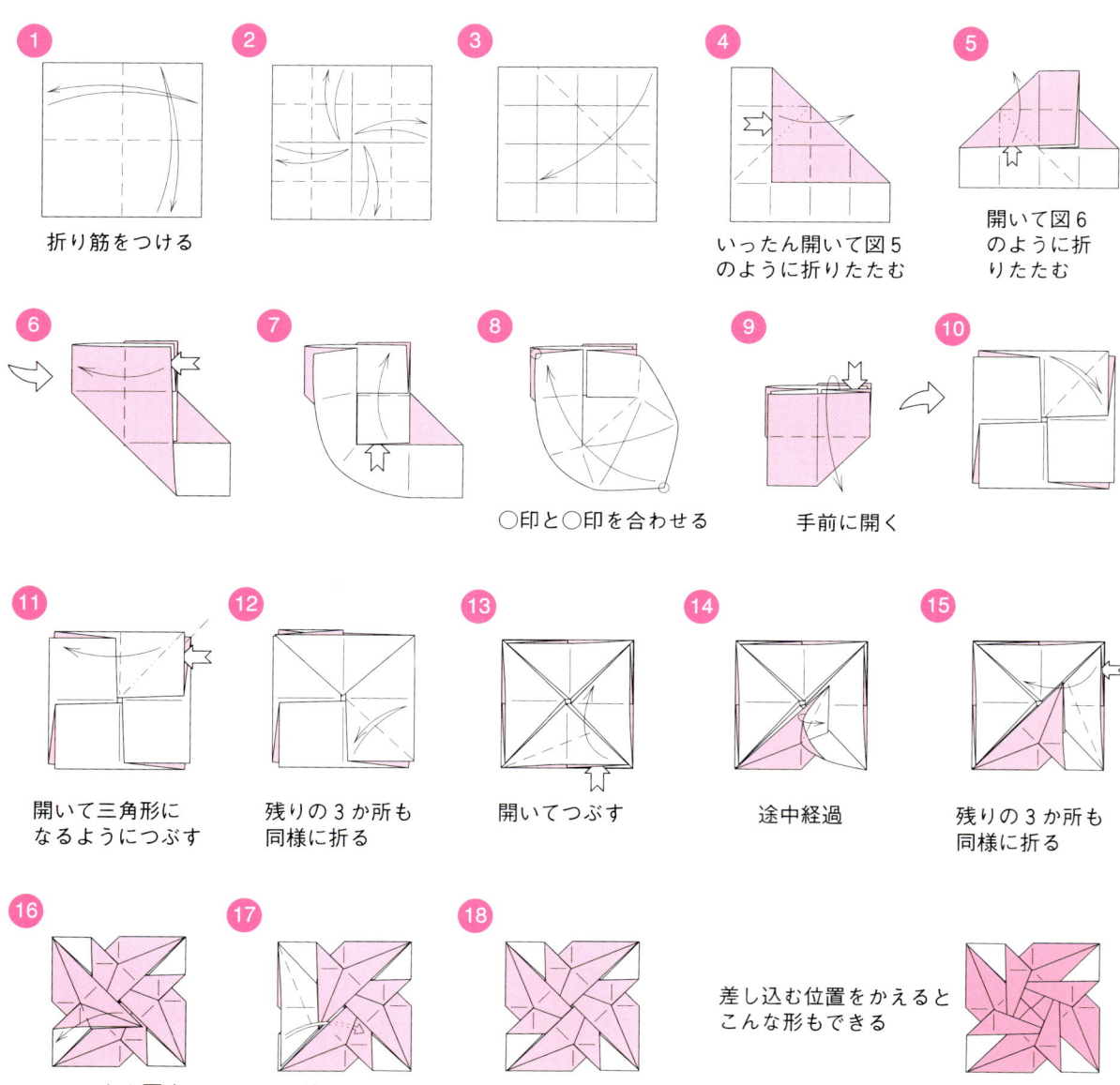

八角畳紙　難易度★★★

野中陽子作

●用意する紙●大24×24cm／小18×18cm

●アドバイス●やや難易度の高い折り紙です。特に14から15にかけてがポイント。図14の「つまむように折りたたんだ」後の形が図15になります。折れない場合には、図15の形をよく見てから折ってみましょう。

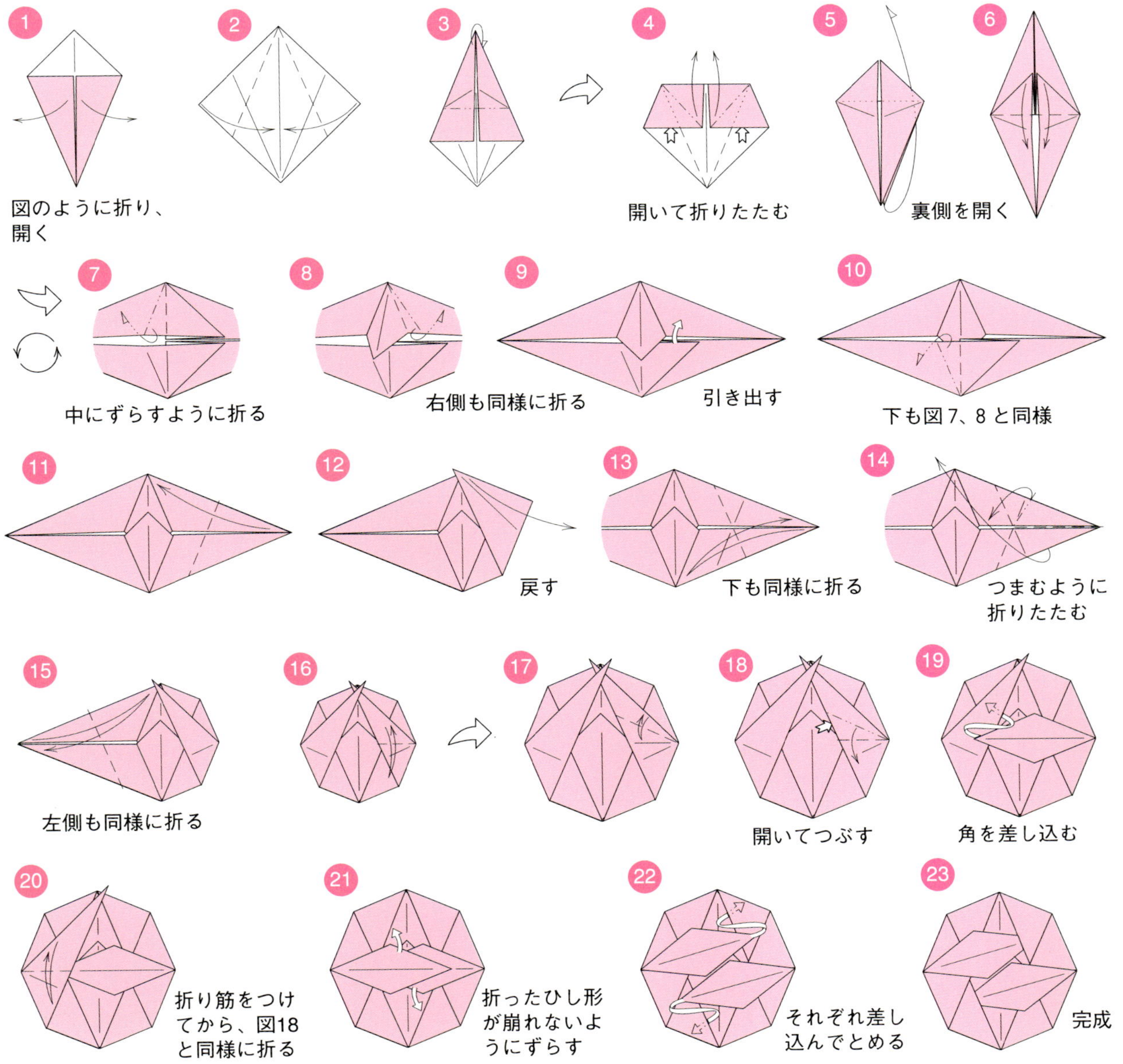

男の子のお祝いにふさわしい

カブトののし袋

カブトの形が印象的なのし袋は、端午の節句にピッタリな華やかさに満ちています。デザイン上のポイントはやはり赤いカブトの部分。“すくすくと、大きくなりますように”という願いもきっと届くに違いありません。

NOSHIBUKURO

本体の白い紙にも金箔を散りばめた紙を使い、お祝いの気持ちを一層高めました。

POCHIBUKURO

伝統の美しいフォルムが見事

鶴のポチ袋

昔から伝わる伝承の内祝い包みです。長い年月にわたって、人々に親しまれ、使われてきただけに、完成された美しさがあります。本来は白い紙で折るものですが、好みの色や柄で折るのも楽しいものです。

鶴のポチ袋　難易度★★　伝承作品

●用意する紙●34.8×24.6cm　薄手の紙

●アドバイス●上記に表示した寸法は本書で実際に使用した紙の大きさですが、$\sqrt{2}$：1の比率であれば多少サイズが変わっても構いません。$\sqrt{2}$：1の比率とは、コピー用紙などでよく見かけるA4判やB4判の紙の比率です。

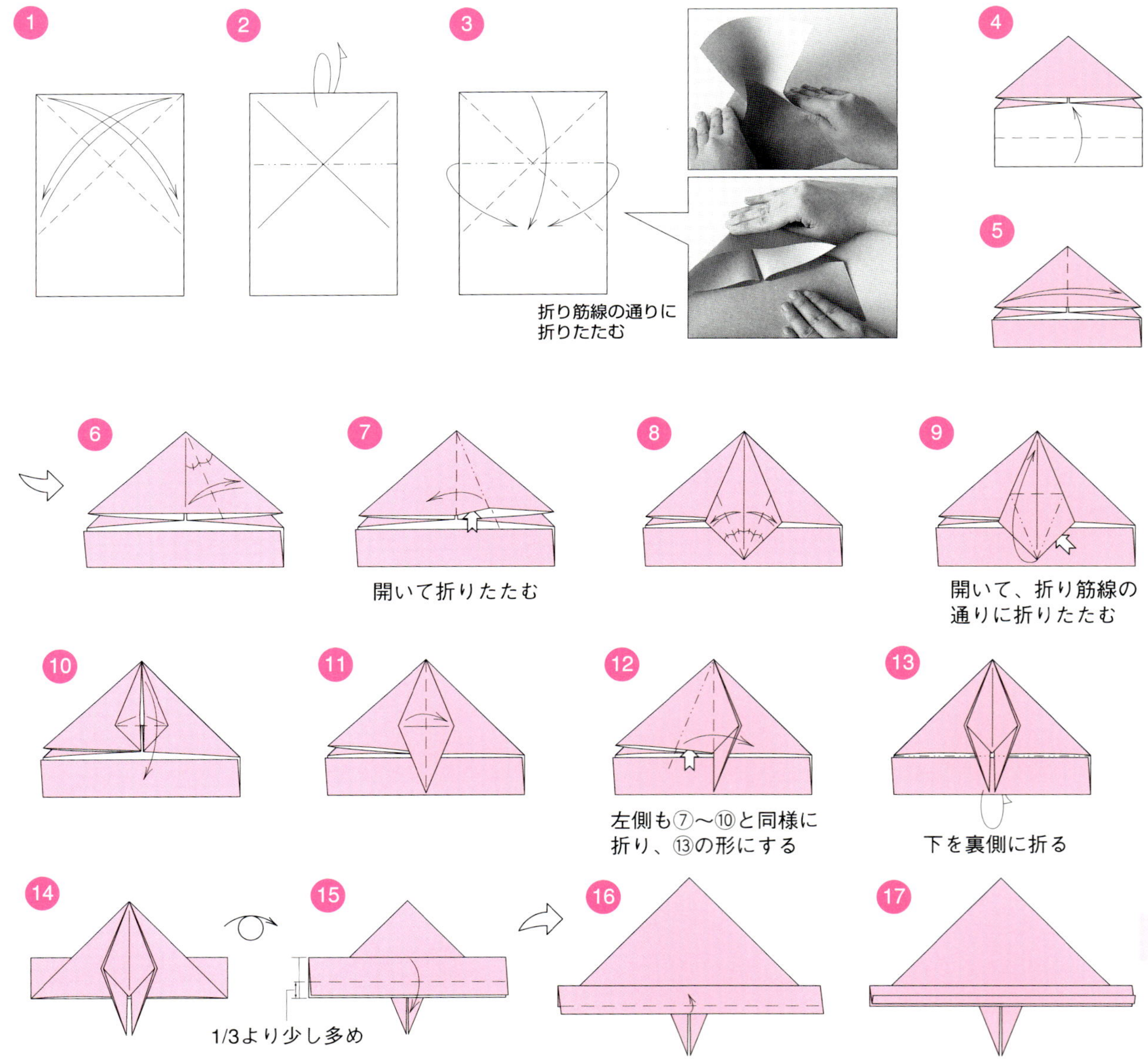

カブトののし袋

難易度★

津村陽香作

●用意する紙●42×27cm　薄手の白い紙　薄手の赤い紙　水引き

●アドバイス●きれいに仕上げるためには、赤い紙を正確に測ってカットし、丁寧にのりづけすること。紙は洋紙でもかまいませんが、和紙を利用すると、お祝い事にふさわしい改まった雰囲気に仕上がります。

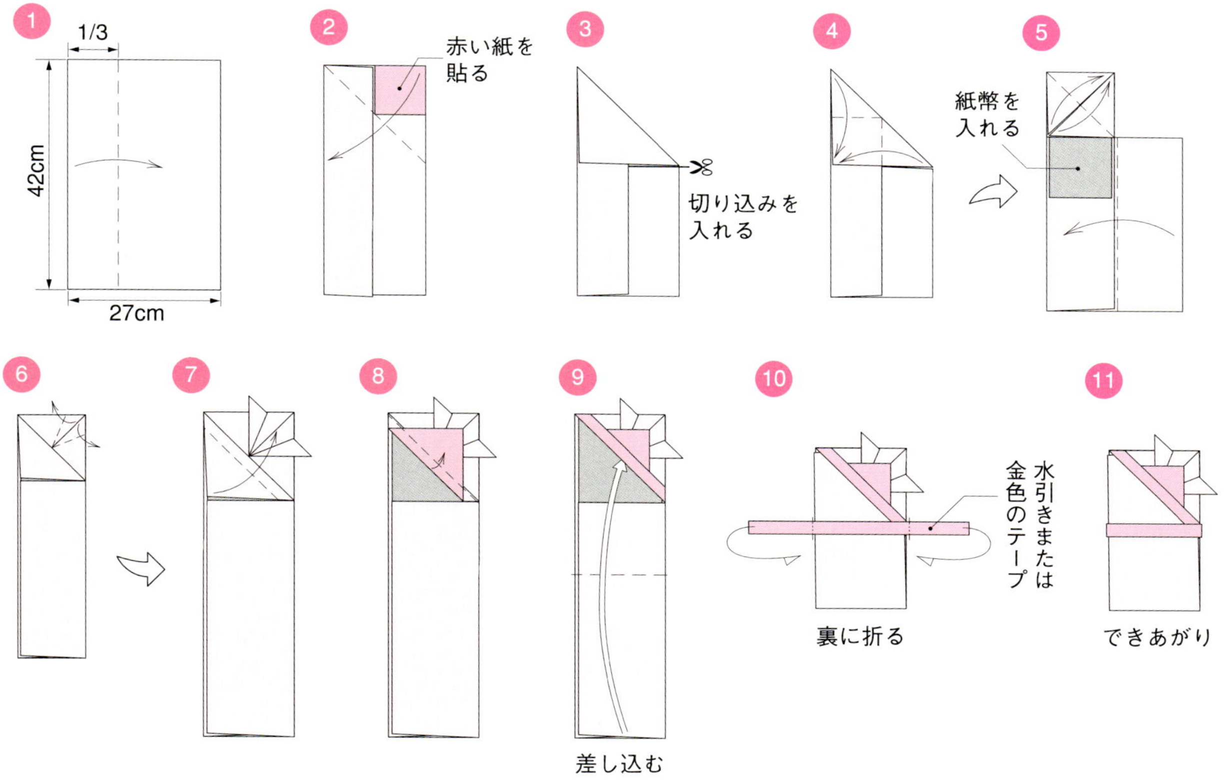

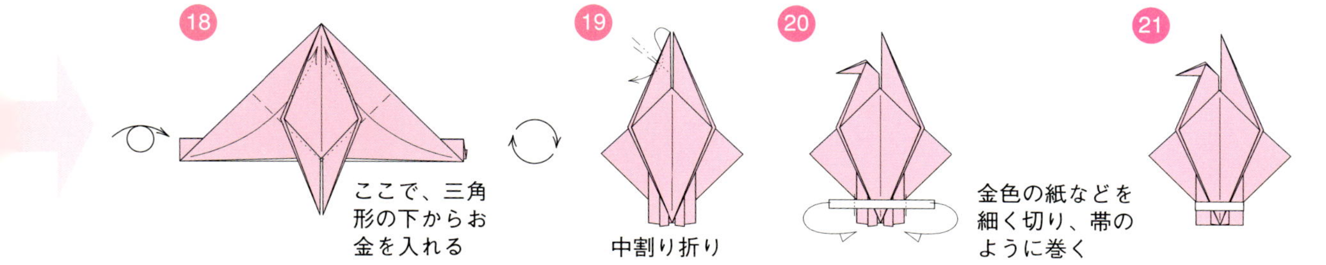

PURSE

差し入れ口が5つもある

二つ折り財布

整理しやすい便利な財布です。写真は皮製品のように見えますが、実は紙。こんな個性的な紙を使って自分だけのすてきな財布を作ってみてはいかがでしょうか。実用的なのでプレゼントとしても喜ばれます。

二つの小さいポケットは、キャッシュカードがちょうどピッタリ入る大きさです。

ポチ袋やお年玉袋にもなる

プチ紙幣入れ

昔ながらの千代紙で折ってみました。簡単に折れるので、いろいろな模様の紙で折ってみるのも楽しいもの。できあがりは4.5×9cmと小さいですが、4つに折りたたんだ千円札がきちんと納まるサイズです。

二つ折り財布　難易度★★★

木下一郎作

●用意する紙●43.5×59cm　薄手の丈夫な紙

●アドバイス●実際に１万円がピッタリ入るように型紙を作っておきます。図16から18にかけて大きく形が変化しますが、図16までの工程でしっかり折り筋をつけておけば、折り筋に従って無理なく折りたたむことができます。

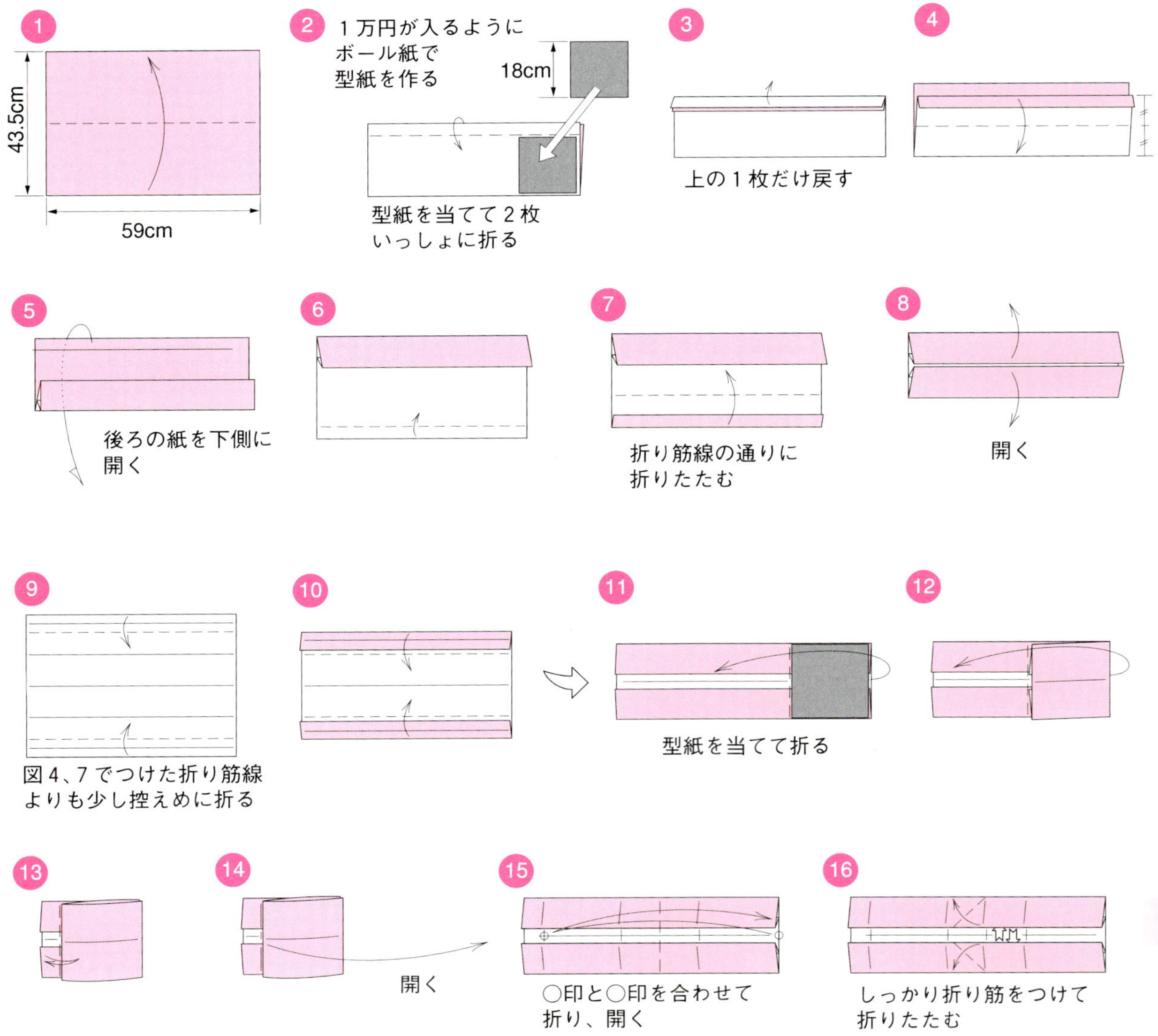

プチ紙幣入れ　難易度★　大橋晧也作

●用意する紙●25.4×18cm　薄手の丈夫な紙

●アドバイス●簡単に折れて、実用性も高い財布。裏紙がデザイン上のポイントになるので、リバーシブルの紙がおすすめです。財布としてだけでなく、ポチ袋やお年玉袋としても利用できます。

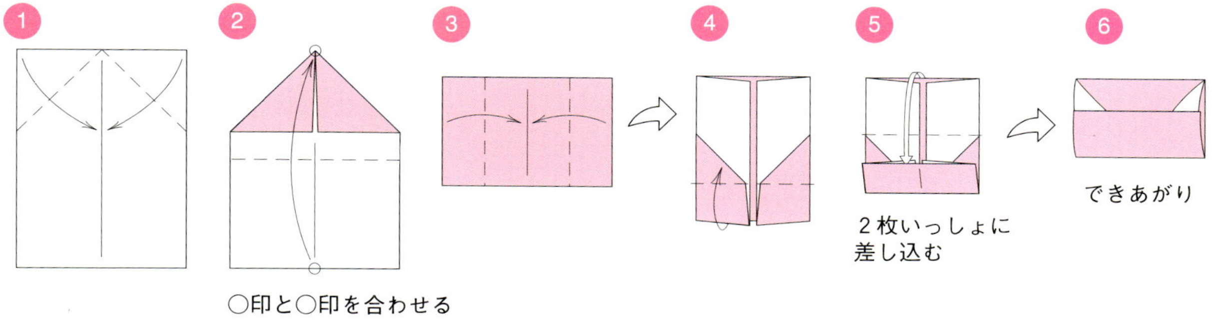
1
2
3
4
5
6
○印と○印を合わせる
2枚いっしょに
差し込む
できあがり

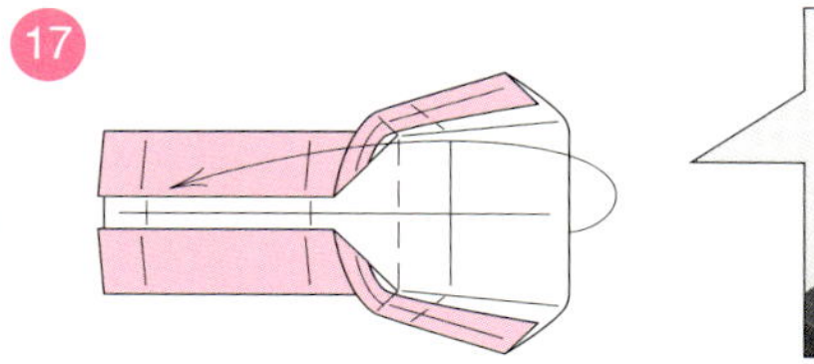
17

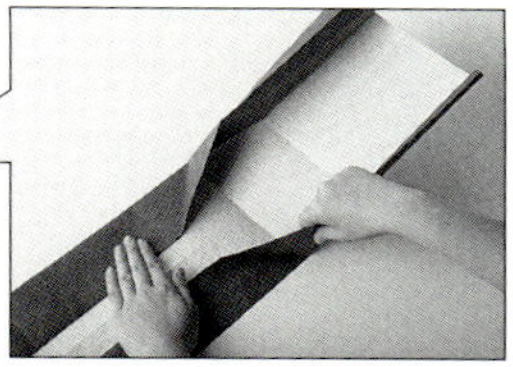
折り筋に従って折りたたむ

左手で押えながら折ると、スムーズに行く

完全に折りたたんだところ

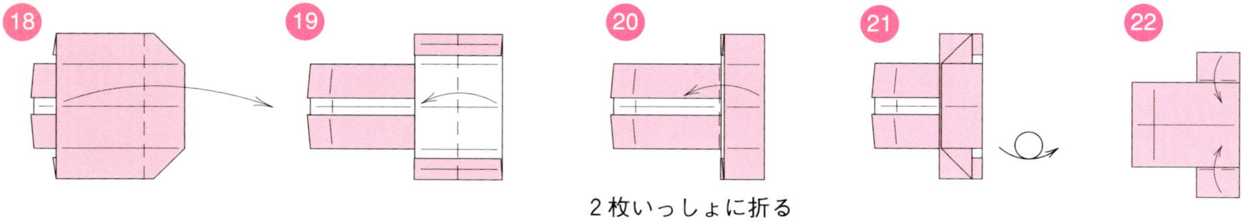
18
19
20
21
22
2枚いっしょに折る

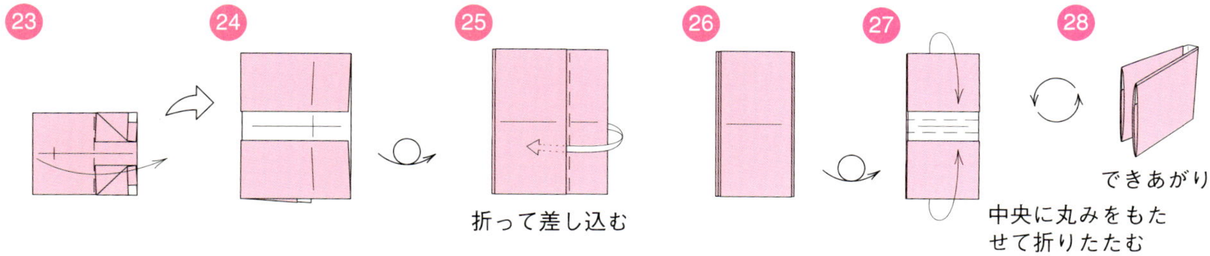
23
24
25
26
27
28
折って差し込む
できあがり
中央に丸みをもた
せて折りたたむ

WALLET

和紙で折れば雅な雰囲気に

5ポケット小物入れ

ポケットが前後に5か所もある便利な小物入れです。筆記用具を入れればペンケースに、裁縫道具を入れればソーイングケースに、さまざまな用途に利用できます。懐紙入れとしてもおすすめです。

TISSUE PAPER CASE

ティッシュケースをおしゃれにラッピングしてプレゼントに。実際に使えるものだけに、喜んでもらえそう。

2色の色合わせがポイント

携帯ティッシュケース

バッグの中からこんなにすてきなティッシュケースが現れたら、「すてきね」の称賛の声があがりそうです。ここでは、色違いの和紙を2枚重ねて折ってみました。色や柄の組み合わせ次第で、さまざまな表情が楽しめます。

同じ折り方でも、目と口を描けばかわいいカエルのティッシュケースに早変わり。

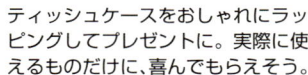

5ポケット小物入れ　難易度★　後藤いく作

●用意する紙●30×30cm　薄手の柄物の紙

●アドバイス●きれいに仕上げるコツは、のりづけを丁寧にすること。柄物の紙ならのりづけ部分が目立たないのでおすすめです。何枚も重ねて作るので、薄手の紙でもカッチリとした仕上がりになります。

1

端を少し折る

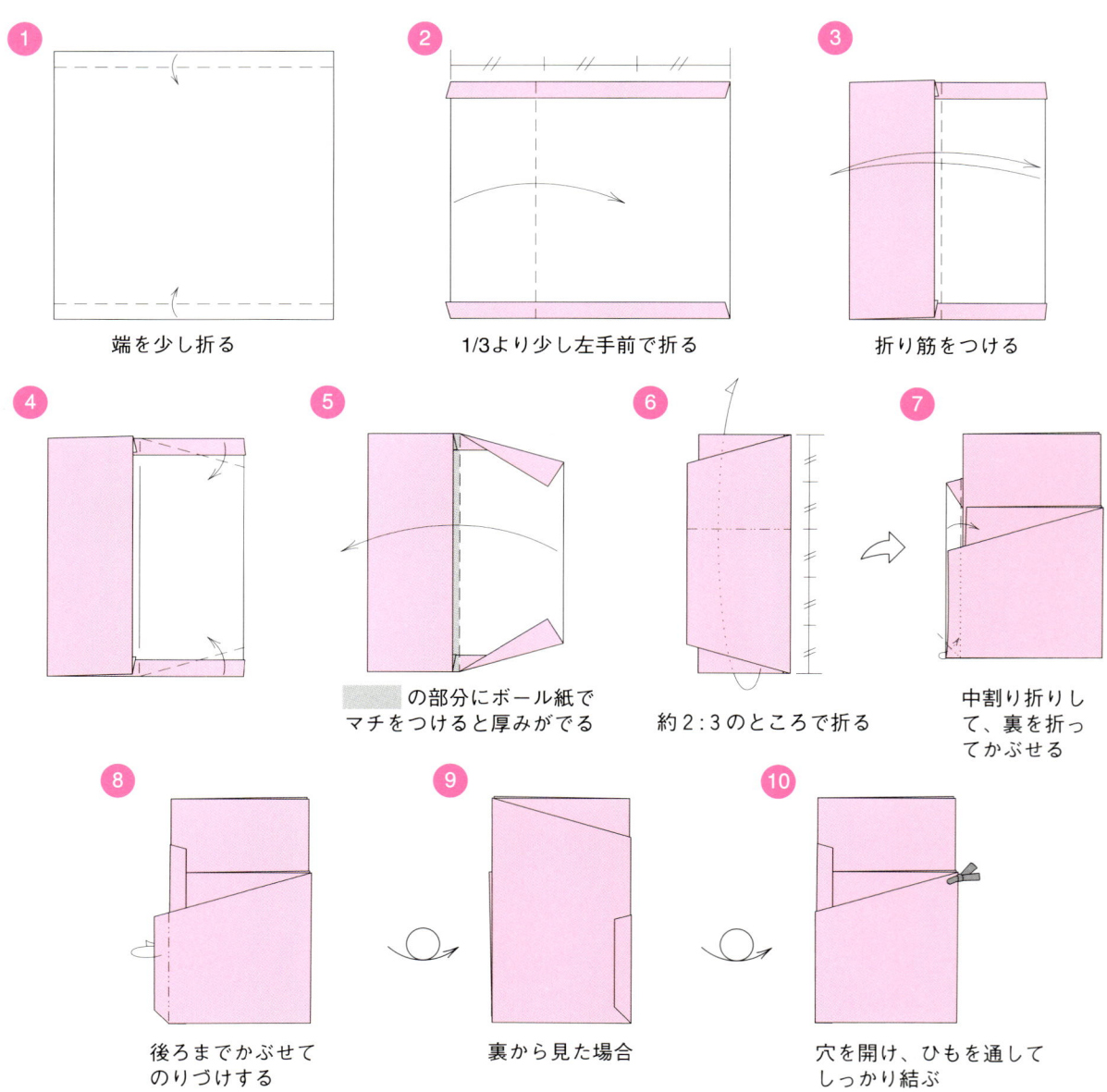

2
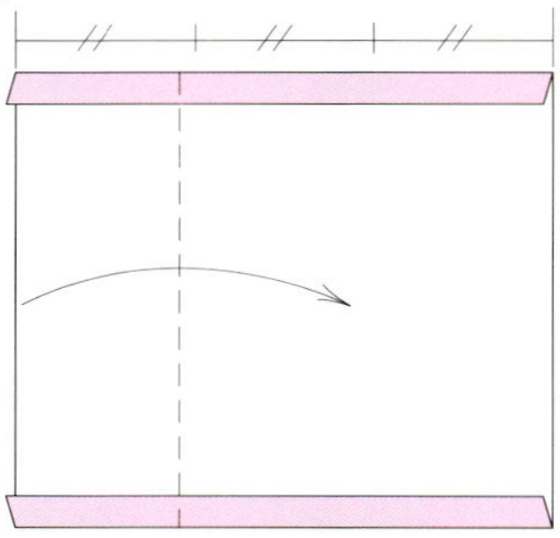
1/3より少し左手前で折る

3
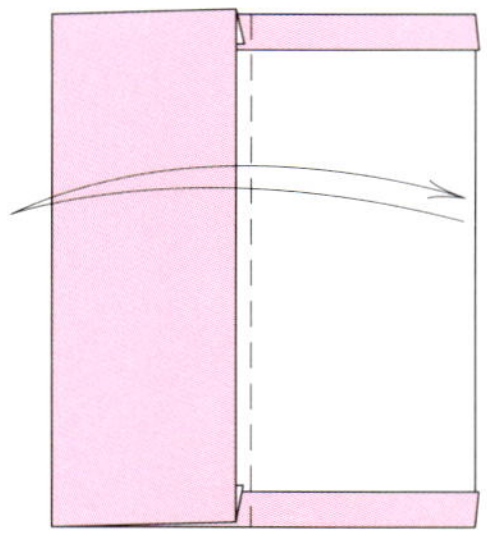
折り筋をつける

4

5
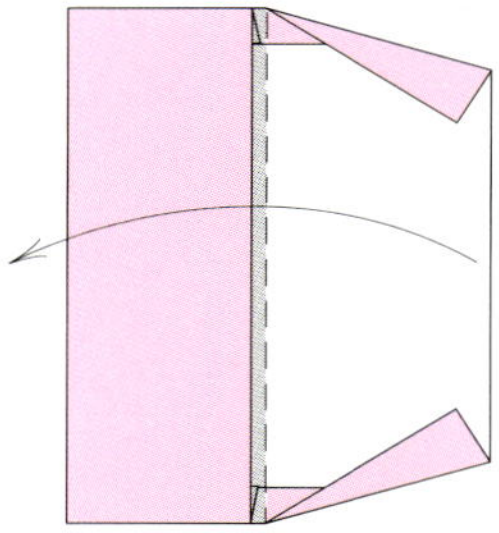
の部分にボール紙でマチをつけると厚みがでる

6
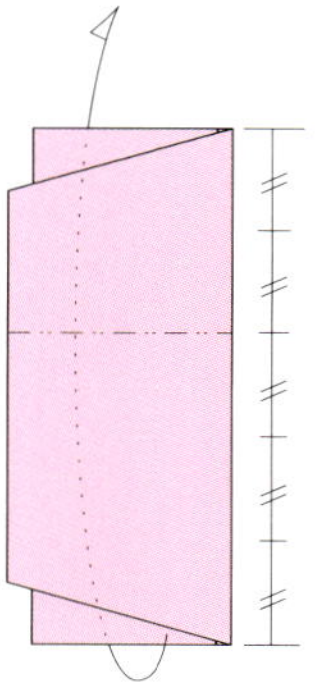
約2:3のところで折る

7
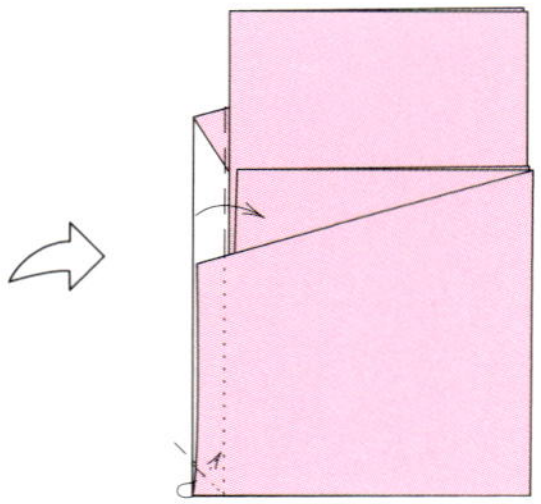
中割り折りして、裏を折ってかぶせる

8
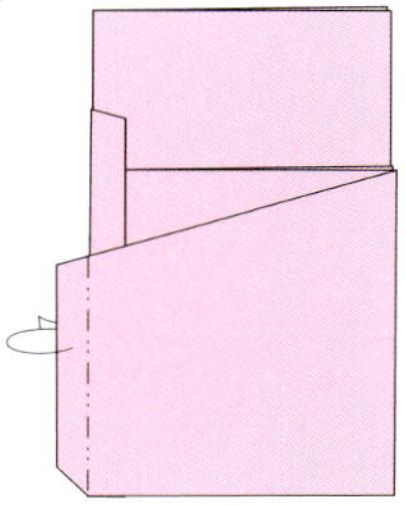
後ろまでかぶせてのりづけする

9
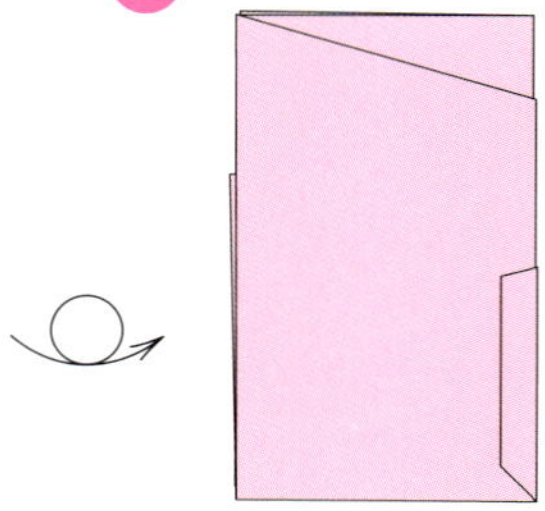
裏から見た場合

10

穴を開け、ひもを通してしっかり結ぶ

携帯ティッシュケース　難易度★　池田明美作

●用意する紙●24×24cm　薄手の紙

●アドバイス●伝承作品をアレンジした携帯ティッシュケース。裏地がアクセントになるので、リバーシブルの紙か、色違いの紙を二枚重ねにしたものがおすすめです。中に入れるティッシュが柔らかいので、紙も柔らかいものが合います。

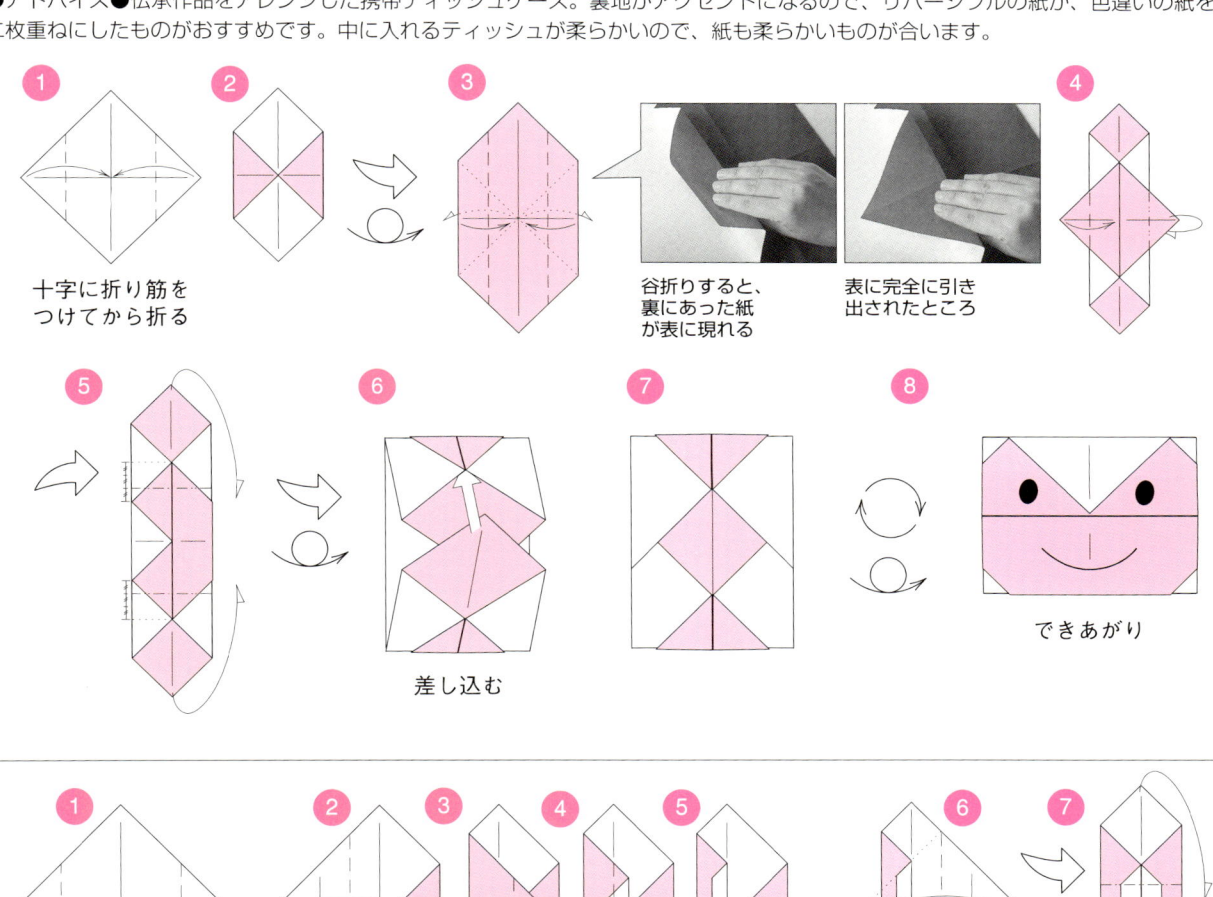

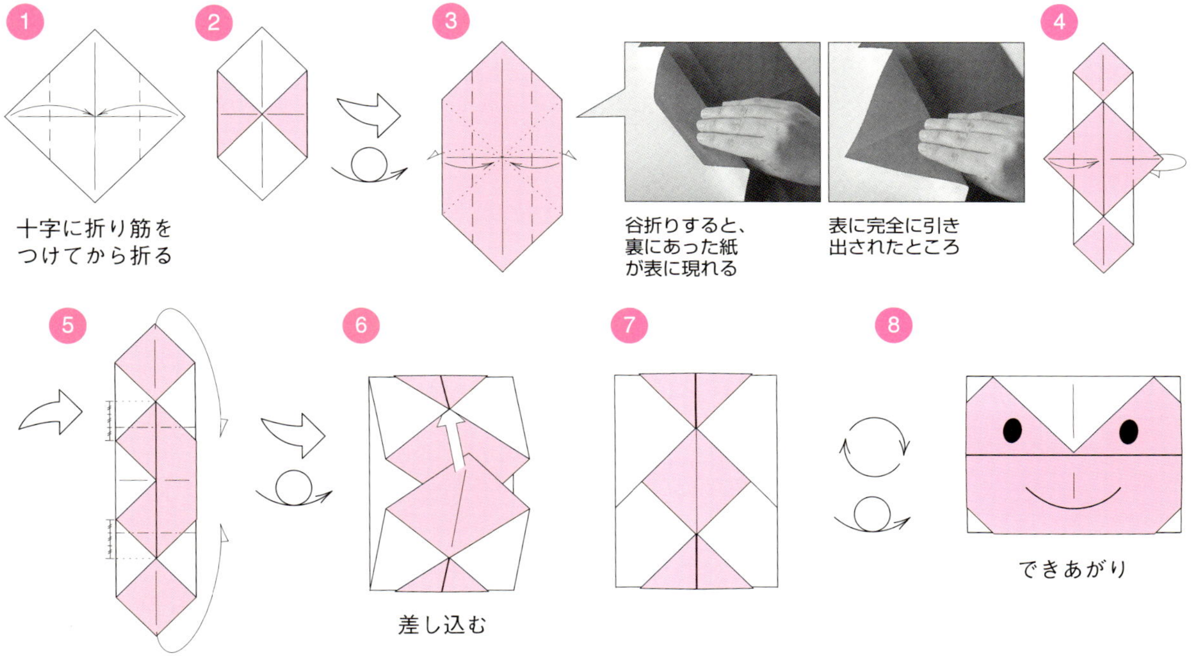
1
十字に折り筋を
つけてから折る
2
3
谷折りすると、
裏にあった紙
が表に現れる
表に完全に引き
出されたところ
4
5
6
差し込む
7
8
できあがり

伝承【ティッシュカバーの作り方】

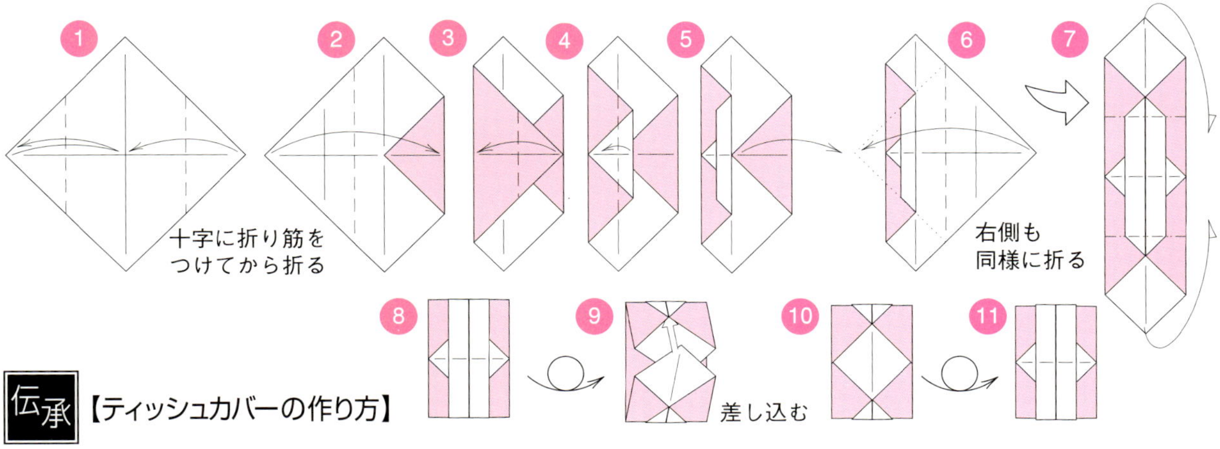
1
十字に折り筋を
つけてから折る
2
3
4
5
6
右側も
同様に折る
7
8
9
差し込む
10
11

PART
2

PARTY GOODS

季節ごとに家を華やかに飾る

折り紙で作るパーティーグッズ

クリスマスやお正月などのイベントを、楽しく華やかに演出するためには、それぞれの行事にふさわしい飾りや小物がほしいものです。折り紙で季節の行事に合うすてきな小物を作ってみましょう。

壁やドアに飾ってみたい

ベル付きX'masリース

クリスマスカラーの緑と赤、金色を使いました。同じ折り方でも金と銀で折ればシックなイメージに、赤の濃淡なら個性的な雰囲気に仕上がります。色の組み合わせで、さまざまなクリスマスシーンを演出してみましょう。

CHRISTMAS GOODS

サンタクロースの顔に表情をつければ、楽しさも一層増してきます。

会話も弾んできそう

サンタのナプキンリング

大人にも子供にもうける愛らしさ満点のナプキンリング。立たせることができるので、食事中はテーブルの置物にもなります。小さなクリスマスグッズですが、これひとつで、食卓の楽しい雰囲気がアップすること請け合いです。

ベル付きX'masリース　難易度★★　朝日勇作（リース）／高濱利恵作（リボン＆ベル）

●用意する紙●リース15×15cm7枚／ベル6×6cm2枚／リボン9×9cm

●アドバイス●リースとリボン、ベルを別々に作って組み合わせて完成させます。折り方そのものは比較的簡単ですが、同じパーツが複数個必要なので、根気よく折っていくことが必要です。リースは裏紙が表に出るのでリバーシブルのものがおすすめです。

[リースを折る]

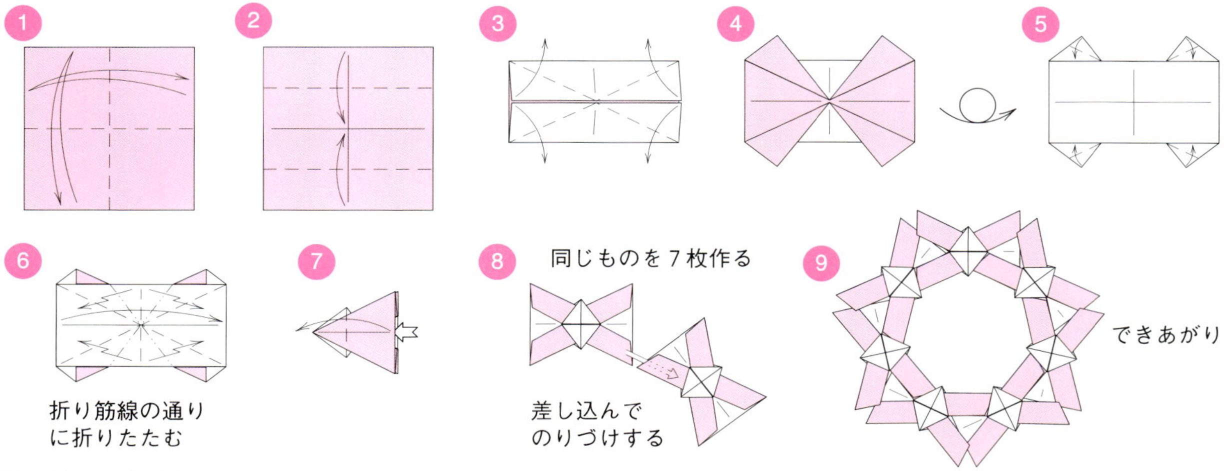
1
2
3
4
5
6
折り筋線の通りに折りたたむ
7
8
同じものを７枚作る
差し込んでのりづけする
9
できあがり

[リボンを折る]

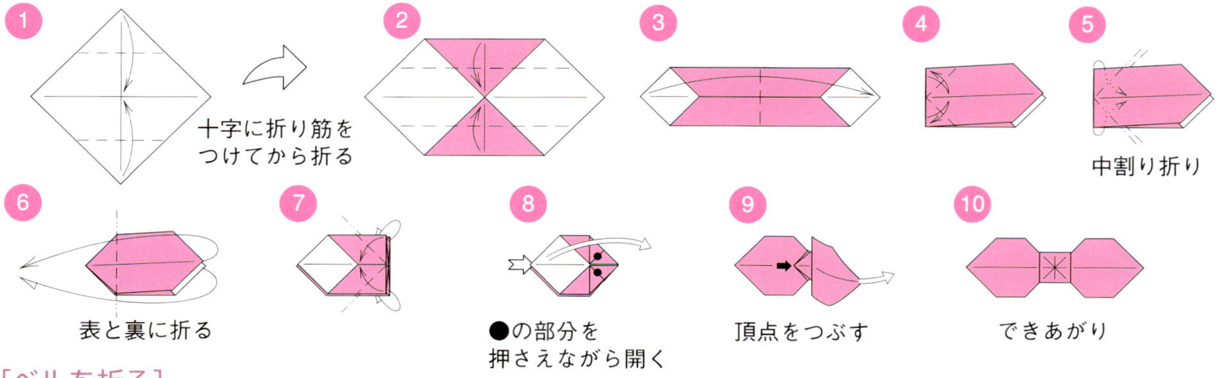
1
十字に折り筋をつけてから折る
2
3
4
5
中割り折り
6
表と裏に折る
7
8
●の部分を押さえながら開く
9
頂点をつぶす
10
できあがり

[ベルを折る]

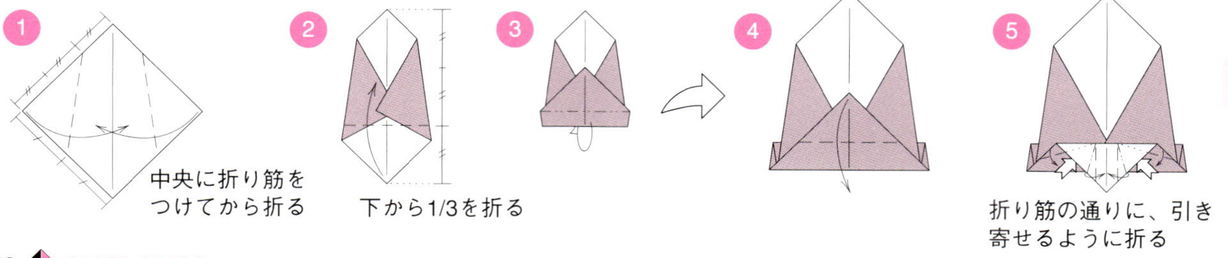
1
中央に折り筋をつけてから折る
2
下から1/3を折る
3
4
5
折り筋の通りに、引き寄せるように折る

サンタのナプキンリング　難易度★　佐野康博作

●用意する紙●15×15cm　表が赤、裏が白い紙

●アドバイス●手軽にできるナプキンリング。表が赤で、裏が白の紙を使います。入手できない場合は、赤と白の紙を2枚重ねで使ってもOK。本書の指定サイズで作ると、市販の紙ナプキンを通すのにピッタリの大きさに仕上がります。

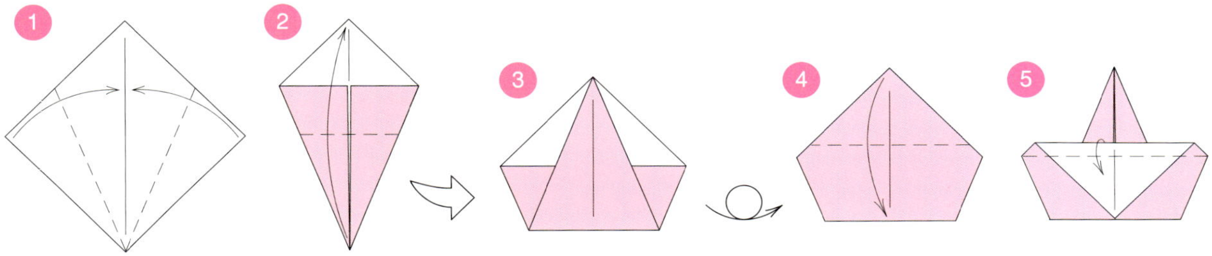

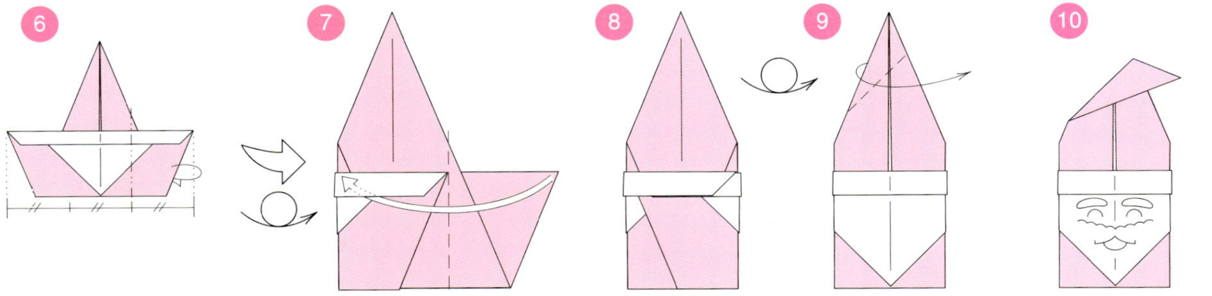

下に差し込む

顔を描けばできあがり

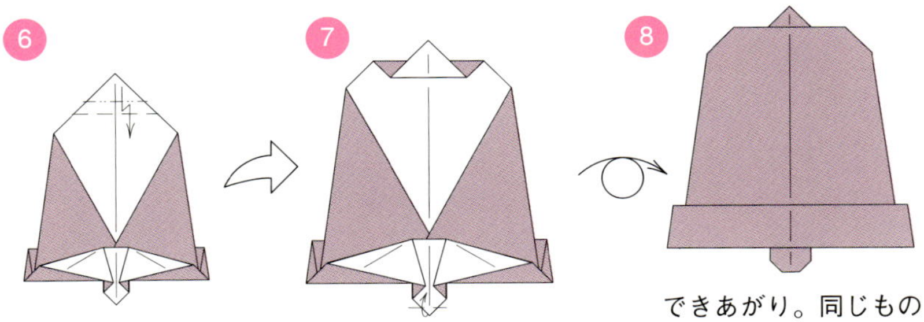

段折り

できあがり。同じものを２枚作る

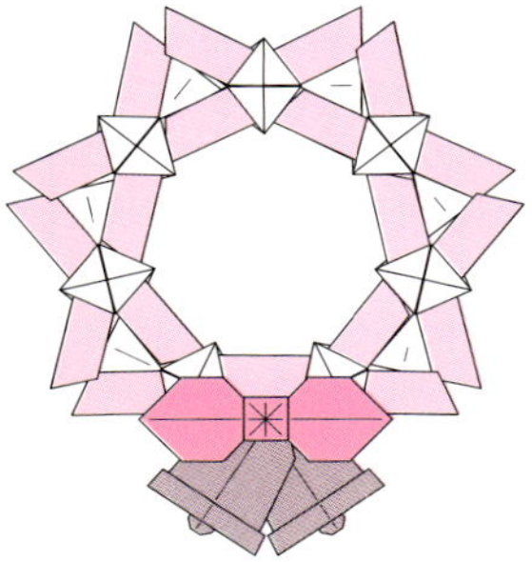

リース、リボン、ベルを組み合わせて完成

昔懐かしい鍋敷きも
こんなに豪華に

鏡もちの台座

昔から受け継がれてきた伝承の鍋敷きを、金の紙で折り上げて、鏡モチの台座に見立てました。厚みがあるため、豪華で安定性もあり、鏡もちを引き立ててくれます。鍋敷きを正月飾りに使うなんて、茶目っ気たっぷりの演出です。紙は両面とも金のものを使っています。

NEW YEAR GOODS

新年を迎えるにふさわしい
優美さ

鶴の壁飾り

正月は鶴の壁飾りで装い、祝ってみてはいかがでしょうか。美しい姿の中にも力強さが感じられる、一年の始まりにふさわしい正月飾りです。金や銀、純白の和紙で折っても印象的。ここでは金で裏打ちした紙を使っています。

塗の盆に載せて、立て掛ければ置物に。上の鶴は中央上の羽をすべて開かずに、のしのような形に折りたたんで、裏地の金色を見せています。

鶴の壁飾り　難易度★★　田中具子作

●用意する紙●24×24cm　厚手の紙

●アドバイス●図24から25にかけてうまく折れない場合には、図25の仕上がり図を参考にしてみてください。紙は硬くてしっかりしたものがおすすめです。裏地が少し見えるので、ポイントになるような色を選びましょう。

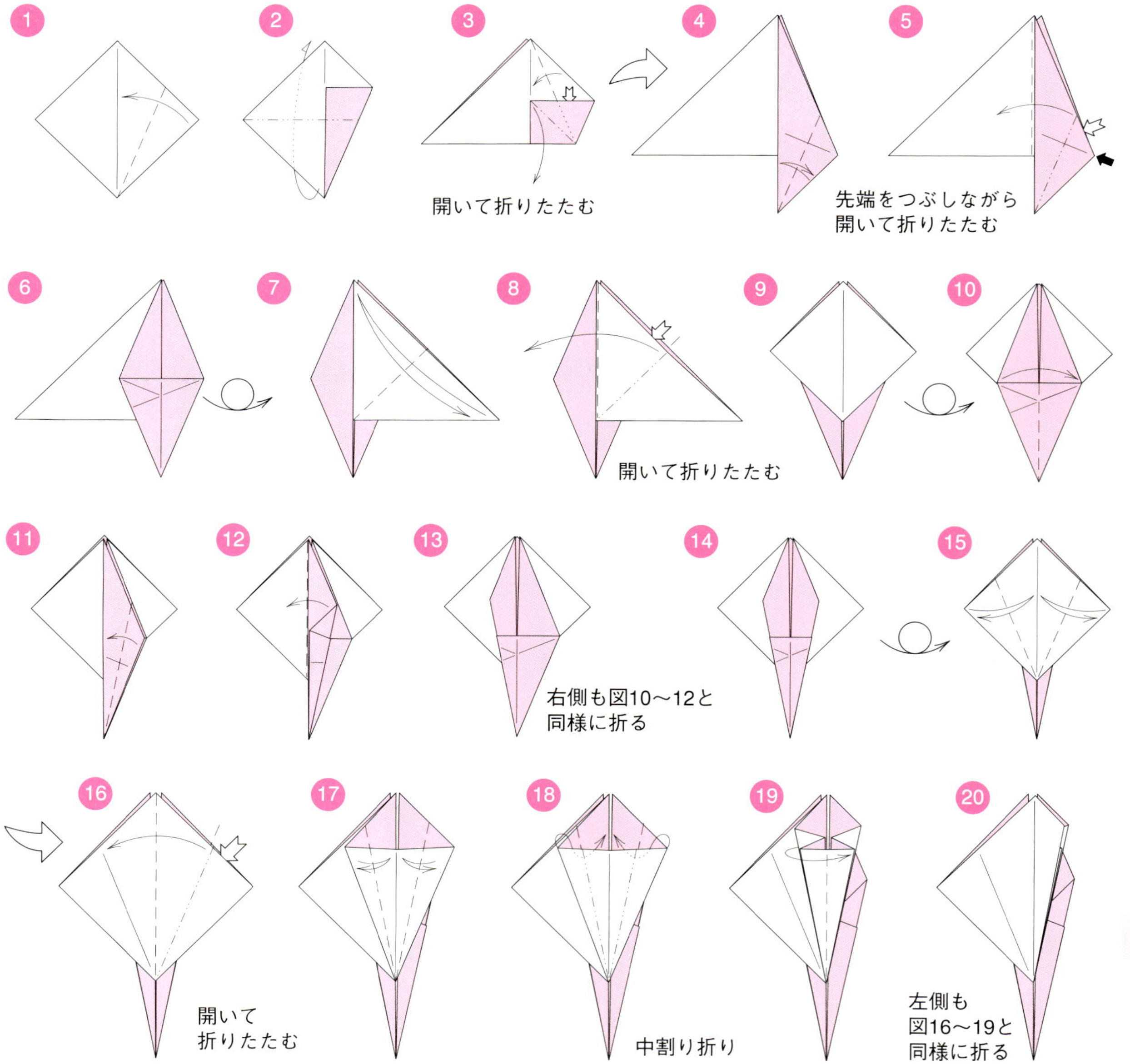
1
2
3
開いて折りたたむ
4
5
先端をつぶしながら
開いて折りたたむ
6
7
8
開いて折りたたむ
9
10
11
12
13
右側も図10～12と
同様に折る
14
15
16
開いて
折りたたむ
17
18
中割り折り
19
20
左側も
図16～19と
同様に折る

鏡もちの台座　難易度★★　伝承作品

●用意する紙●15×10cmの厚手の紙30〜40枚

●アドバイス●30〜40個の同じパーツを組み合わせて作ります。折り方そのものは簡単ですが、同じパーツが数多く必要なので、ひとつずつ根気よく折っていく必要があります。紙は厚手がおすすめですが、薄手の紙でもパーツを多く使えばしっかりとした厚みのある台座になります。

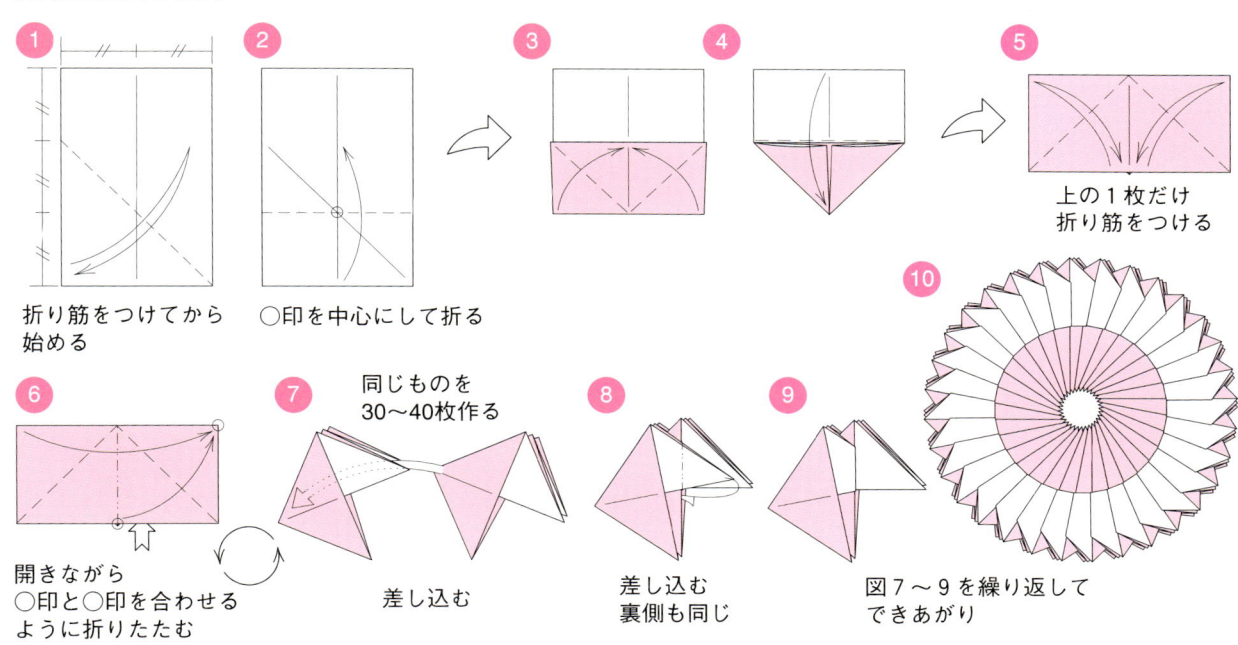

1
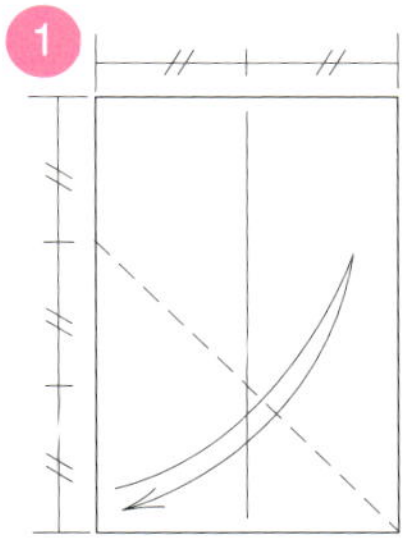
折り筋をつけてから始める

2
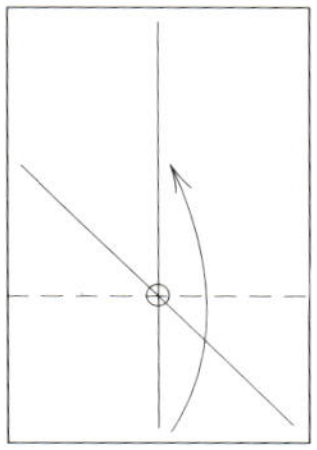
○印を中心にして折る

3
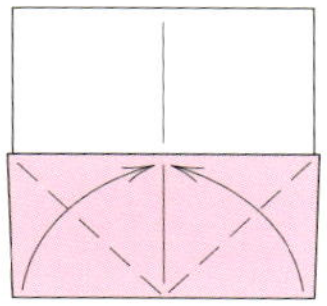

4
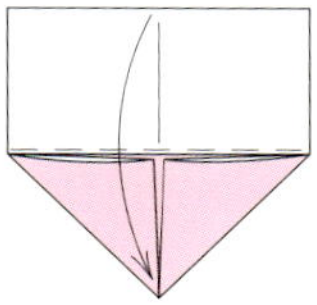

5
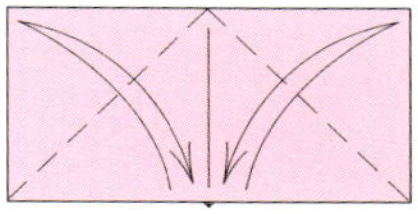
上の1枚だけ折り筋をつける

6
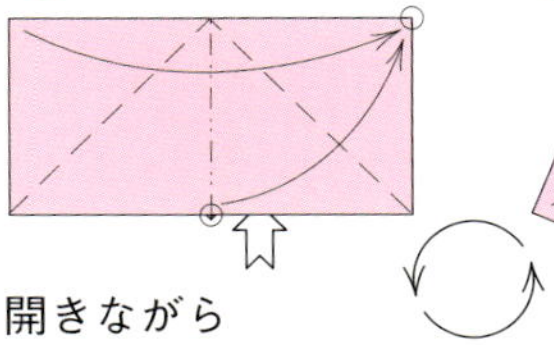
開きながら○印と○印を合わせるように折りたたむ

7
同じものを30〜40枚作る
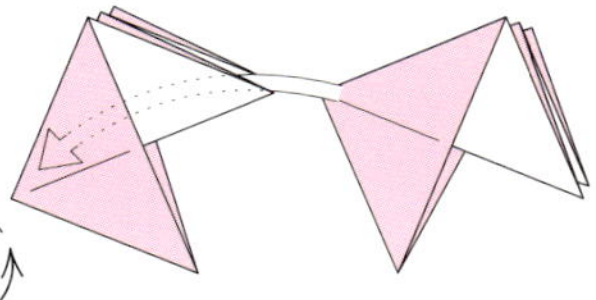
差し込む

8
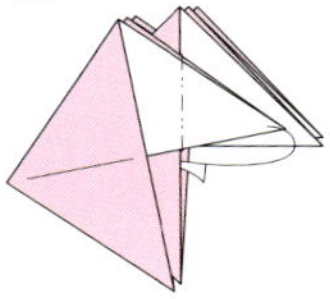
差し込む裏側も同じ

9
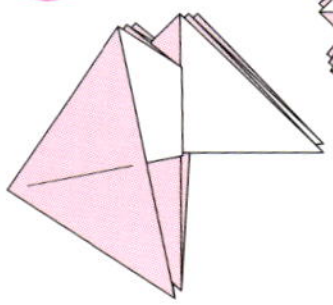
図7〜9を繰り返してできあがり

10
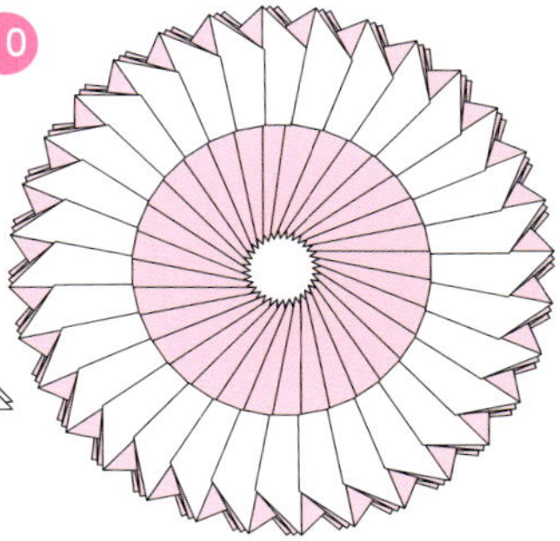

21
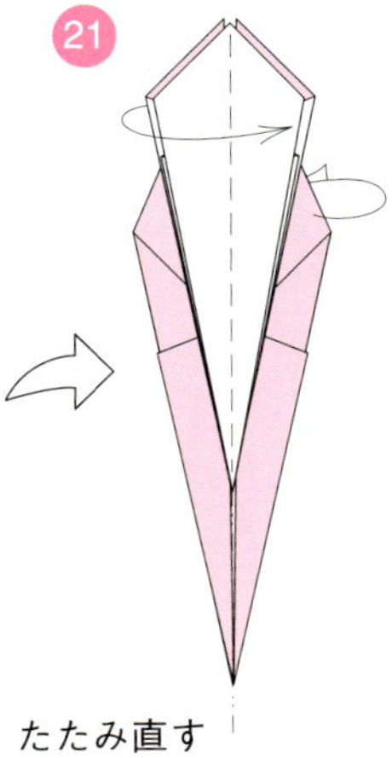
たたみ直す

22
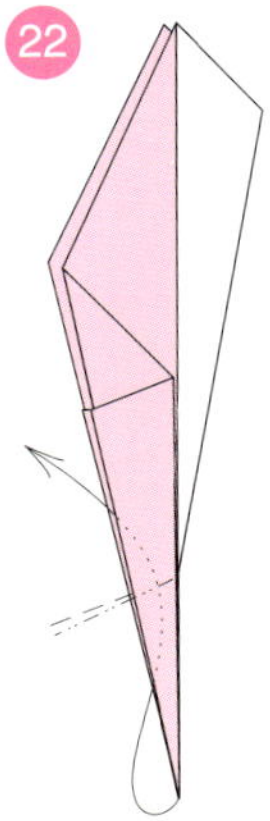
中割り折り

23
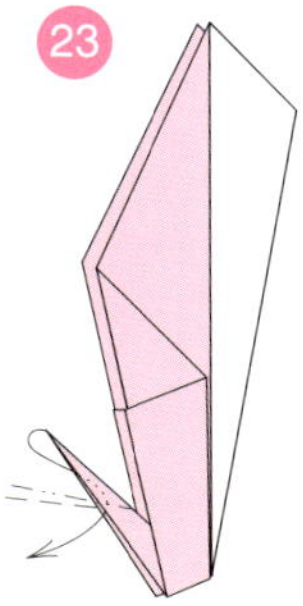
中割り折り

24
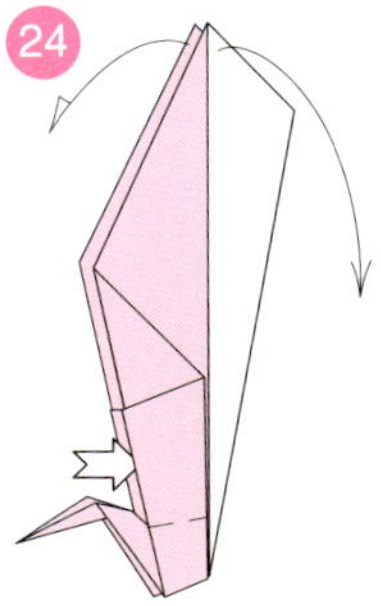
矢印の部分に指を入れ、中の角が三角形になるようにつぶしながら開く

25

できあがり

OHINASAMA

置物にも、壁飾りにもなる

折りびな

金を効かせた華やかな千代紙で折ってみました。手持ちの台座に載せて、チェストの上に飾っています。立たせて置物として飾ることも、平らに折りたたんで色紙などに貼り、壁飾りとして利用することもできます。

千代紙の折りびなと同じ折り方。無地の和紙を使うだけでこんなに雰囲気が変わりました。モダンな家にも合いそうなシンプルで清楚なイメージです。男びなと女びなの着物と頭の部分が微妙に替えてあり、凝った演出がされています。

折りびな　難易度★

●用意する紙●15×15cm　薄手の和紙

●アドバイス●途中から折り方を少し変えるだけで男びなと女びなができます。千代紙で折ると豪華なおひなさまになりますが、模様が邪魔して折り筋が見えにくいので、初めてトライする人には無地の紙の方がおすすめです。

[男びなを折る]

1

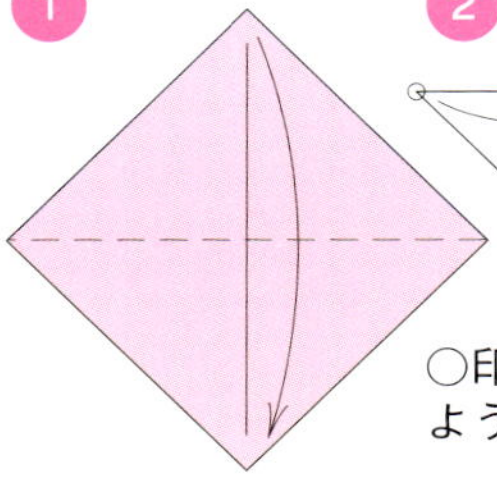

2

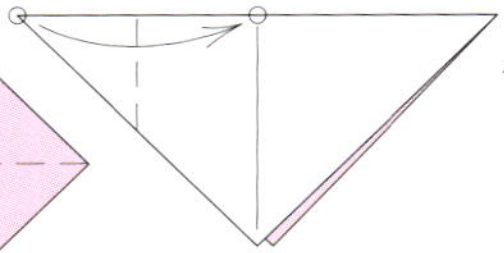

○印と○印を合わせるように折る

3

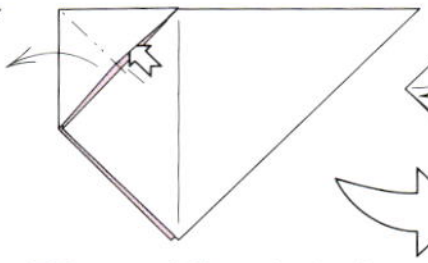

開いて折りたたむ

4

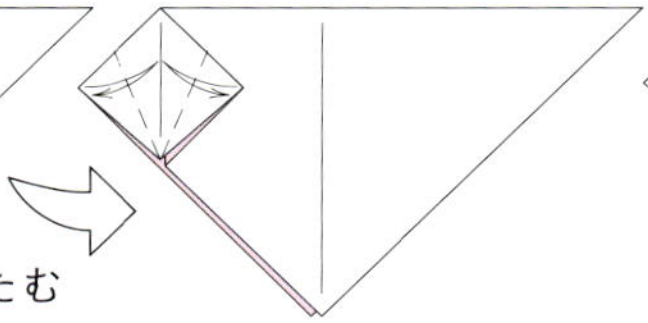

5

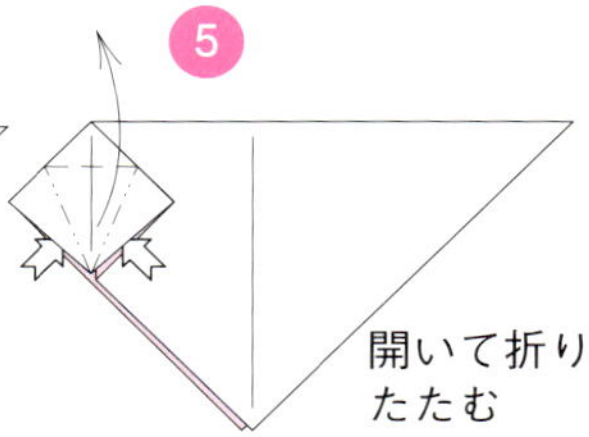

開いて折りたたむ

6

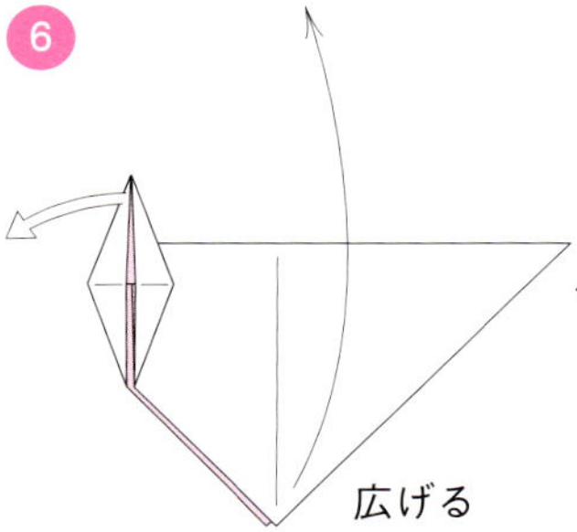

広げる

7

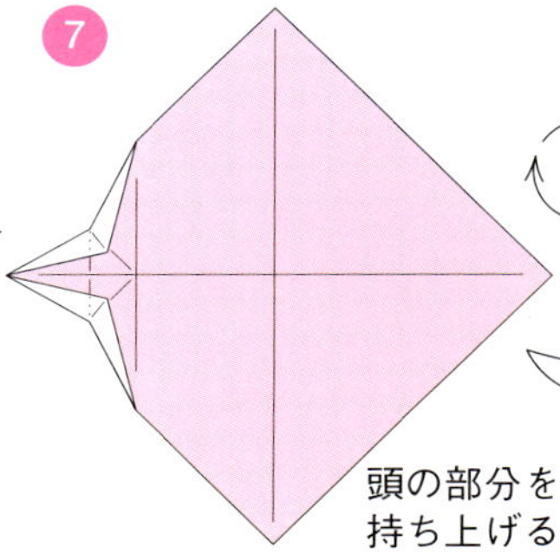

頭の部分を持ち上げる

8

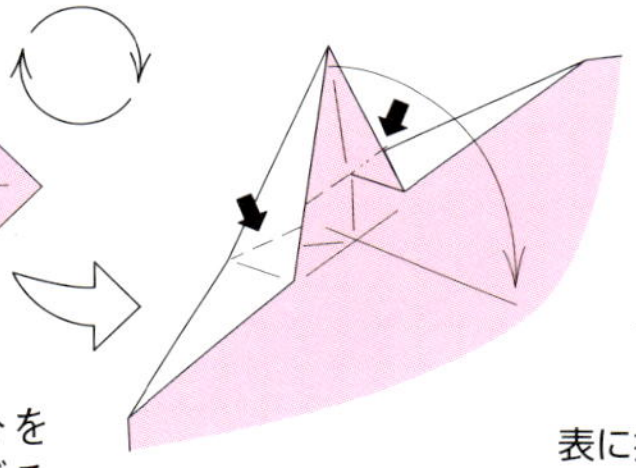

両脇をつぶす

表に折る

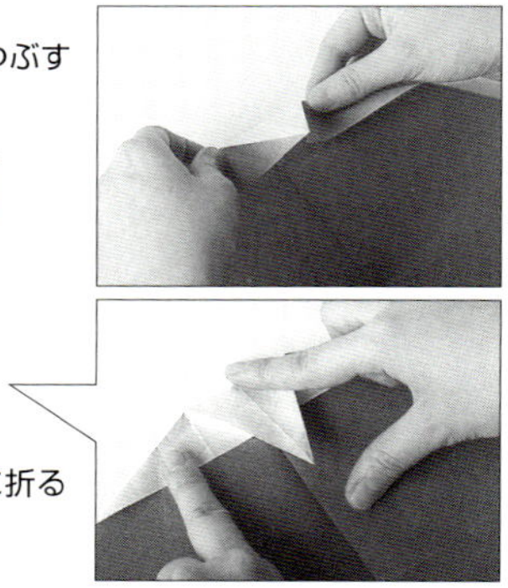

9

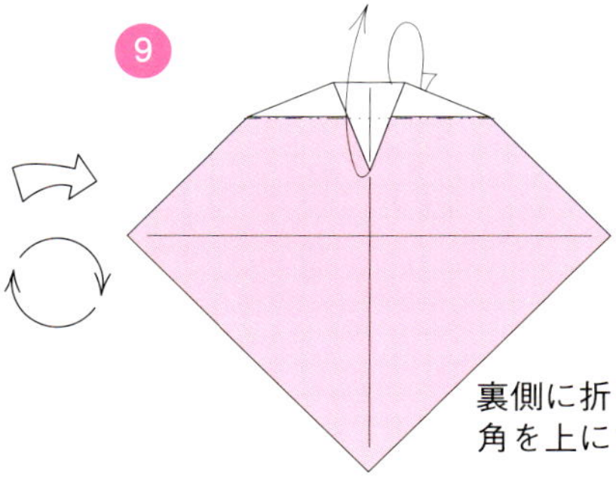

裏側に折りながら角を上にする

10

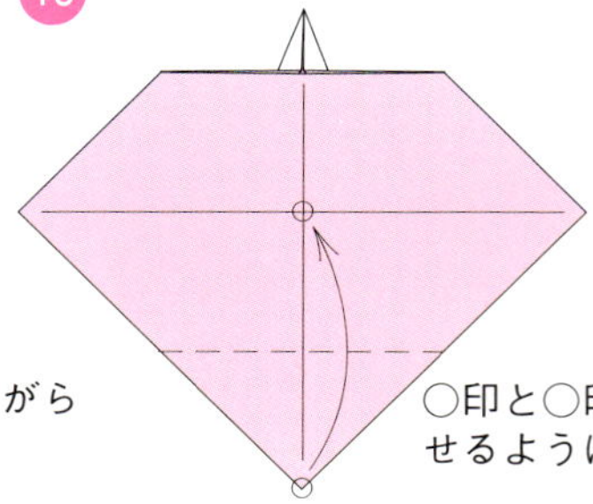

○印と○印を合わせるように折る

11

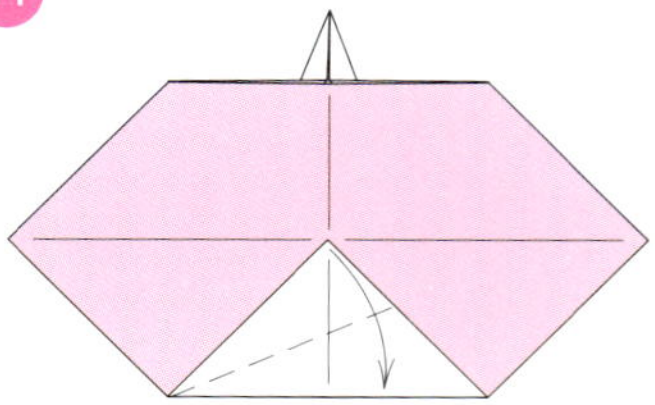

12

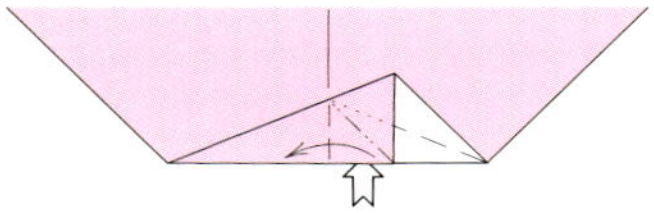

開いて折りたたむ

13

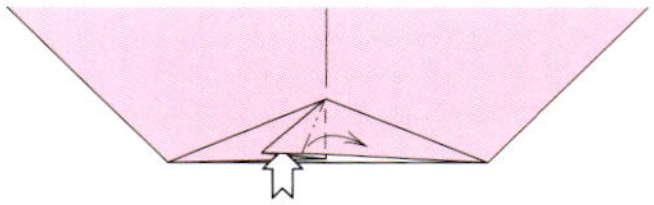

開いてつぶす

14

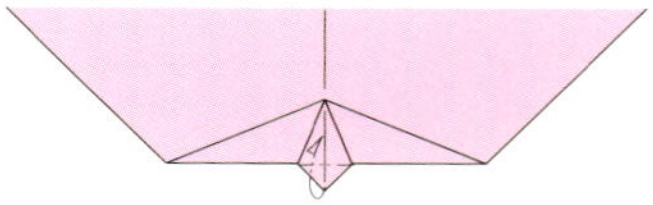

[女びなを折る]

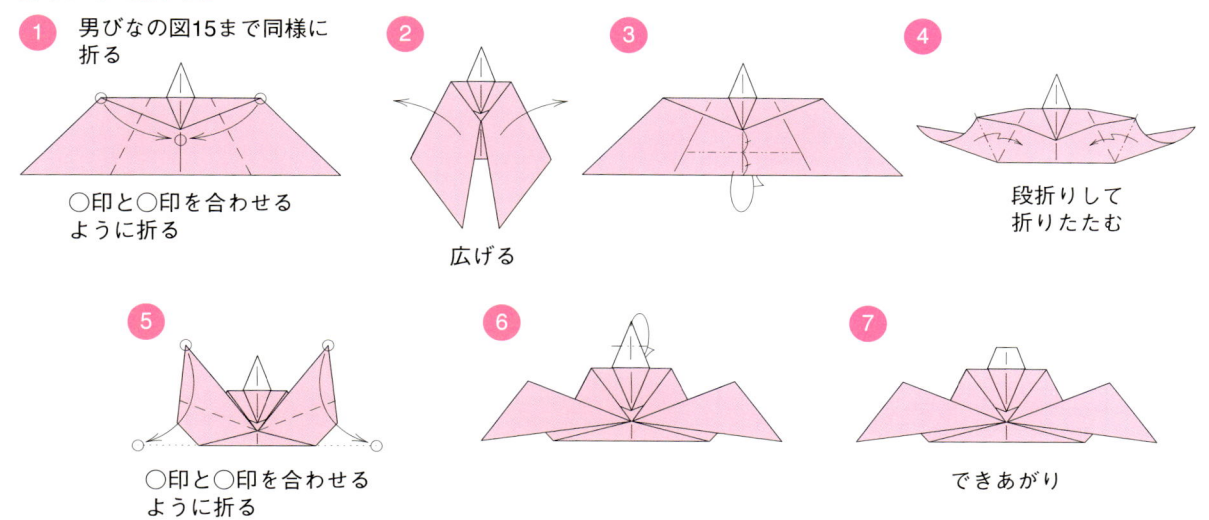

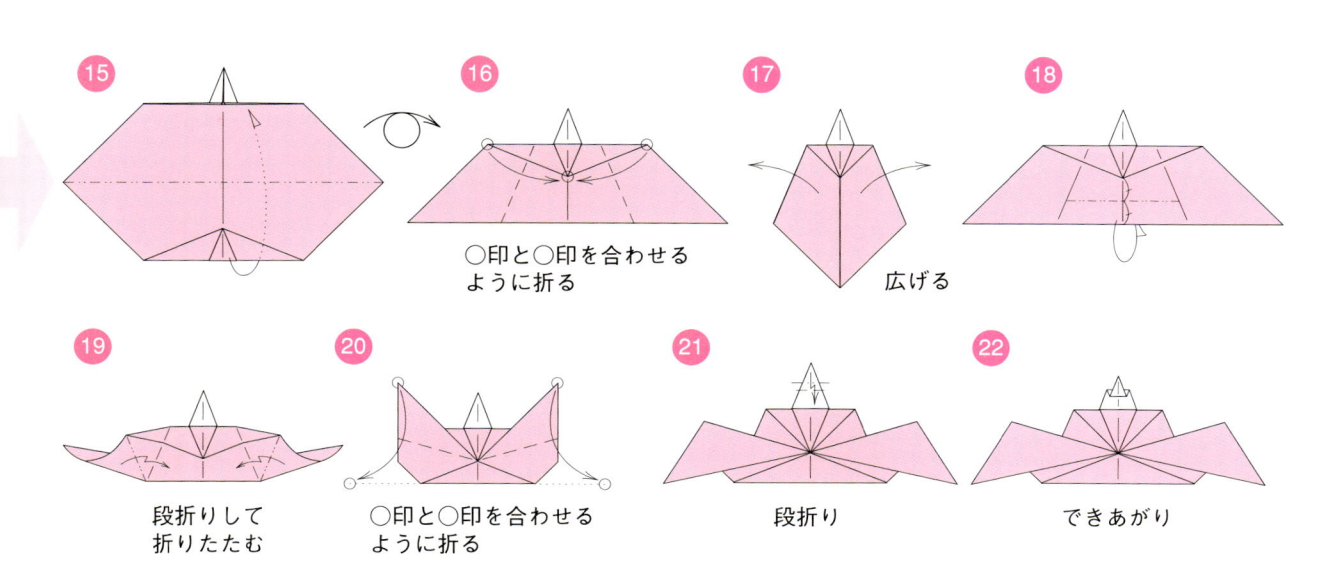

1 男びなの図15まで同様に折る

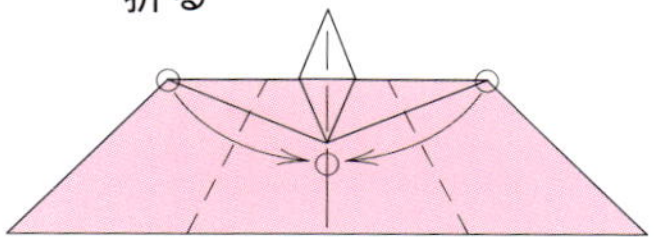

○印と○印を合わせるように折る

2

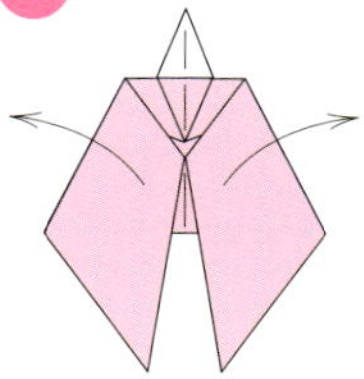

広げる

3

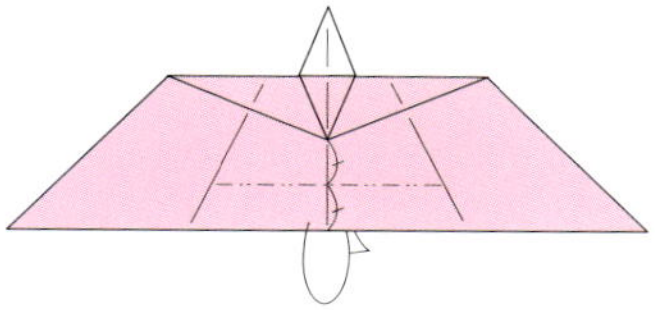

4

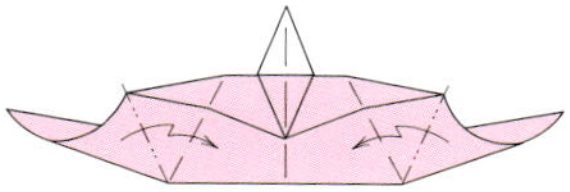

段折りして折りたたむ

5

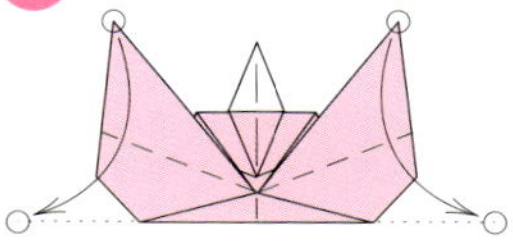

○印と○印を合わせるように折る

6

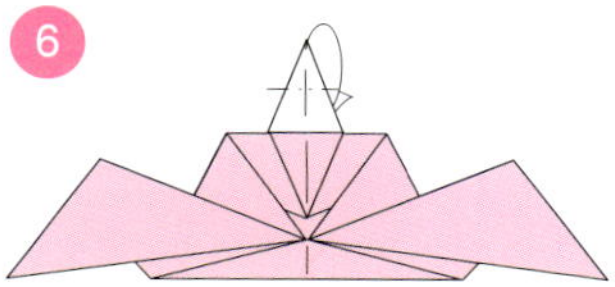

7

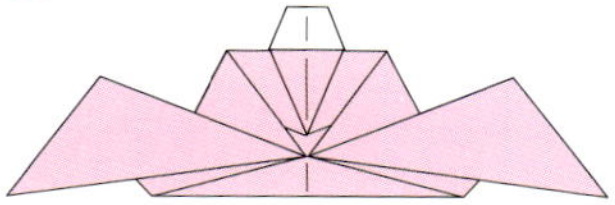

できあがり

15

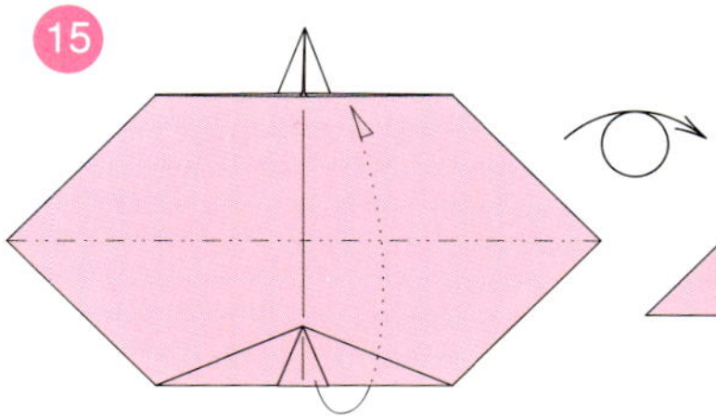

16

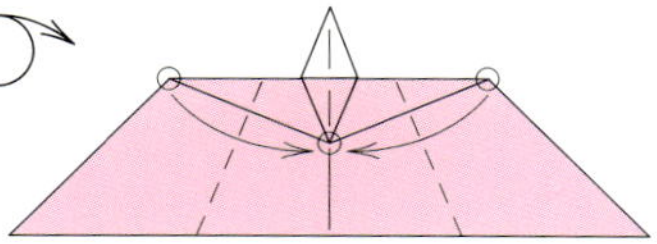

○印と○印を合わせるように折る

17

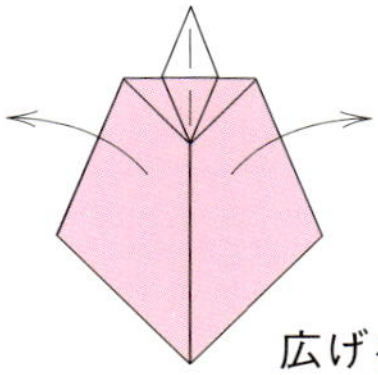

広げる

18

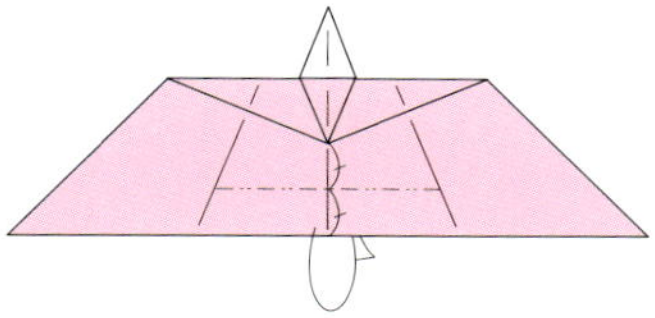

19

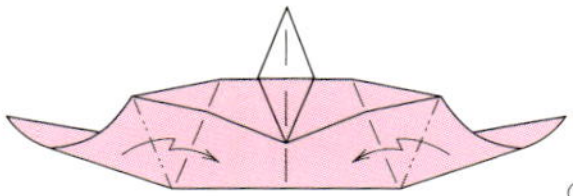

段折りして折りたたむ

20

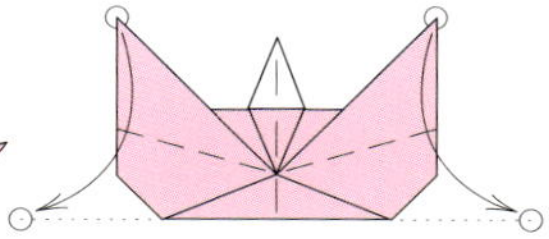

○印と○印を合わせるように折る

21

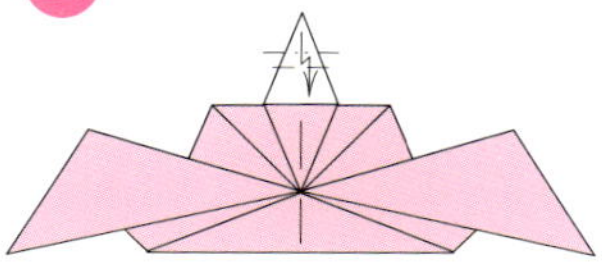

段折り

22

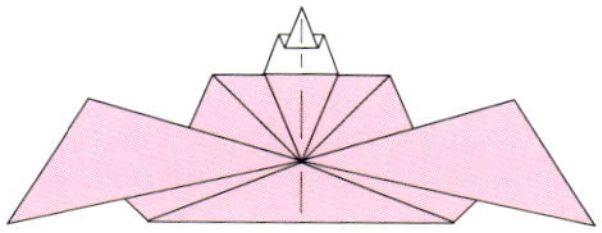

できあがり

KABUTO

金で裏打ちされた
豪華な紙を使って

飾りカブト

飾りカブトは折り方が難しいものですが、この作品は比較的簡単に折ることができます。ここでは、金で裏打ちされた厚手の和紙を使い、塗板を台座にして、男の子の節句にふさわしく、豪華で力強い節句飾りに仕上げました。

節句の祝いの席に添えたい

カブトのゴマ塩包み

端午の節句の祝宴に添えられたというゴマ塩包み。もともとは白い紙に包んでいました。昔にならって、食事の席で使ってもよし、カラフルな和紙で飾りに利用してもよし。お金を入れてポチ袋として使うこともできます。

飾りカブト　難易度★★

松野幸彦作

●用意する紙●35×35cm　厚手の和紙

●アドバイス●折り方がむずかしいのは、図7から8と、図11から12にかけて。写真と折り図を見比べながら折ってみましょう。大きい紙で折れば、実際にかぶることもできます。

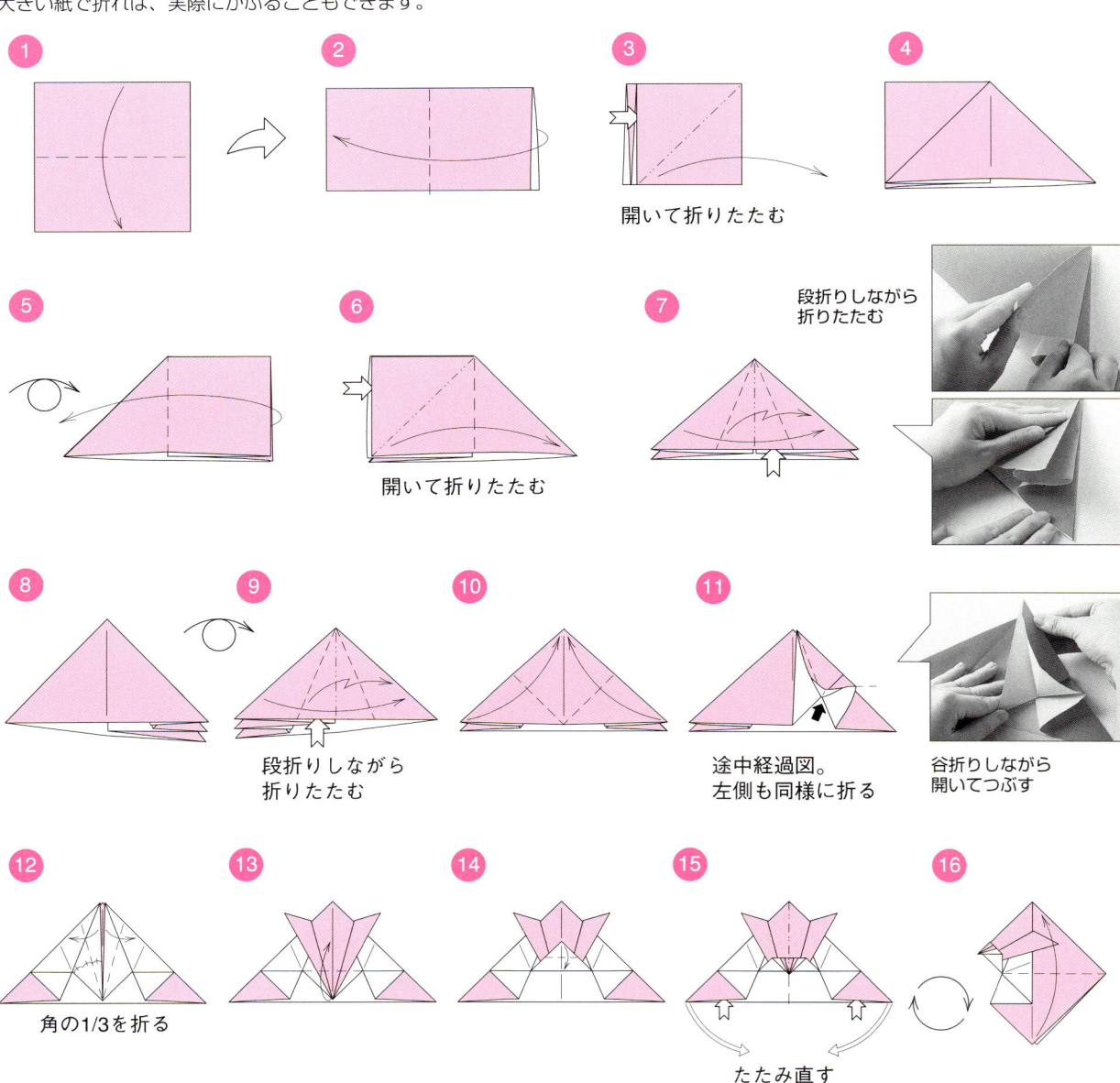

1

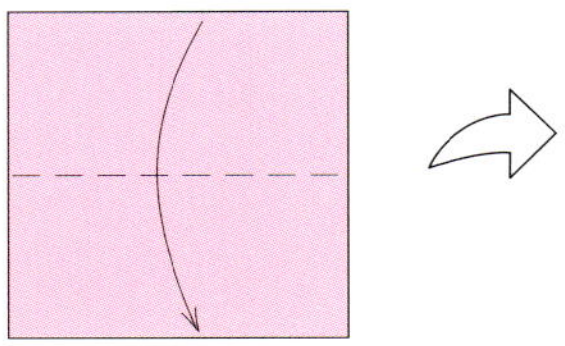

2

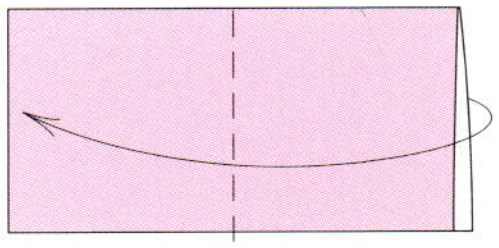

3

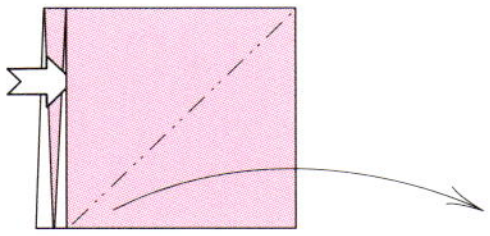

開いて折りたたむ

4

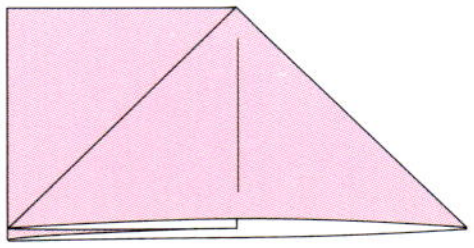

5

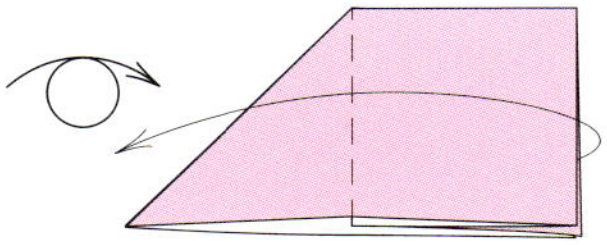

6

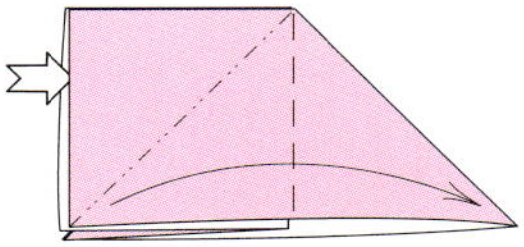

開いて折りたたむ

7

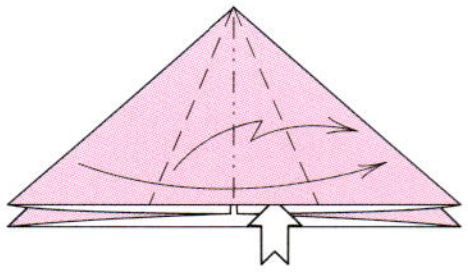

段折りしながら
折りたたむ

8

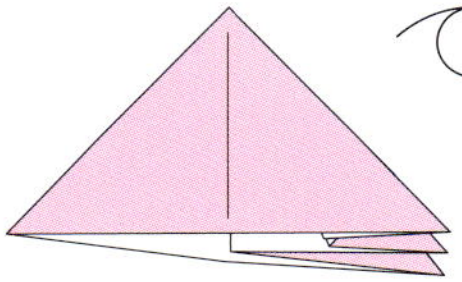

9

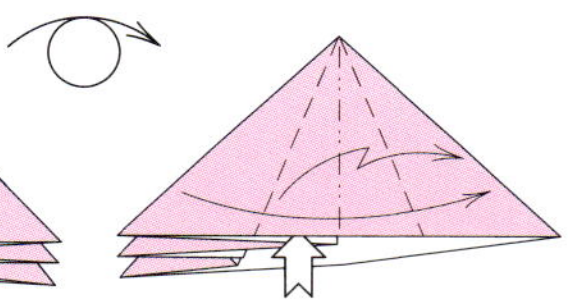

段折りしながら
折りたたむ

10

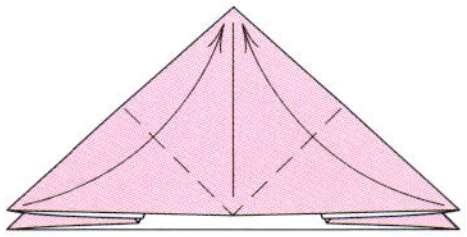

11

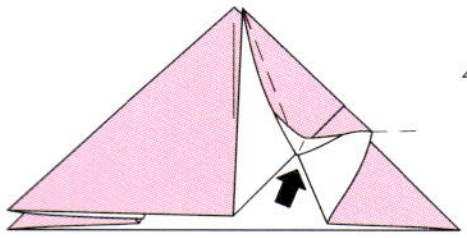

途中経過図。
左側も同様に折る

谷折りしながら
開いてつぶす

12

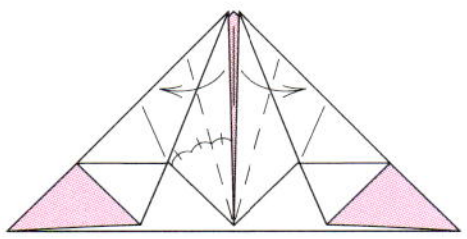

角の1/3を折る

13

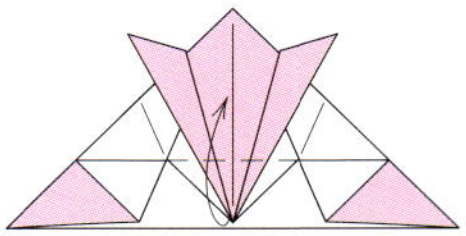

14

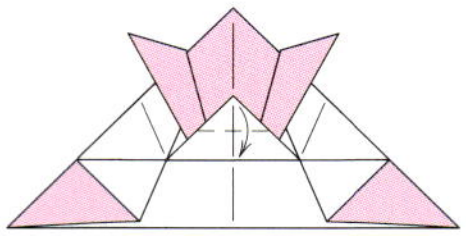

15

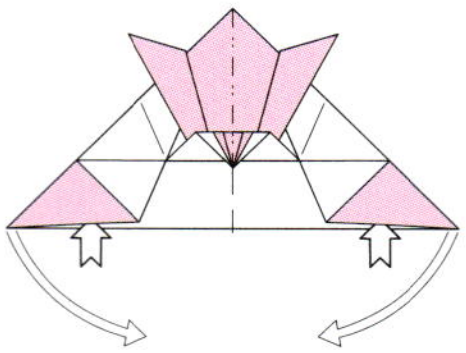

たたみ直す

16

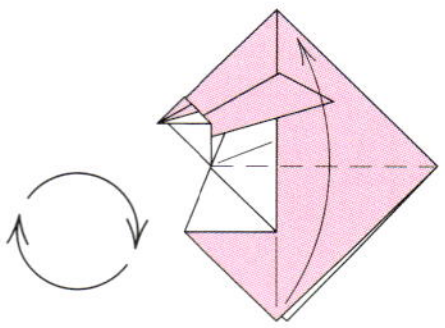

カブトのゴマ塩包み　難易度★　伝承作品

●用意する紙●12×12cm　厚手の和紙

●アドバイス●簡単に折れて、立派なカブトの形になるゴマ塩包み。ゴマ塩やお祝いのお金は、折る前の図1の段階で中に入れておきます。しっかりした厚手の和紙で折れば、立たせることもできます。

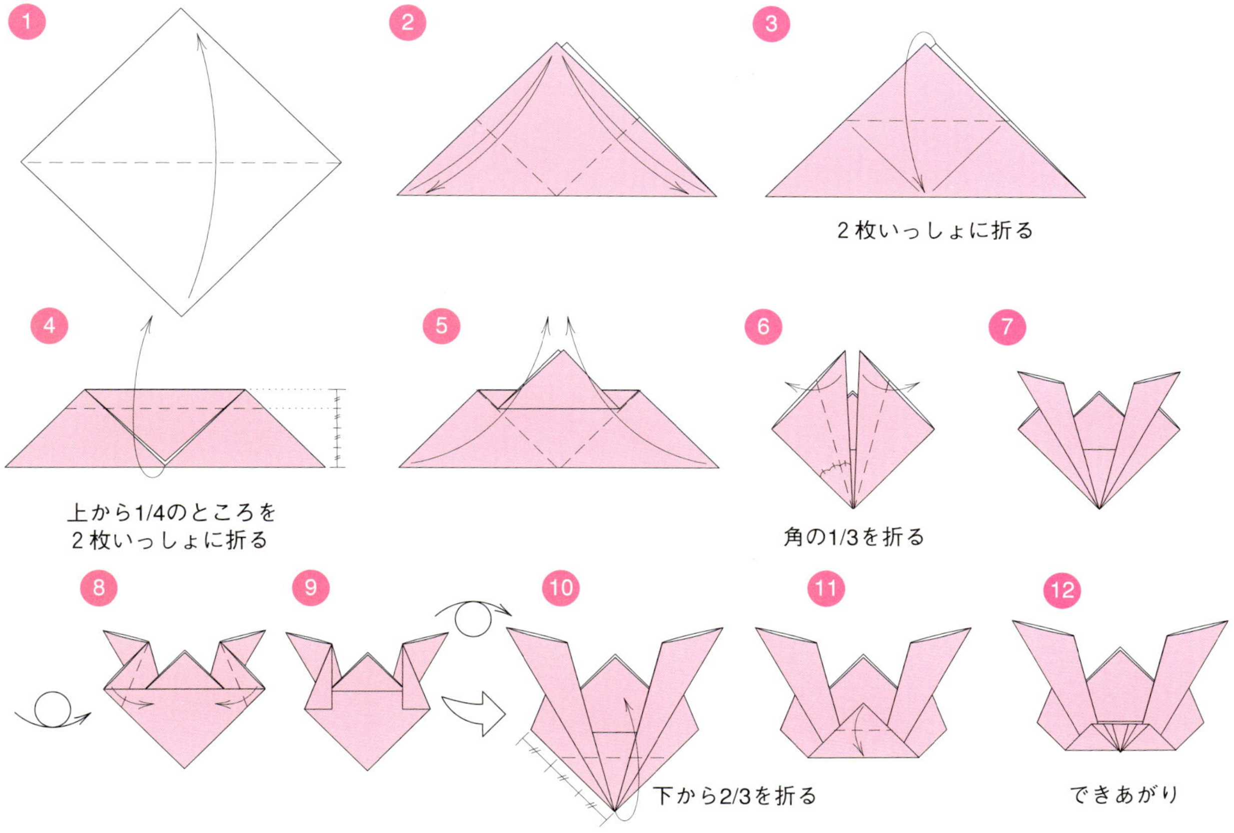
1
2
3
2枚いっしょに折る
4
上から1/4のところを
2枚いっしょに折る
5
6
角の1/3を折る
7
8
9
10
下から2/3を折る
11
12
できあがり

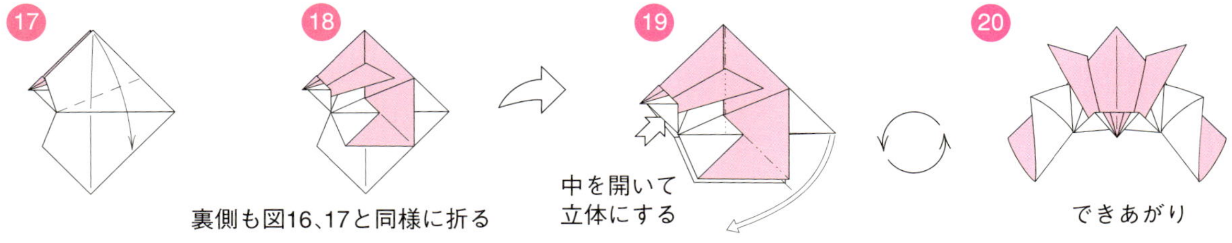
17
18
裏側も図16､17と同様に折る
19
中を開いて
立体にする
20
できあがり

PART 3

食卓が楽しくなる

折り紙で作るダイニンググッズ

DINING GOODS

家族が食事を楽しむダイニングでは、折り紙の小物が大活躍してくれます。箸袋や箸置き、料理の敷き紙など、折り紙のダイニンググッズで食卓を賑やかに彩りましょう。いろいろな紙で作って、季節や気分に合わせてコーディネートするのも楽しいものです。

箸を取り囲む2羽の鶴がアクセント

鶴の箸袋

おもてなしの席でも映える豪華な箸袋。2羽の鶴が向かい合う形がめでたい雰囲気を演出してくれます。ここでは厚手の和紙を使っていますが、モダンな洋紙で折ればカジュアルなイメージです。

CHOPSTICK CASE

すっきりしたフォルムで上品に

紅白の箸袋

お正月や祝いの席に使いたい紅白の箸袋。伝承の「のし折り」のバリエーションで、箸の出し入れが楽にできます。シンプルなデザインなので、華やかな千代紙などを使っても、上品なイメージは変わりません。

白い和紙でも、裏が色地のものを使うと、折り返しの色がアクセントになっておしゃれ。

鶴の箸袋　難易度★　満田きく作

●用意する紙●39×13cm　厚手の紙

●アドバイス●向かい合う2羽の鶴の形や位置が左右対称になるように作るのがポイント。最初の折り筋は正確にしっかりとつけ、図10の中割り折りでくちばしを作るときも、左右で合わせるように注意しましょう。

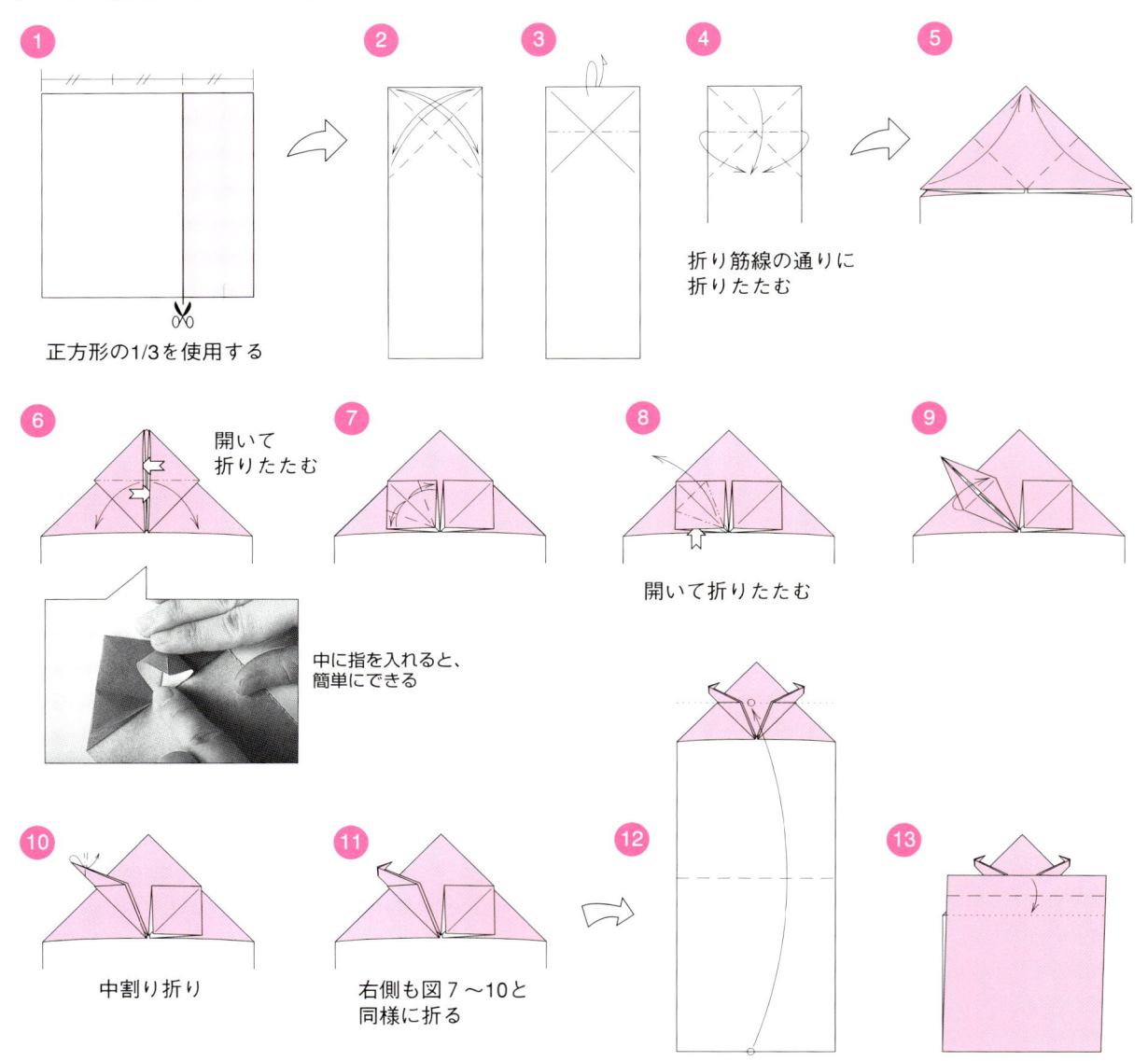

1

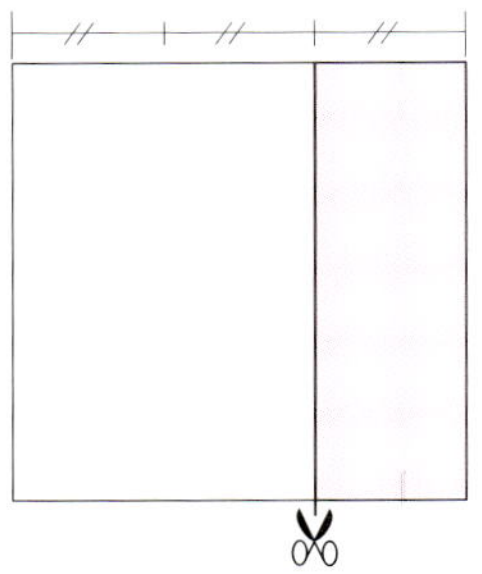

正方形の1/3を使用する

2

3

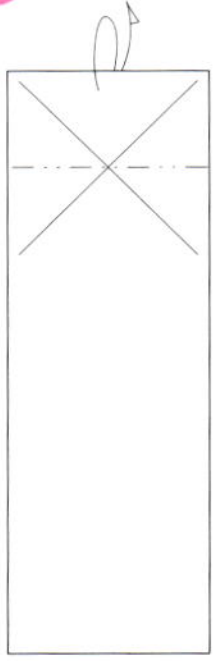

4

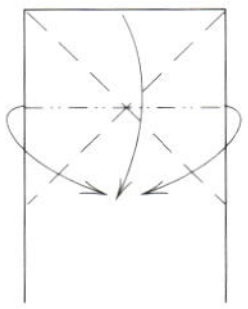

折り筋線の通りに
折りたたむ

5

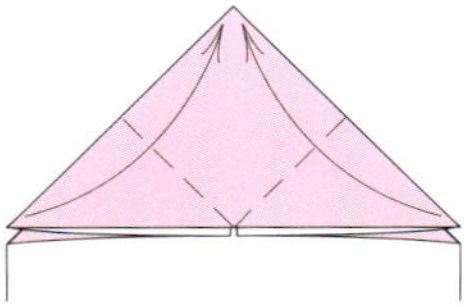

6

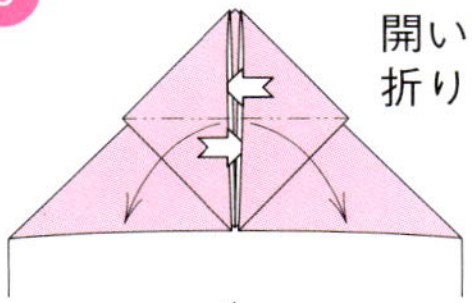

開いて
折りたたむ

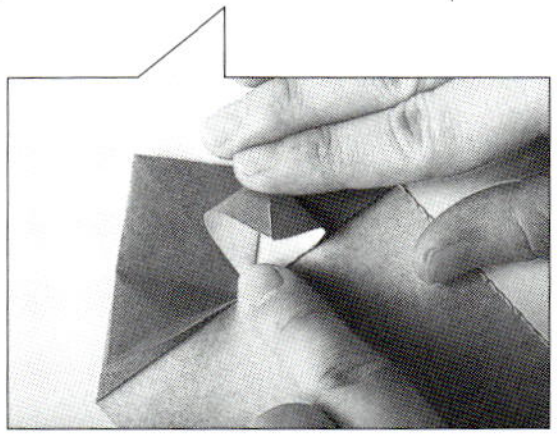

中に指を入れると、
簡単にできる

7

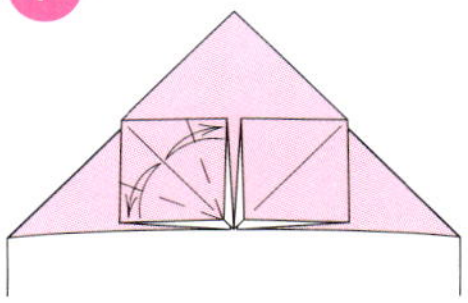

8

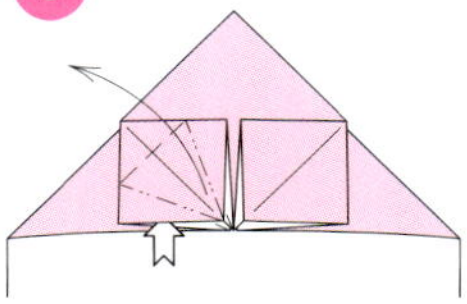

開いて折りたたむ

9

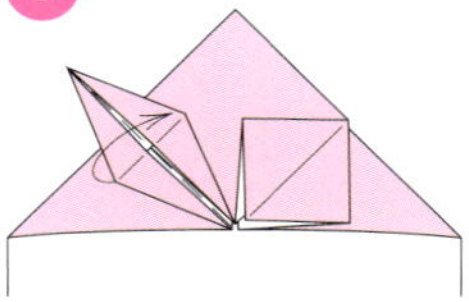

10

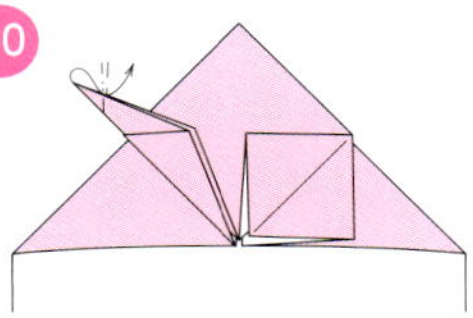

中割り折り

11

右側も図７～10と
同様に折る

12

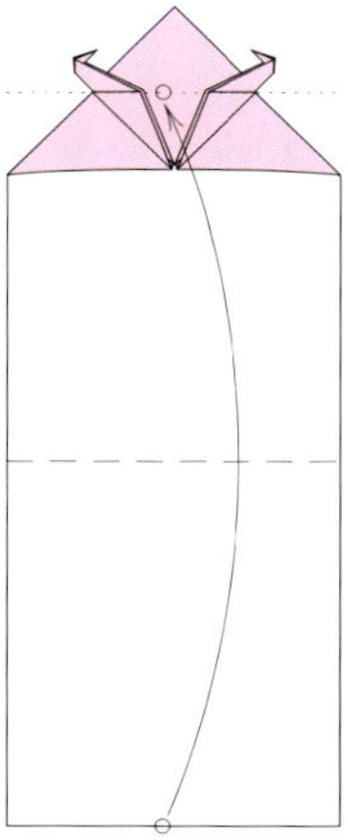

○印と○印を合わせるように折る

13

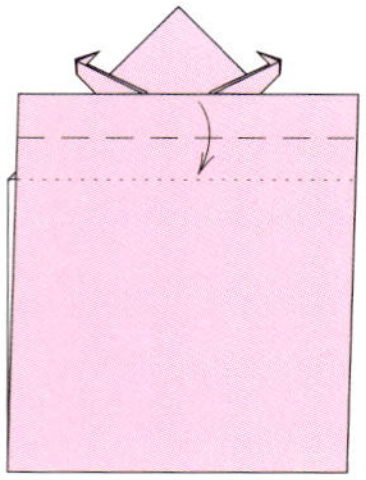

紅白の箸袋

難易度★

伊藤美恵作

●用意する紙●24×24cm　厚手の紙

●アドバイス●厚手のリバーシブルの紙を使えばベスト。薄手の紙を使うときは、2枚重ねて折ったほうが形がしっかり決まります。この場合は、気に入った2色を表と裏に組み合わせられるのがメリット。

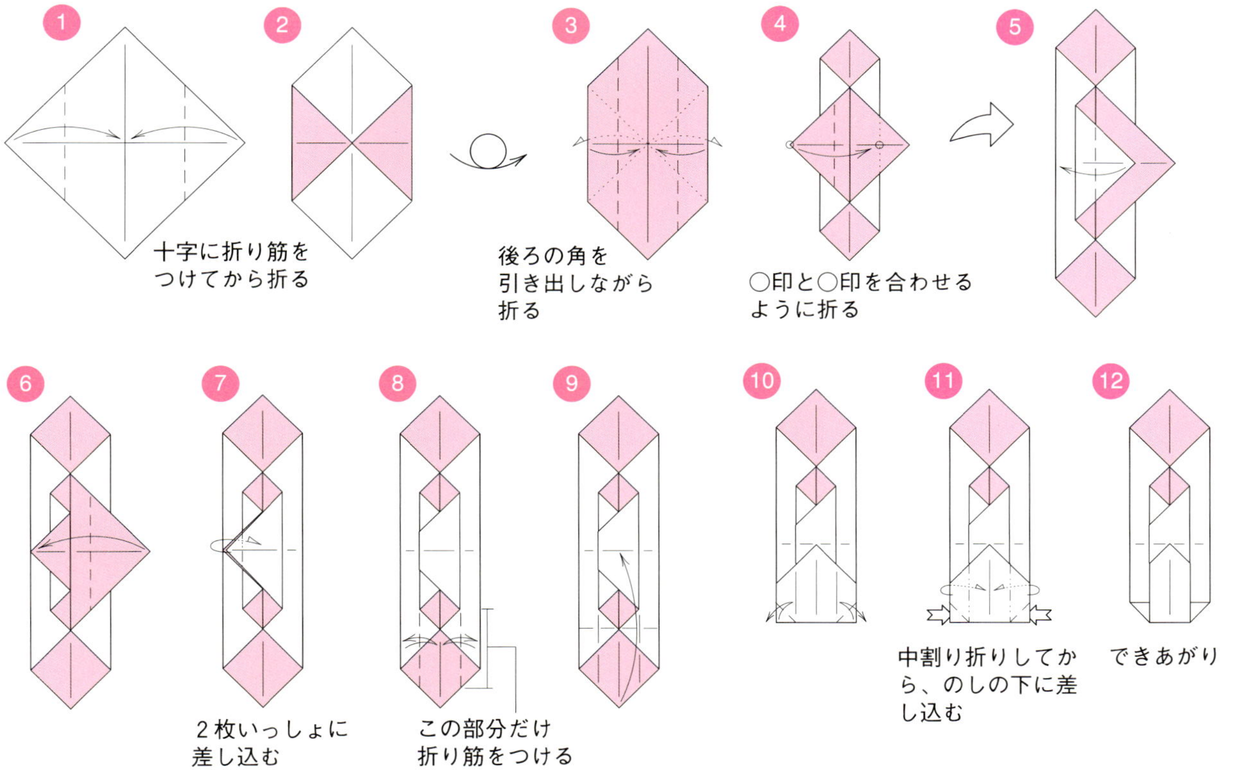

1
十字に折り筋をつけてから折る
2
3
後ろの角を引き出しながら折る
4
○印と○印を合わせるように折る
5
6
7
2枚いっしょに差し込む
8
この部分だけ折り筋をつける
9
10
11
中割り折りしてから、のしの下に差し込む
12
できあがり

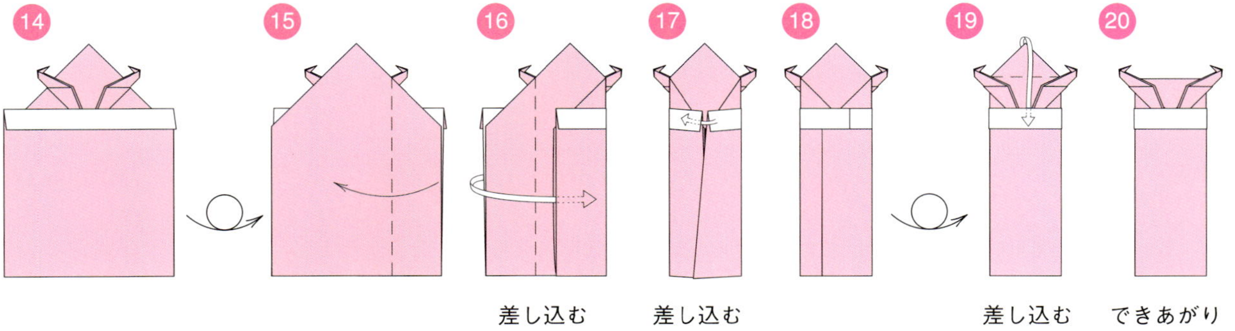

14
15
16
差し込む
17
差し込む
18
19
差し込む
20
できあがり

紙の色は、上に置く箸の色を考えて決めたいもの。ここでは、竹の箸にイエローの箸置きを組み合わせてみました。

かわいい蝶の折り紙は、箸置きだけでなく、飾り物としても使えます。遊び心を発揮して、鉢植えなどの花にちょこんと飾ってみては。

CHOPSTICK REST

羽の色の組み合わせが
腕の見せどころ

蝶の箸置き

蝶の形は、上下でユニットを組み合わせたものです。平べったく、置いたときに安定しているので、箸置きにはぴったり。上下の色の組み合わせは同系色だとしっくりきますが、反対色を使ったり、柄物を取り入れたりしても楽しいでしょう。

色とりどりの紙で
作ってみたい

花の箸置き

可憐な花の箸置きは、伝承折り紙の「にそうぶね」を少し変化させたもの。春なら桜のピンク、夏は紫陽花の紫など、季節の花の色で作ってみるのも楽しいでしょう。左ページで紹介している蝶の箸置きと一緒に使うと、食卓がいっそう華やかになります。

蝶の箸置き　難易度★★　川村晟作

●用意する紙●7.5×7.5cm　薄手の紙

●アドバイス●最後の仕上げで、蝶の羽のやわらかい曲線を表すために、図22のように角を折り込みます。このとき、折り込む大きさや角度によって、羽の印象が変わるので要注意。

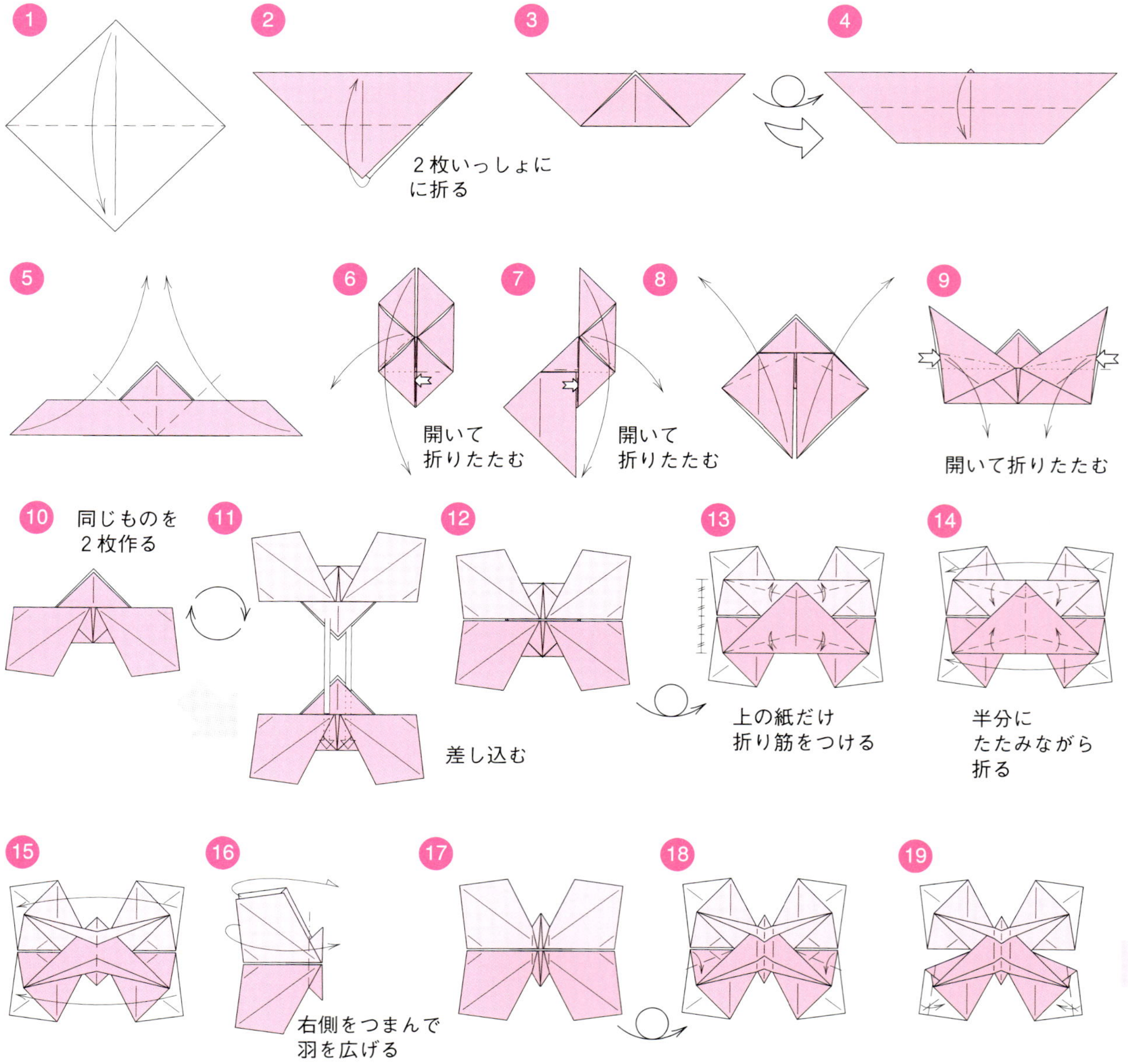

1
2
2枚いっしょに
に折る
3
4
5
6
開いて
折りたたむ
7
開いて
折りたたむ
8
9
開いて折りたたむ
10
同じものを
2枚作る
11
差し込む
12
13
上の紙だけ
折り筋をつける
14
半分に
たたみながら
折る
15
16
右側をつまんで
羽を広げる
17
18
19

花の箸置き　難易度★　榎本京子作

●用意する紙●花7.5×7.5cm／花心は花の1/2サイズ　薄手の紙

●アドバイス●全体にサイズが小さく、花心の部分は特に小さいので、薄手の紙を使った方が細かいところがきれいに折れます。また、花びらの繊細な趣を表現するためにも、薄手の紙がおすすめです。

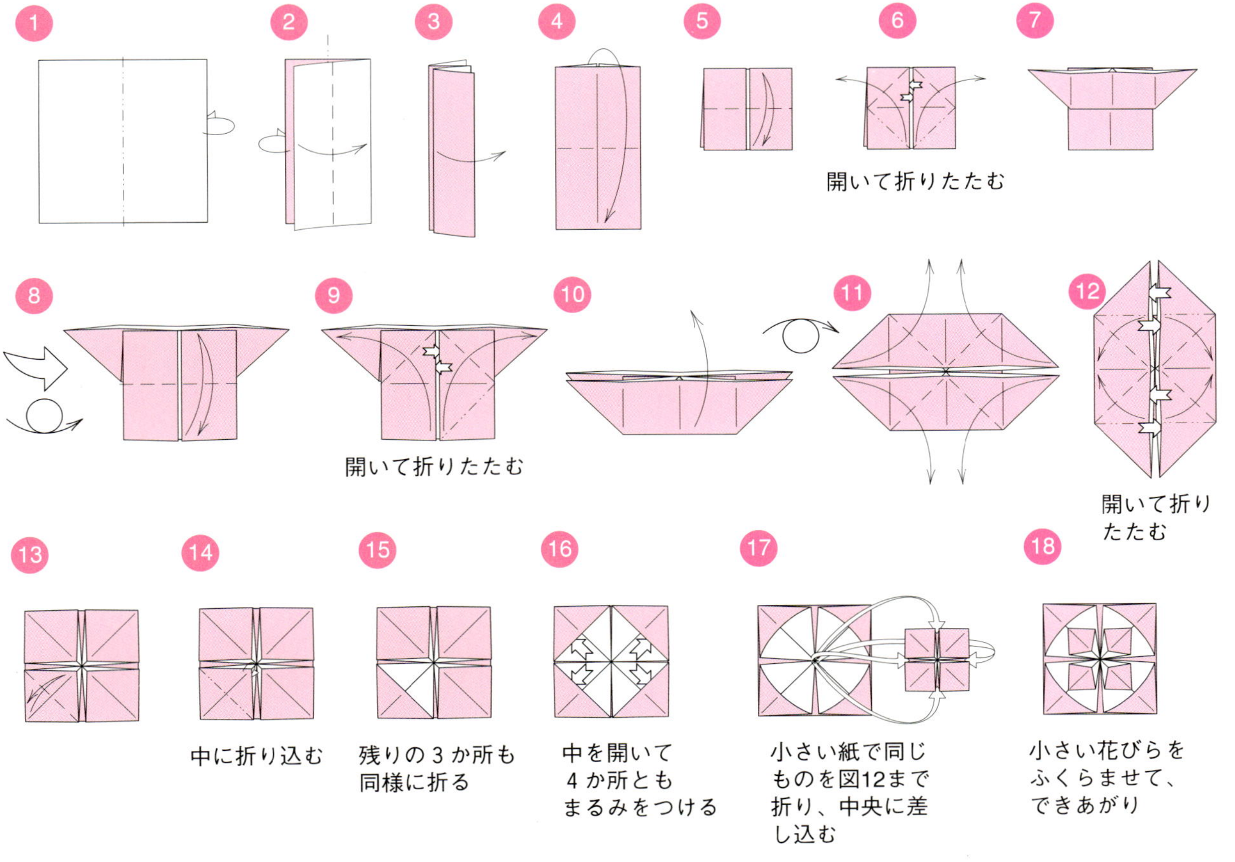
1
2
3
4
5
6
開いて折りたたむ
7
8
9
開いて折りたたむ
10
11
12
開いて折りたたむ
13
14
中に折り込む
15
残りの3か所も同様に折る
16
中を開いて4か所ともまるみをつける
17
小さい紙で同じものを図12まで折り、中央に差し込む
18
小さい花びらをふくらませて、できあがり

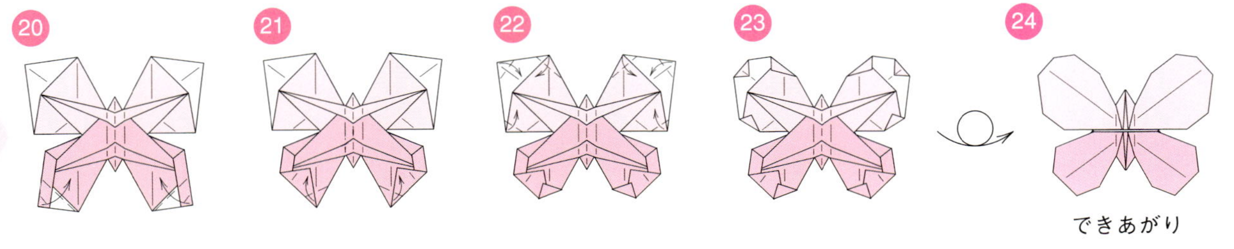
20
21
22
23
24
できあがり

BREAD BASKET

いろいろな用途に幅広く使える

折りたたみパンかご

舟型のパンかごは、口の部分を閉じるとペタンと平らな形になります。食器棚の片隅や引き出しにもコンパクトにしまえるのがうれしいところ。最後の折り方を少し変えると、四角いボックスにもなるので(62ページ参照)、用途の広い器です。

EGG STAND

家族それぞれ
色違いで作ると楽しい

王冠エッグスタンド

とんがり屋根の家、あるいは花のようにも見える王冠型のエッグスタンド。家族それぞれにパステルカラーの色違いで作って、朝の食卓をさわやかに演出してみましょう。大きく作って、ホームパーティーのお菓子入れなどに使っても映えそうです。

サイズが大きすぎると卵が安定しません。15cm四方の紙を使うと、卵がすっぽり収まってちょうどいい具合です。

折りたたみパンかご

難易度★

大橋皓也指導

●用意する紙●40×40cm　厚手の洋紙

●アドバイス●折りたたみタイプなので、丈夫な洋紙で作ったほうが長持ちします。四角いボックスにする場合も、形を安定させるために厚手の紙がおすすめ。紙の色は淡い暖色系を選ぶと、パンがおいしそうに見えます。

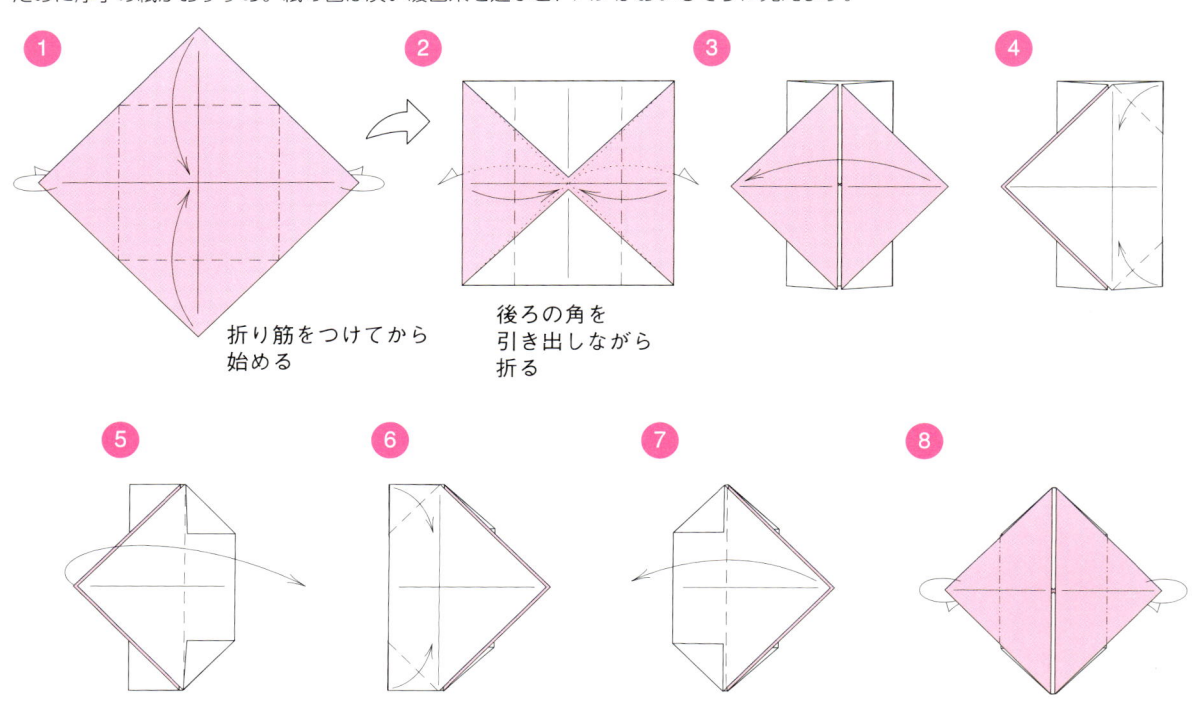

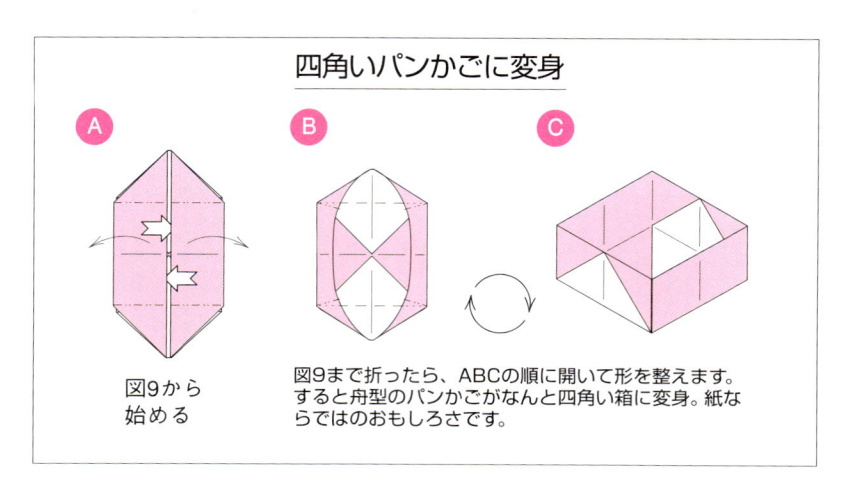

1

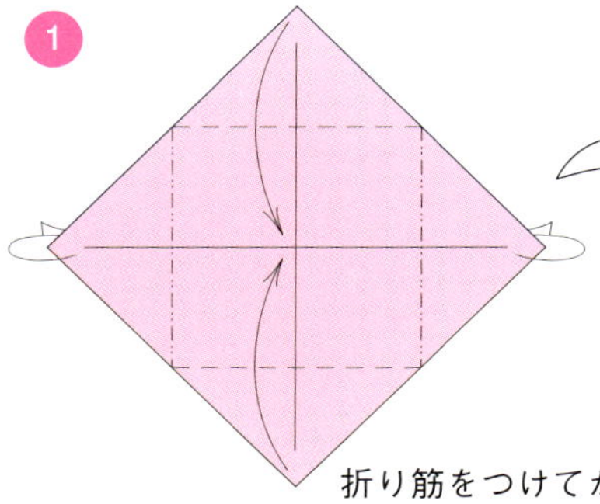

折り筋をつけてから始める

2

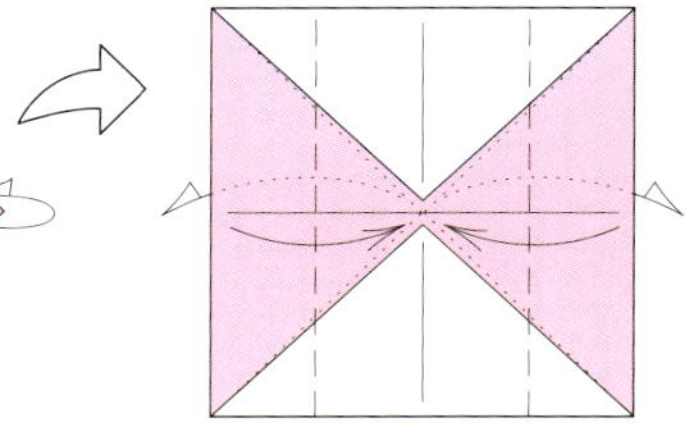

後ろの角を引き出しながら折る

3

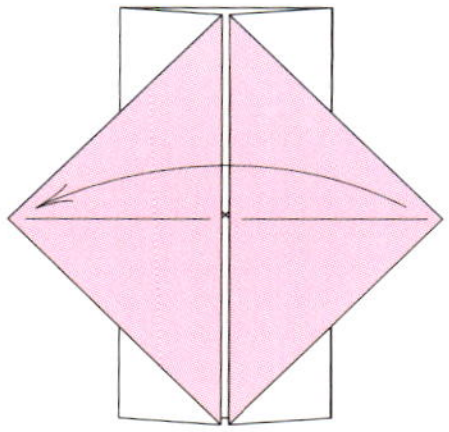

4

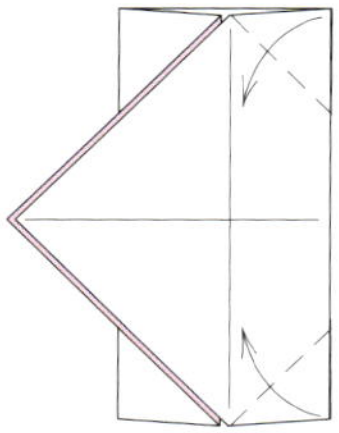

5

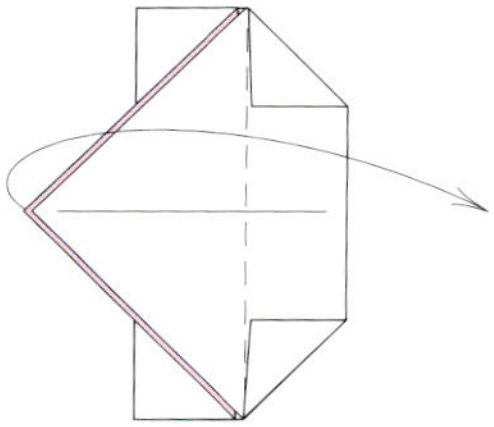

6

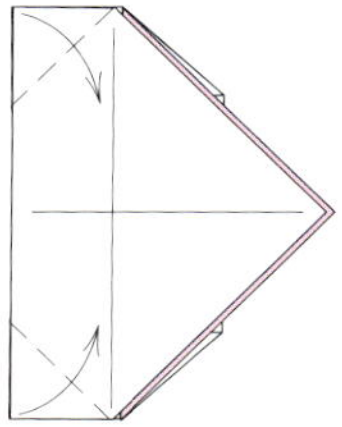

7

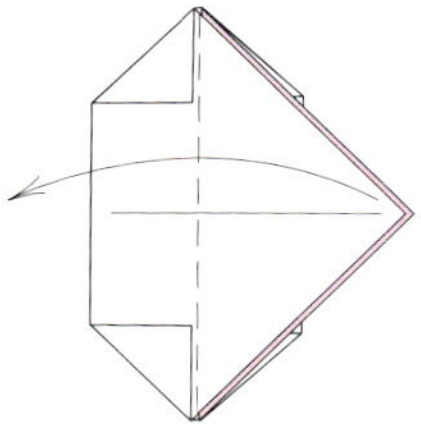

8

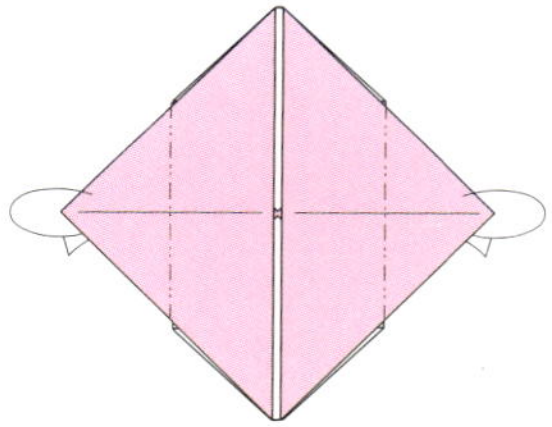

9

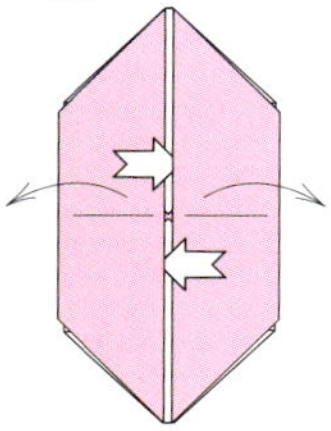

開く

10

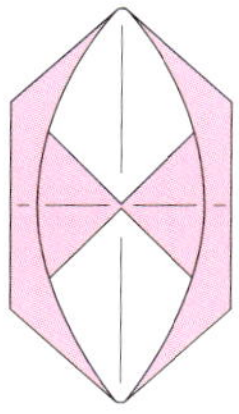

できあがり

四角いパンかごに変身

A

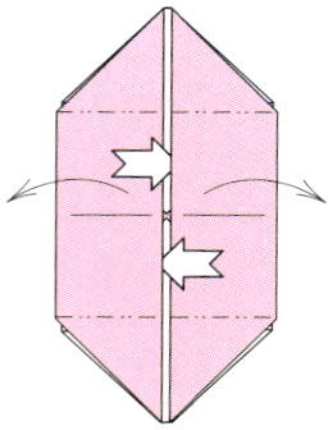

図9から始める

B

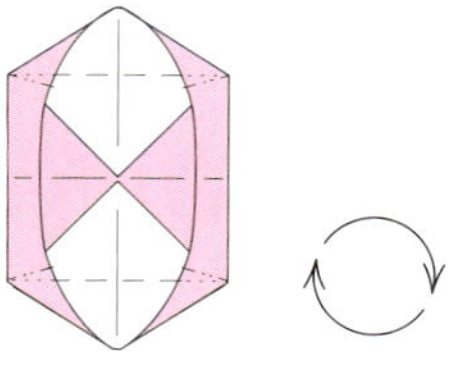

C

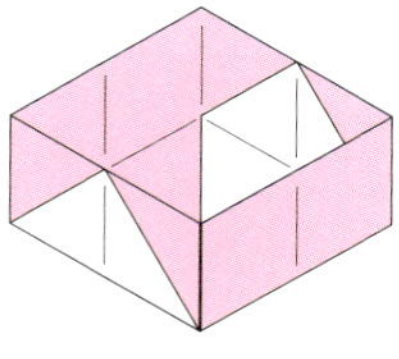

図9まで折ったら、ABCの順に開いて形を整えます。すると舟型のパンかごがなんと四角い箱に変身。紙ならではのおもしろさです。

王冠エッグスタンド　難易度★★　石橋美奈子作

●用意する紙●15×15cm　薄手の洋紙

●アドバイス●エッグスタンドとして使う場合は、和紙より洋紙の方がしっくりします。王冠のとんがり部分はシャープに出したほうが映えるので、角はきっちり折るようにしましょう。

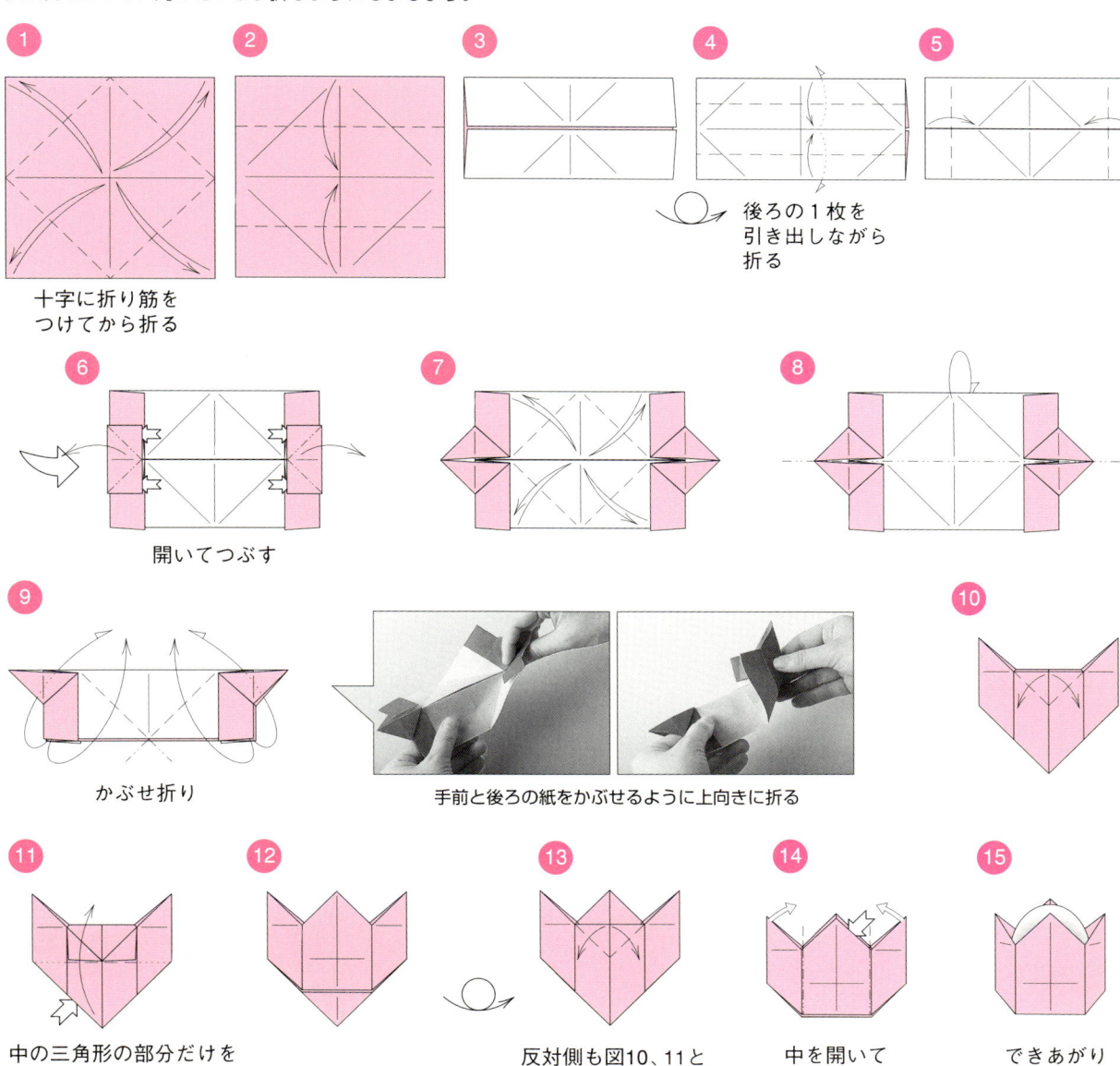

1

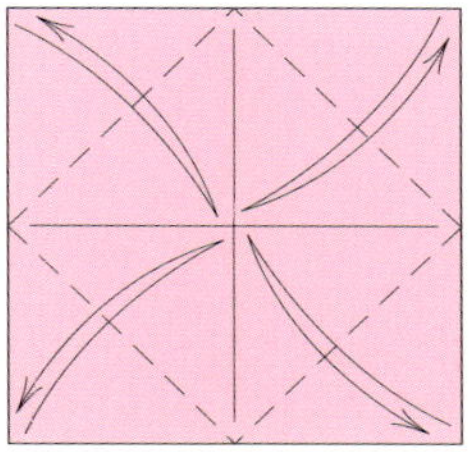

十字に折り筋をつけてから折る

2

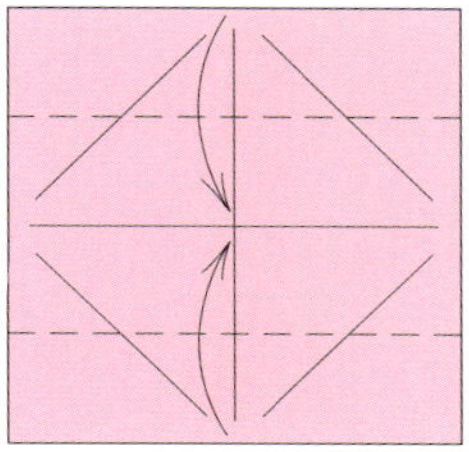

3

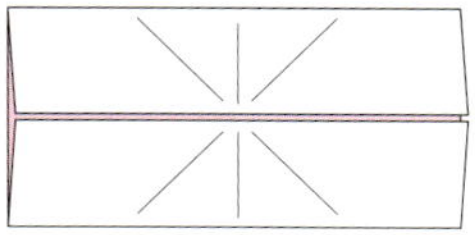

4

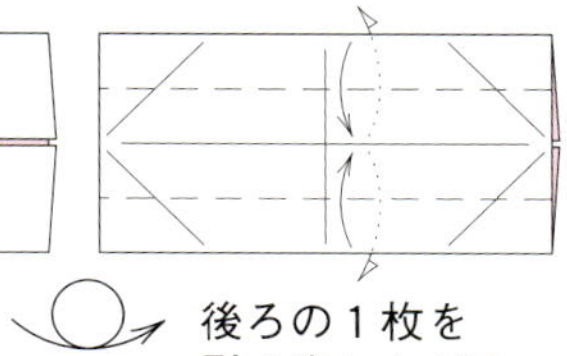

後ろの1枚を引き出しながら折る

5

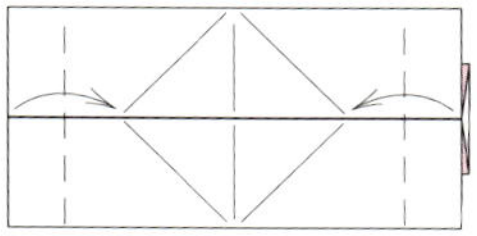

6

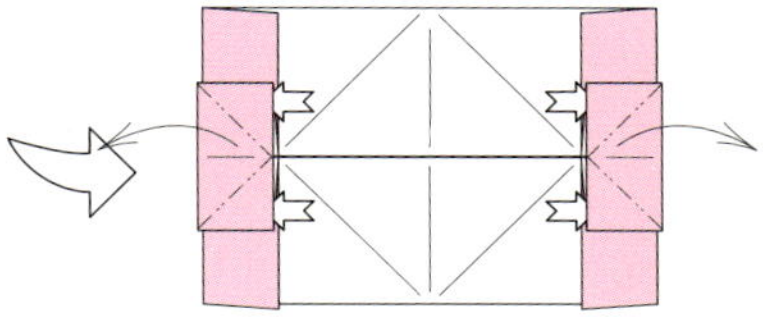

開いてつぶす

7

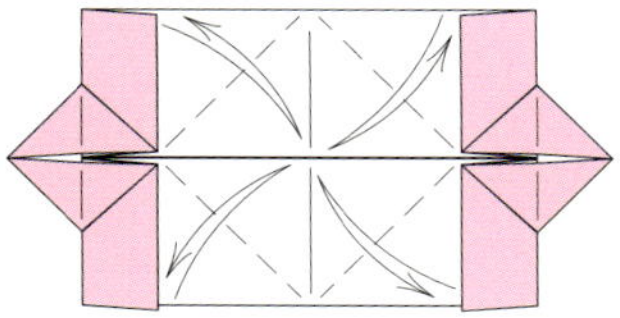

8

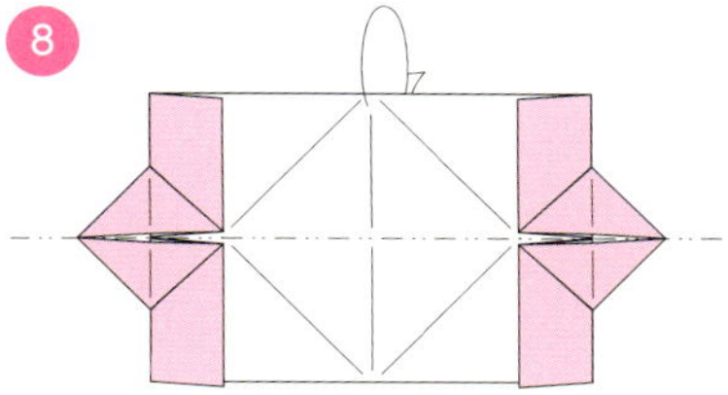

9

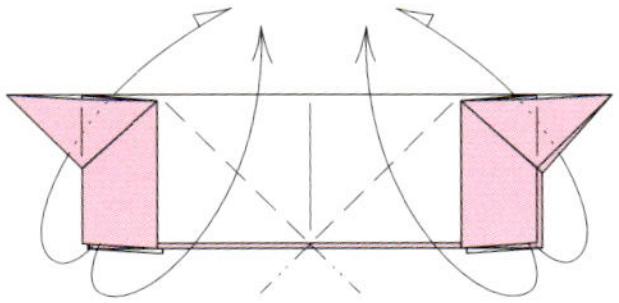

かぶせ折り

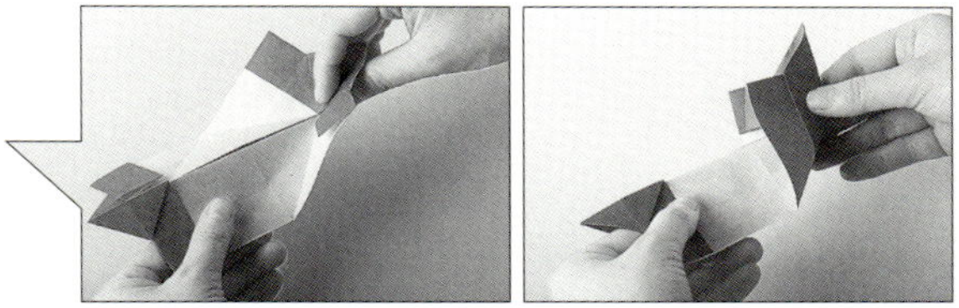

手前と後ろの紙をかぶせるように上向きに折る

10

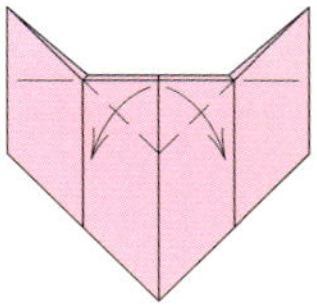

11

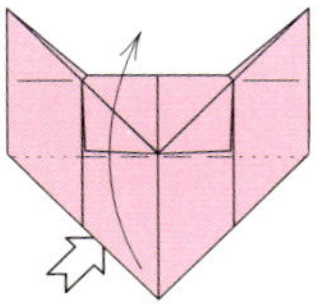

中の三角形の部分だけを引き上げるように折る

12

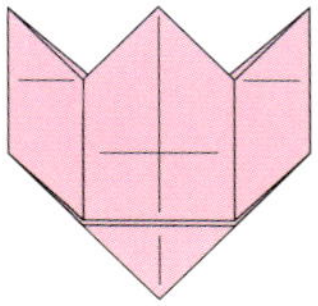

13

反対側も図10、11と同様に折る

14

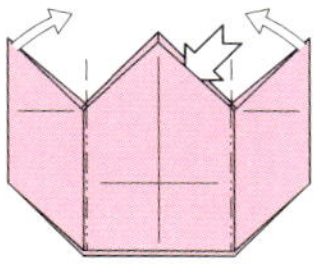

中を開いて立体にする

15

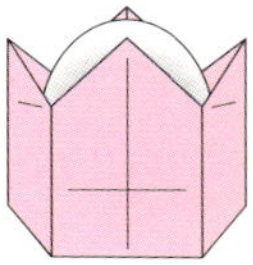

できあがり

FRUIT TRAY

果物が映える色を選んで
食卓へ

フルーツトレイ

観音に折って、四隅にちょっと手を加えただけで、こんな素敵なフルーツトレイが出来上がりました。シンプルなデザインなので、果物がきれいに見えます。果物に合わせて紙の色をコーディネートして、食卓に飾ってみてはいかがでしょう。

LUNCH BOX

1枚の紙を使って
ふたまで作れる
ランチボックス

シンプルな四角いランチボックスは、１枚の紙で折ったもの。少し厚手の紙で作れば、会社に持っていくお弁当やアウトドア用にもぴったり。お客様をランチにお招きしたときも、こんなランチボックスならカジュアルな雰囲気で楽しそう。

折り紙のランチボックスなら、１人用から大人数用まで、量に合わせて大きさを自在に合わせられます。

ランチボックス　難易度★★★　川村晟作

●用意する紙●大78×58.5cm／小50cm×37.5cm　やや厚手の洋紙

●アドバイス●最初に折り筋をきっちりつけておくことが、成功のポイント。ちょっと複雑な折り筋なので、図1を見ながら抜けのないようにチェックしましょう。コーナーの部分がシャープに出るように折ること。

1

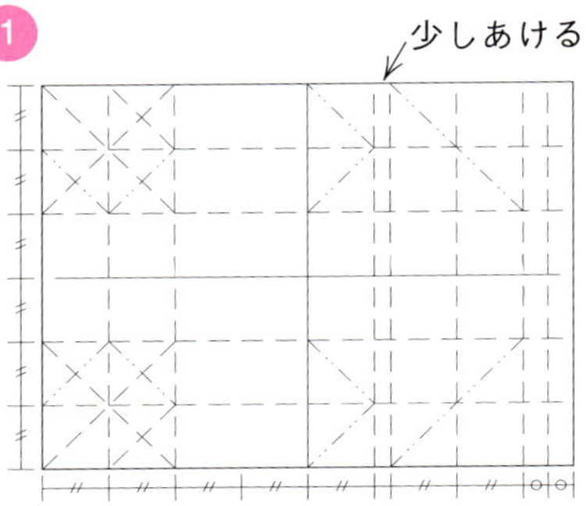

十字に折り筋をつけてから、図のようにしっかり折り筋をつける

2

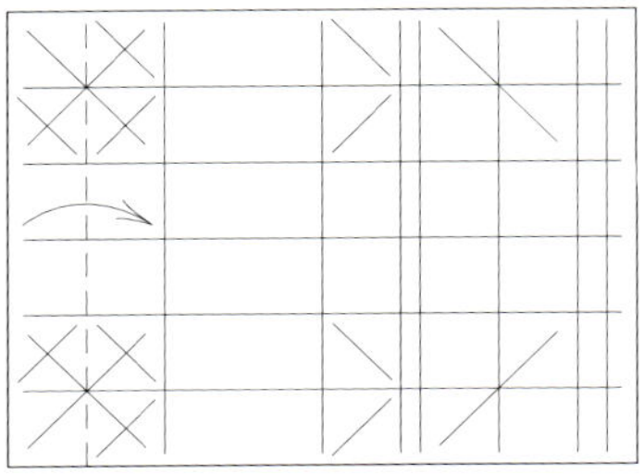

3

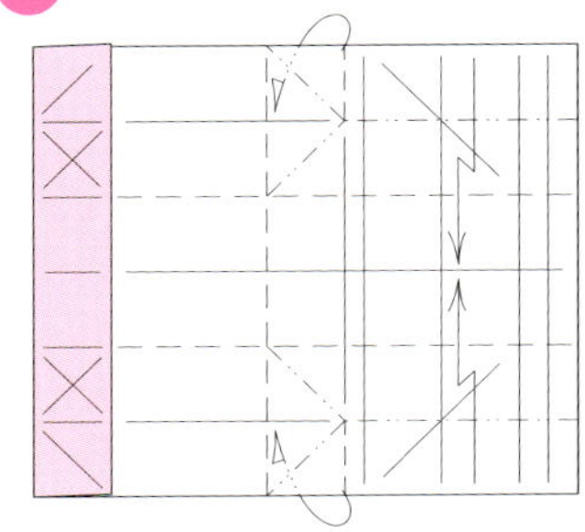

寄せるように段折りし、立体にする

4

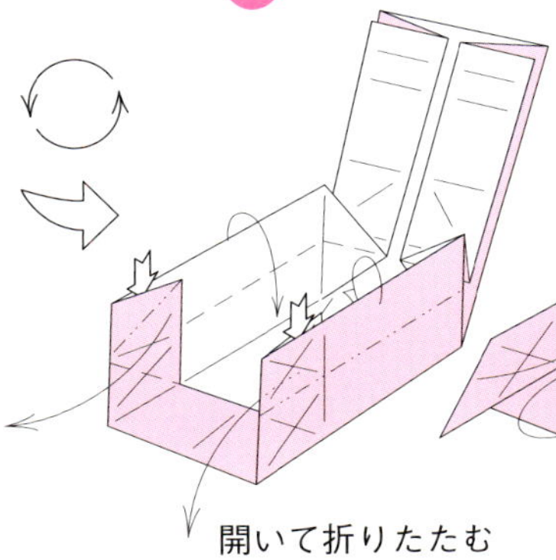

開いて折りたたむ

5

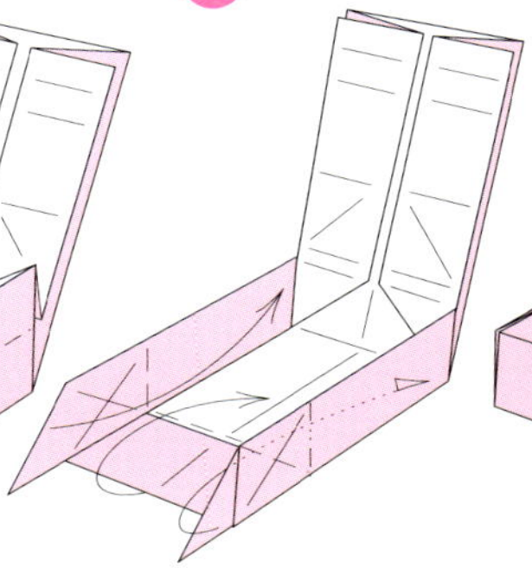

6

7

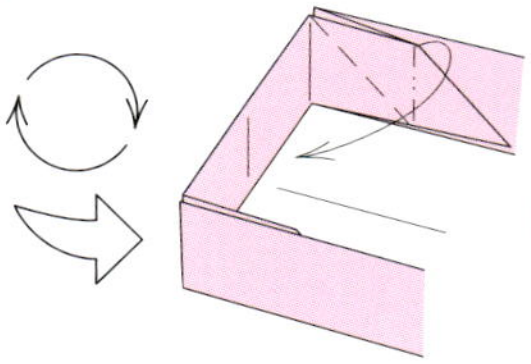

8

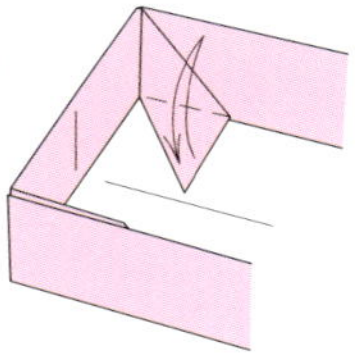

9

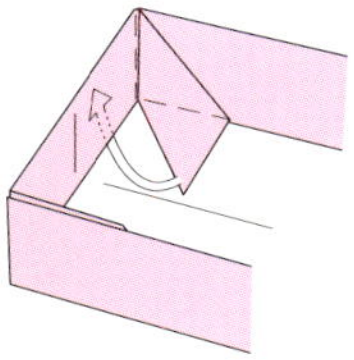

折って差し込む

10

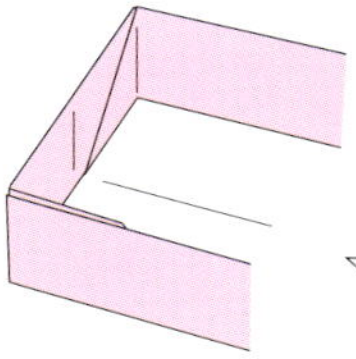

反対側も同様に折る

側面を少し浮かすと差し込みやすくなる

11

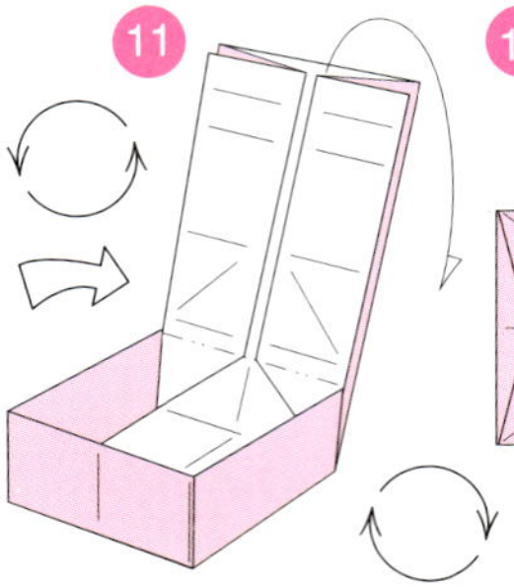

12

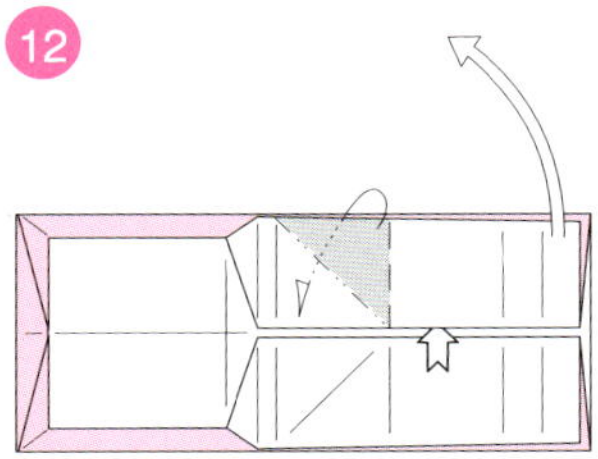

の部分をずらすように下に入れ、立体にする

フルーツトレイ　難易度★

高木智作

●用意する紙●25×25cm　厚手の紙

●アドバイス●果物は重みがあるので、厚手の紙のほうが向いています。果物の種類によって、洋紙でも和紙でもOK。オレンジやバナナなら洋紙、柿やミカンのような和風の果物には和紙のトレイも似合います。

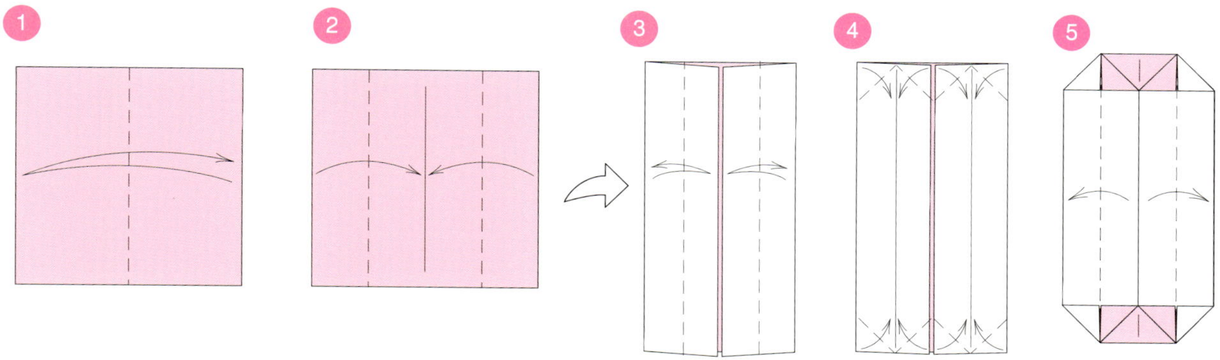

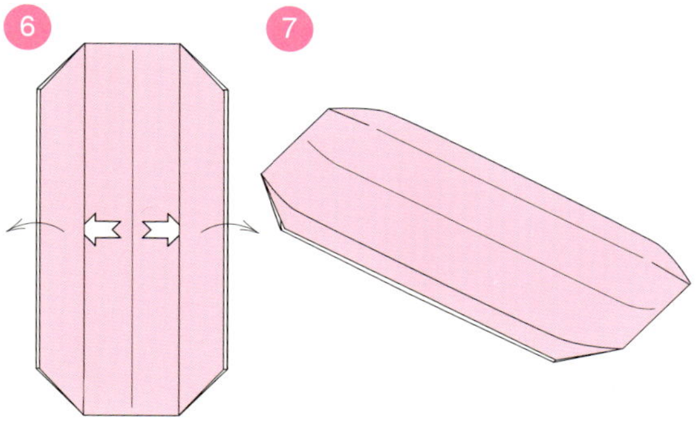

開く

できあがり

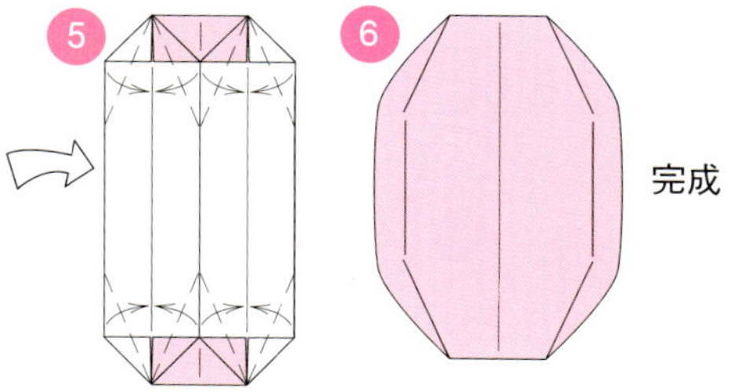

図5で両端をもうひと折りすると、幅の広いフルーツトレイができます

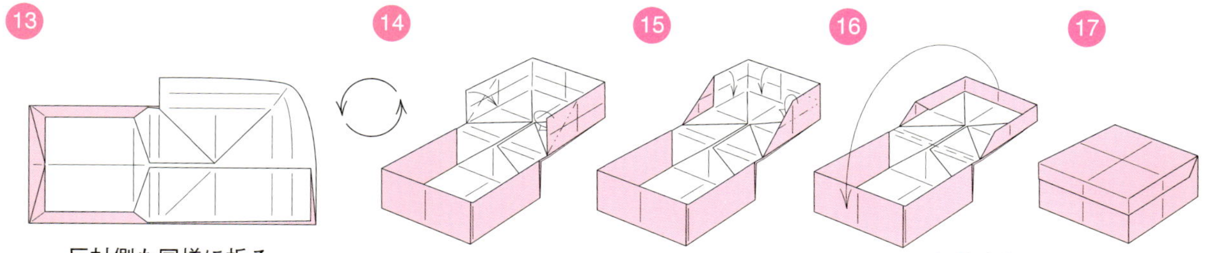

反対側も同様に折る

かぶせる

PAPER DISHES

飛び立つ鶴の姿を
イメージさせる

鶴の敷き紙

鶴がはばたいているような優美な形の敷き紙です。おなじみの折り鶴の要領で作れますから、ふだんの食卓にもぜひ取り入れてみましょう。こんな敷き紙に盛れば、料理がより引き立ちます。おもてなしに菓子皿として使ってもおしゃれです。

皿代わりにも使える丈夫な作り

末広がりの敷き紙

天ぷらなどの料理に使う敷き紙は、折り紙でひと工夫してみましょう。ここで紹介している末広がりの敷き紙は、底の部分を折りたたみ、さらに紙を折り込んでいるので、しっかりした作りです。厚手の紙で作れば、皿としても十分利用できます。

左ページの敷き紙のバリエーション。奥の立ち上がりとサイドの部分をやや寝かせた形です（70ページ参照）。

末広がりの敷き紙　難易度★★　井口洋一郎作

●用意する紙●大35×35cm／小24×24cm　やや厚手の紙

●アドバイス●一見難しそうですが、最初にしっかり折り筋をつけておけば、初心者でも失敗なく作れます。図17で立体にするときに、立ち上がり部分を完全に立てないで、少し寝かせた形のアレンジ版も作ってみましょう。

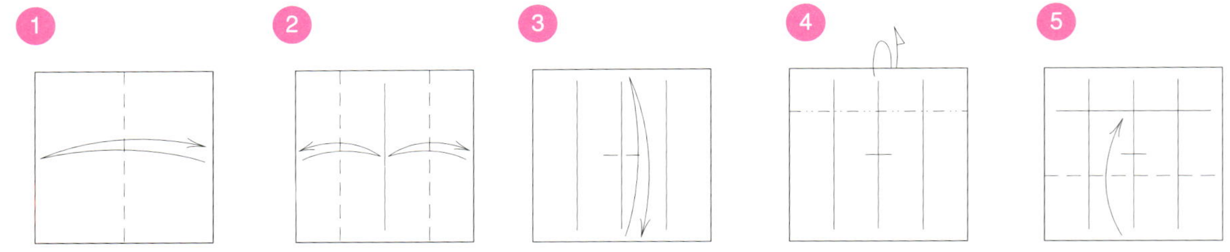

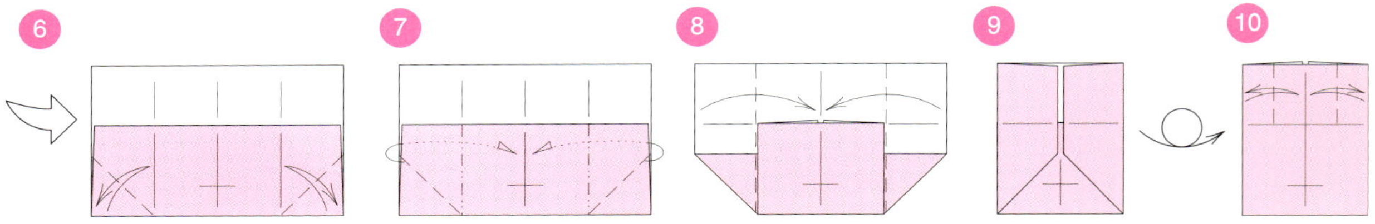

中割り折りの要領で
後ろに折る

開いて折りたたむ

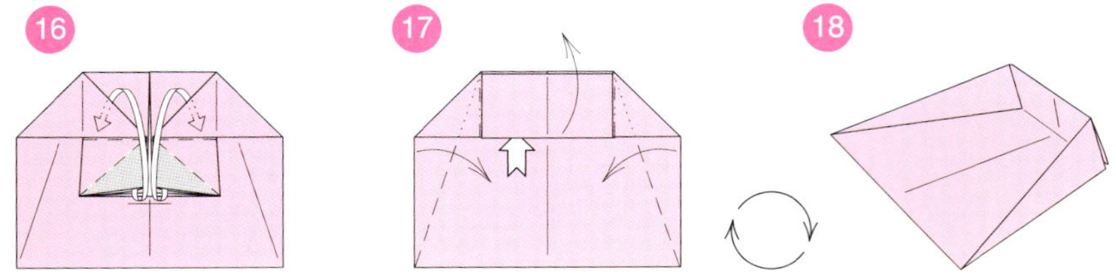

の部分を差し込む

立体にする

できあがり

立体にするときに、奥の立ち上がりを完全に立てずに途中でとめるとアレンジ版ができる

鶴の敷き紙　難易度★★

日本折紙協会紹介

●用意する紙●18×18cm　薄手の紙

●アドバイス●敷き紙はある程度厚みがあった方がいいのですが、この鶴の敷き紙は形の美しさを優先して薄手の紙を選びたいもの。薄い紙で折ると、両サイドの立った部分にやわらかさが出て、大空をはばたく鶴の姿をイメージさせます。

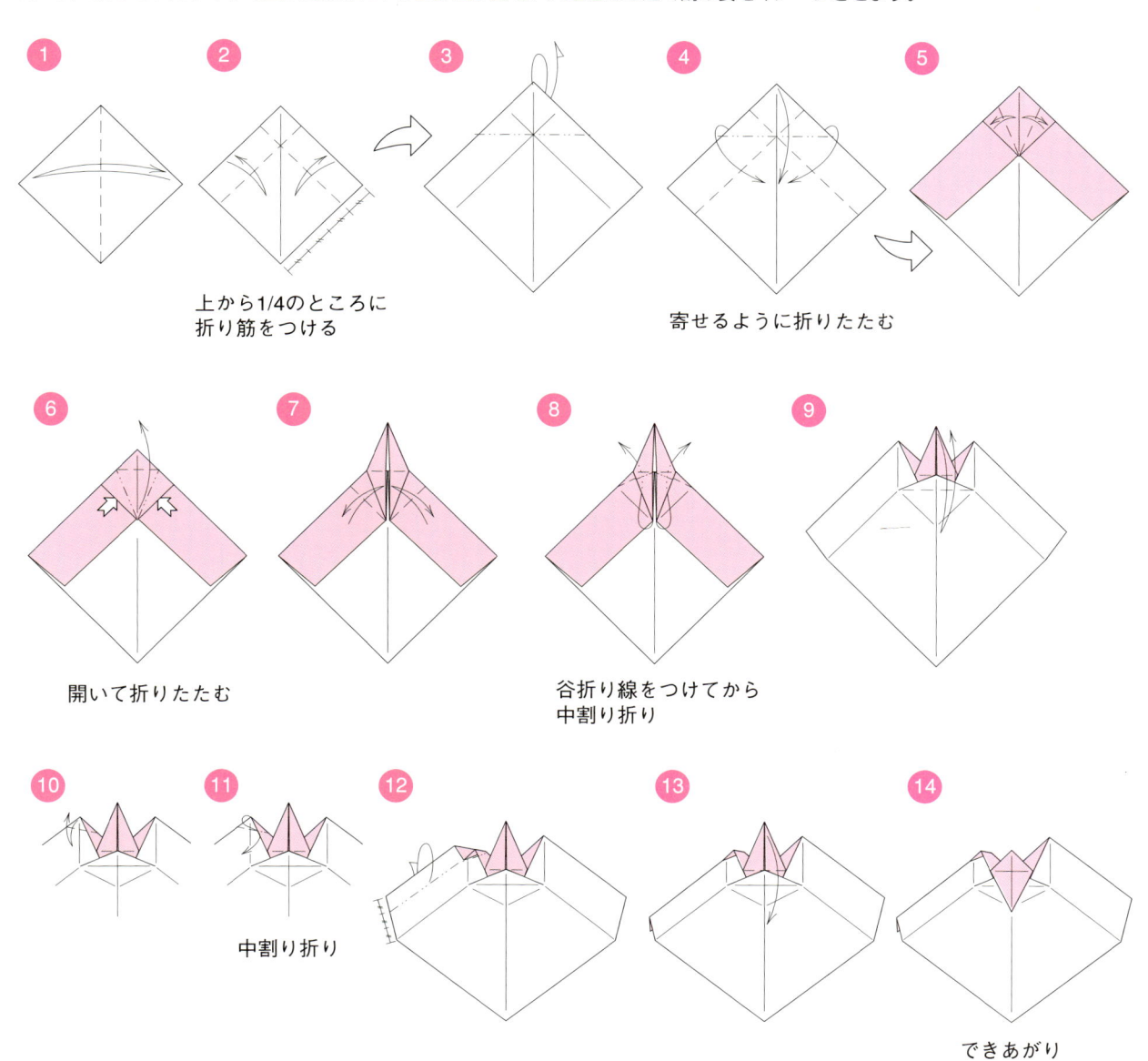

1
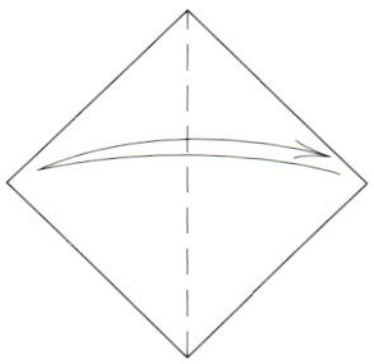

2
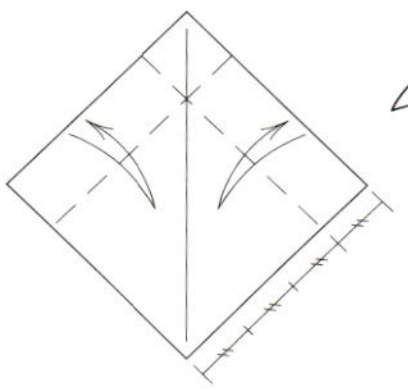

上から1/4のところに
折り筋をつける

3
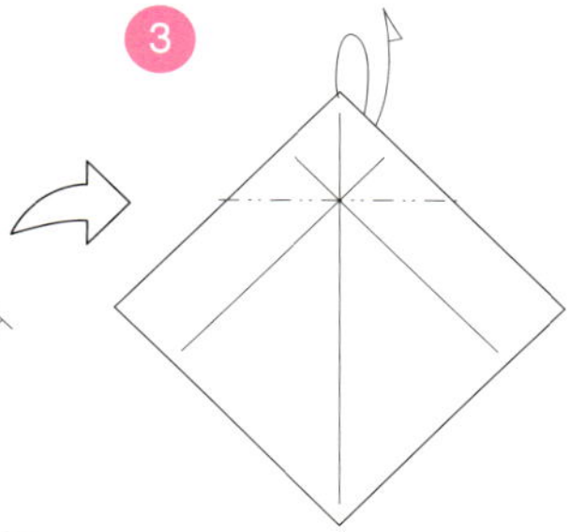

4
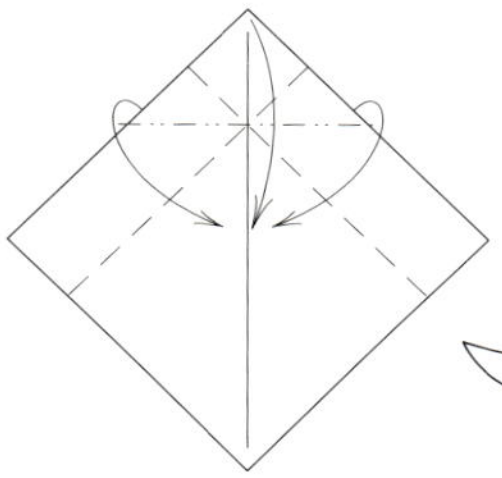

寄せるように折りたたむ

5
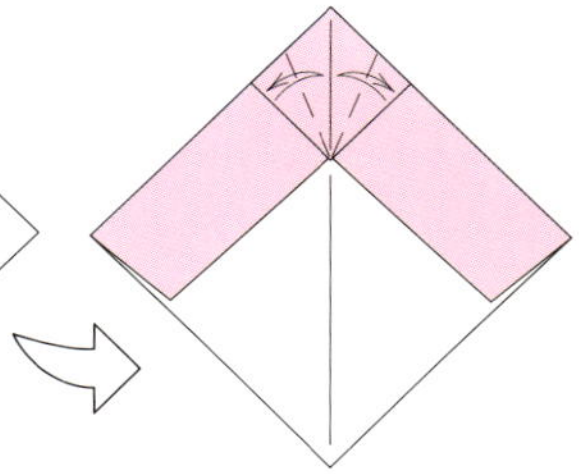

6
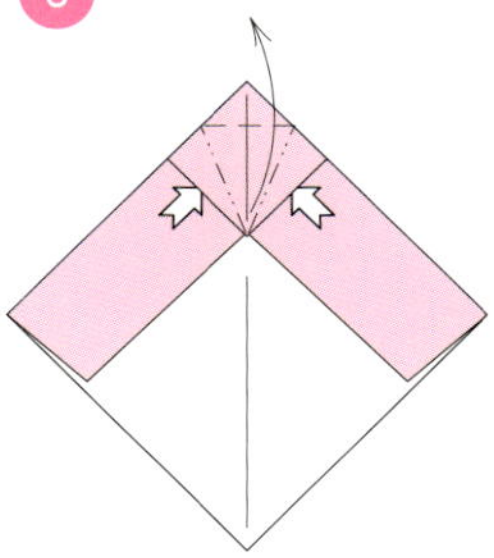

開いて折りたたむ

7
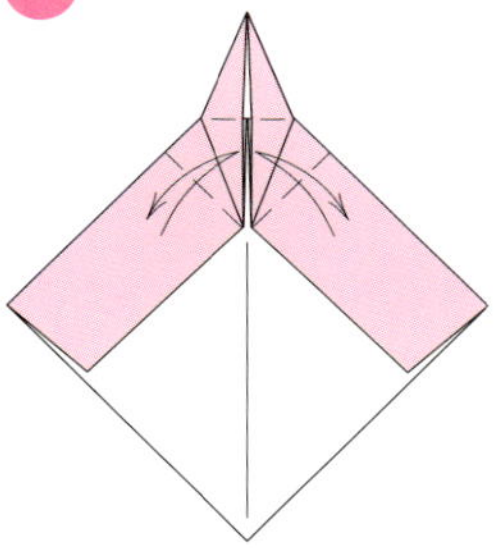

8
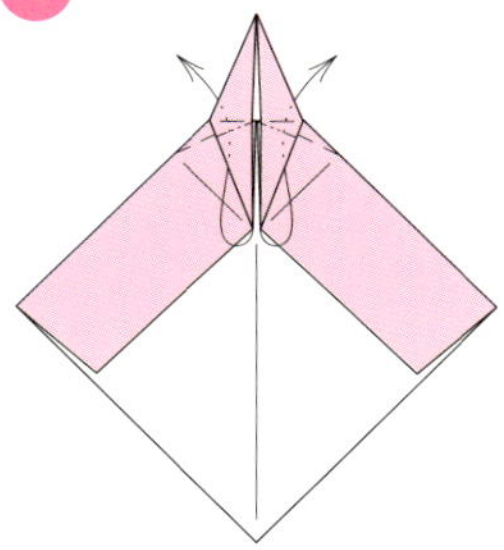

谷折り線をつけてから
中割り折り

9
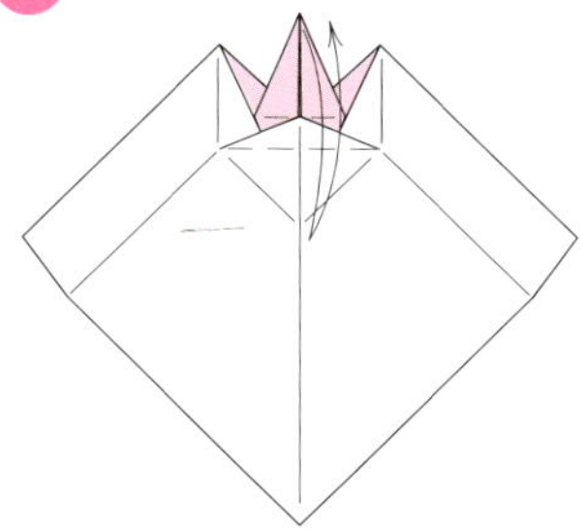

10
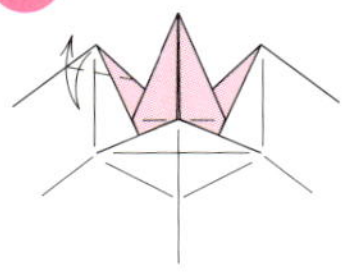

11
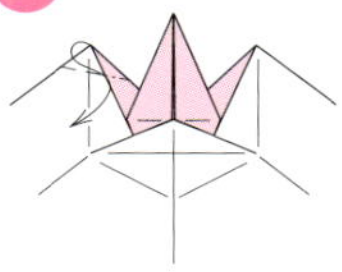

中割り折り

12
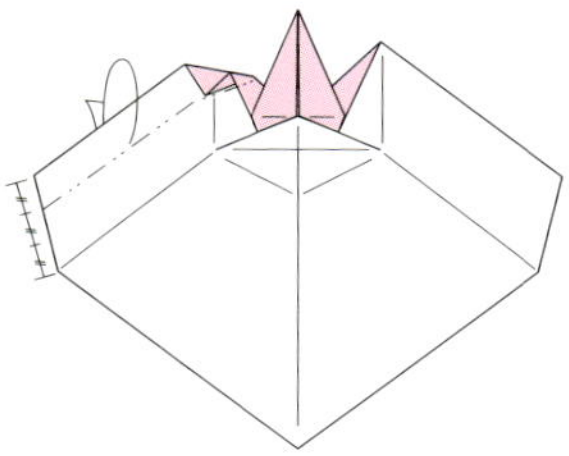

13
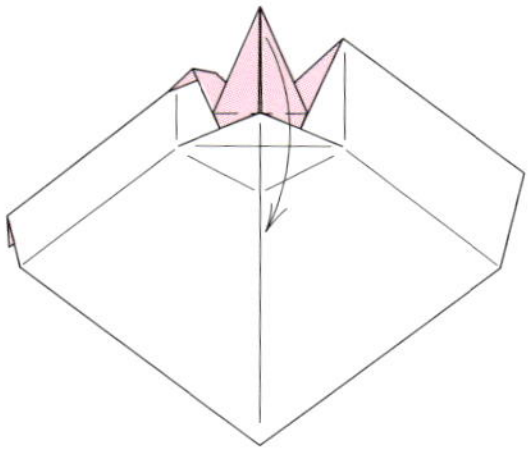

14
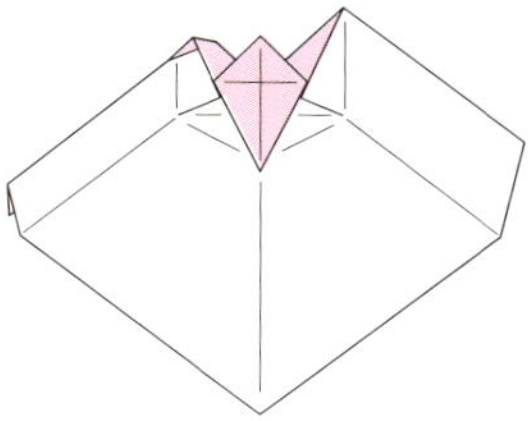

できあがり

すっきりと美しい
フォルムが印象的

鶴の菓子入れ

お正月やお祝いの席で映える、おめでたい鶴の菓子入れ。裏が白い紙を使うと、ちょうど鶴が白くなって、紙の表の色がアクセントになります。写真では、表に金色の紙、裏にペールピンクの紙を重ねて折っています。エレガントな形なので、アクセサリーやポプリ入れにもぴったりです。

CANDY BOX

和風にも洋風にも合うユニークな形

角つき菓子入れ

コーナーに飛び出した角がユニークな菓子入れ。角の部分がちょうど取っ手代わりに使えます。使う紙によって和風にもなれば洋風にもなるデザインです。厚手の紙を使うか、2枚重ねて折れば、かなり重いお菓子を入れても大丈夫。写真では、色の組み合わせを考えて、2枚の紙を重ねて使っています。

鶴の菓子入れ　難易度★★　前田真原案　半田文直作

●用意する紙●35×35cm　やや厚手の紙

●アドバイス●変化のある形のわりには、それほど難しくない折り紙です。ポイントは、図12〜14のかぶせ折りから、くちばしを作る部分。ここの折り方で鶴らしく見えるかどうかが決まるので、丁寧に折るようにしましょう。

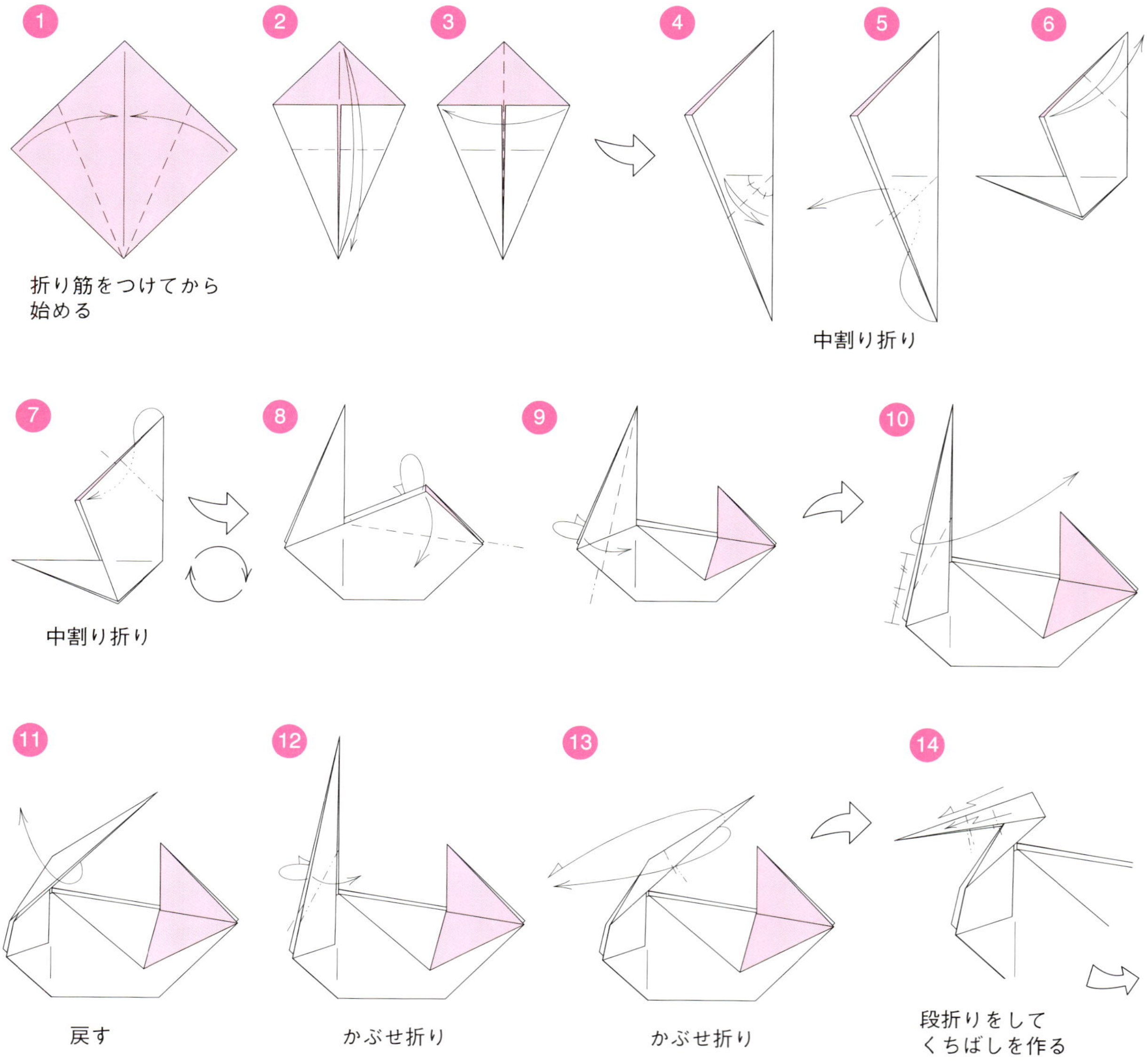
1
折り筋をつけてから始める
2
3
4
5
中割り折り
6
7
中割り折り
8
9
10
11
戻す
12
かぶせ折り
13
かぶせ折り
14
段折りをしてくちばしを作る

角つき菓子入れ　難易度★★　大橋晧也作

●用意する紙●26×36.8cm　やや厚手の紙

●アドバイス●コーナーに飛び出した三角の部分がきれいに出るように、角をしっかり押さえて折っていきます。紙を2枚重ねて折るときは、紙がずれると三角の部分ではみ出してきれいにできないので注意しましょう。

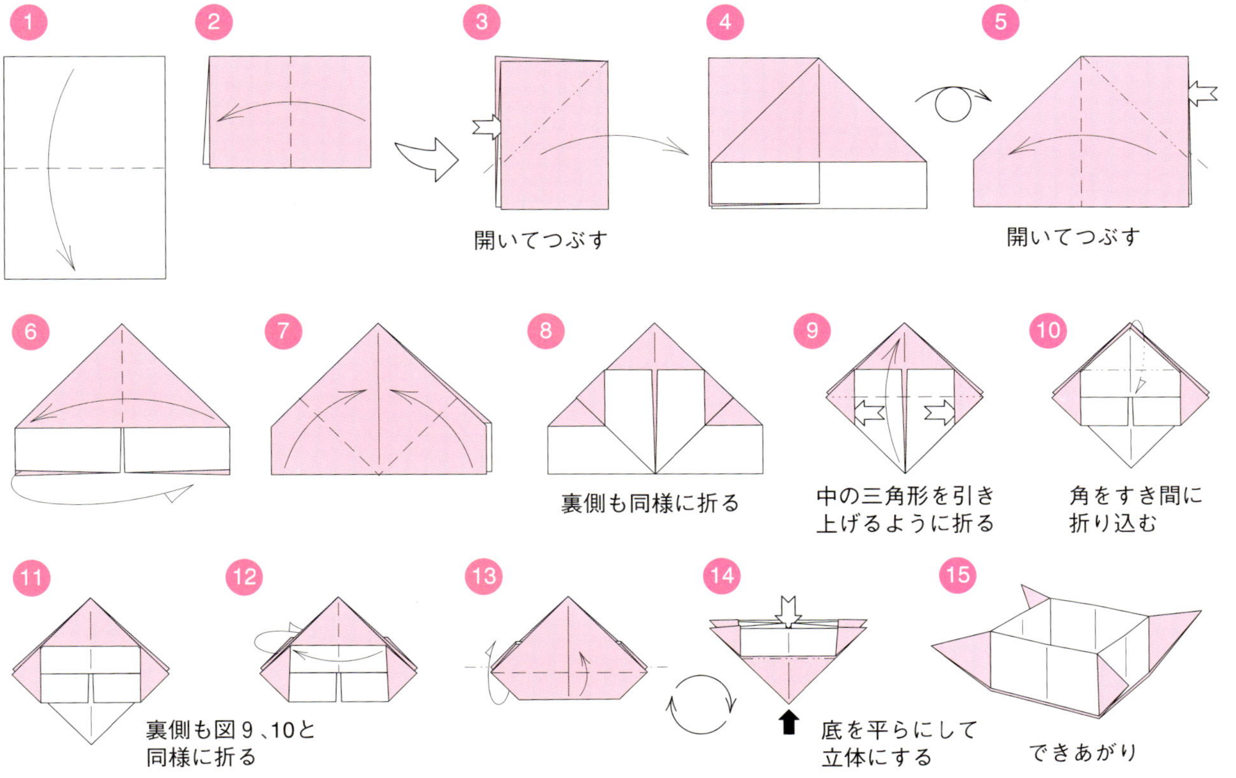
1
2
3
開いてつぶす
4
5
開いてつぶす
6
7
8
裏側も同様に折る
9
中の三角形を引き上げるように折る
10
角をすき間に折り込む
11
12
裏側も図9、10と同様に折る
13
14
底を平らにして立体にする
15
できあがり

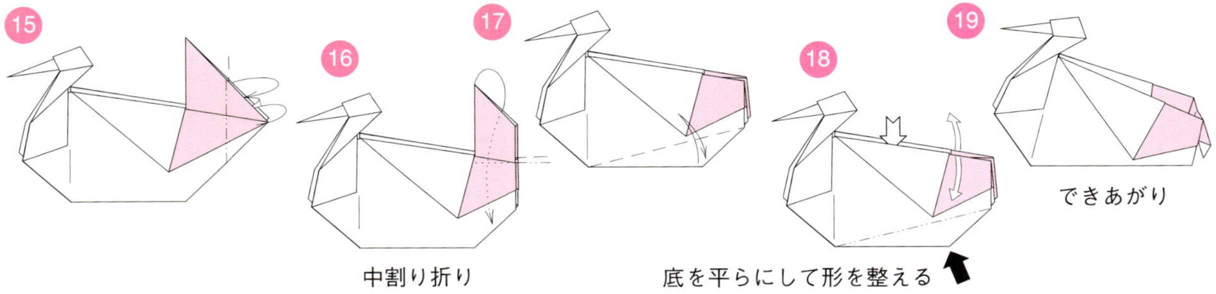
15
16
中割り折り
17
18
底を平らにして形を整える
19
できあがり

NAPKIN RING

1枚の紙で作る折り紙のマジック

ハートのナプキンリング

もともとは指輪として作られた折り紙を、ナプキンリングとして応用してみました。１枚の紙でハートとリング部分を一緒に折っていきます。プレゼントに添えたり、ホームパーティーでワインボトルに飾ったりしても楽しいでしょう。

ナプキンとカラーコーディネート

蝶のナプキンリング

ハートのナプキンリングと同じく、本来は指輪として作られたもの。誕生日やクリスマスなどの食卓に映えるキュートなナプキンリングです。ちょっと上級者向きですが、折り紙の醍醐味が味わえる作品なので、ぜひチャレンジしてみましょう。

ハートのナプキンリング　難易度★★　熊坂浩作

●用意する紙●15×15cm　薄手の紙

●アドバイス●上級者向けに見えますが、初心者でも意外にスムーズに折ることができます。ハートの部分が紙の表、リング部分が裏になるので、ナプキンリングや指輪として使うときは、リバーシブルの紙を利用したいものです。

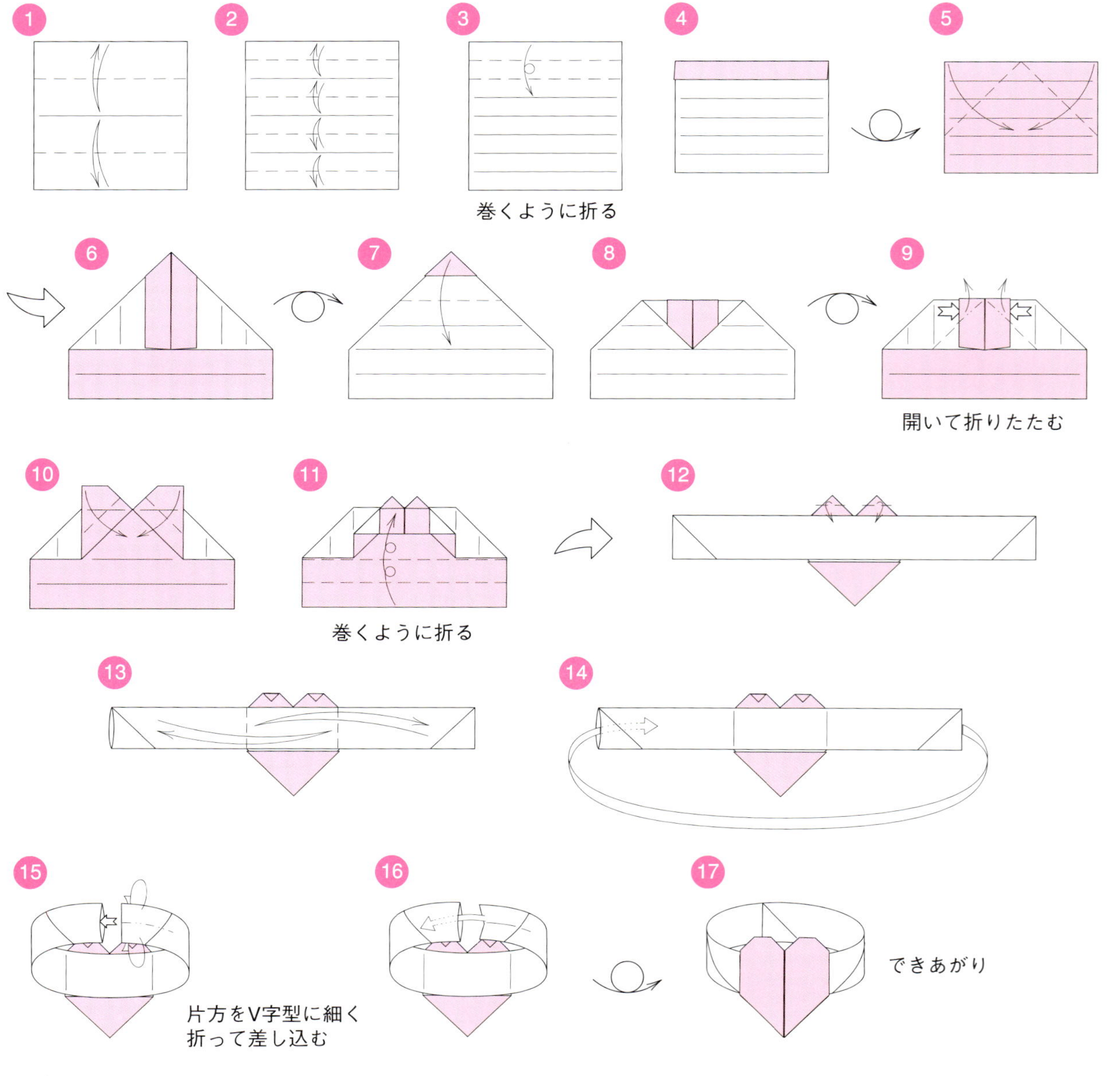
1
2
3
巻くように折る
4
5
6
7
8
9
開いて折りたたむ
10
11
巻くように折る
12
13
14
15
片方をV字型に細く
折って差し込む
16
17
できあがり

蝶のナプキンリング　難易度★★★　加瀬三郎作

●用意する紙●24×6cm　薄手の紙

●アドバイス●かなり細かく折るのと、蝶の軽やかな感じを出すためにも薄手の紙の方がきれいに仕上がります。羽がきれいに左右対称になるように、角の部分を開いてつぶすときは丁寧に折るようにしましょう。

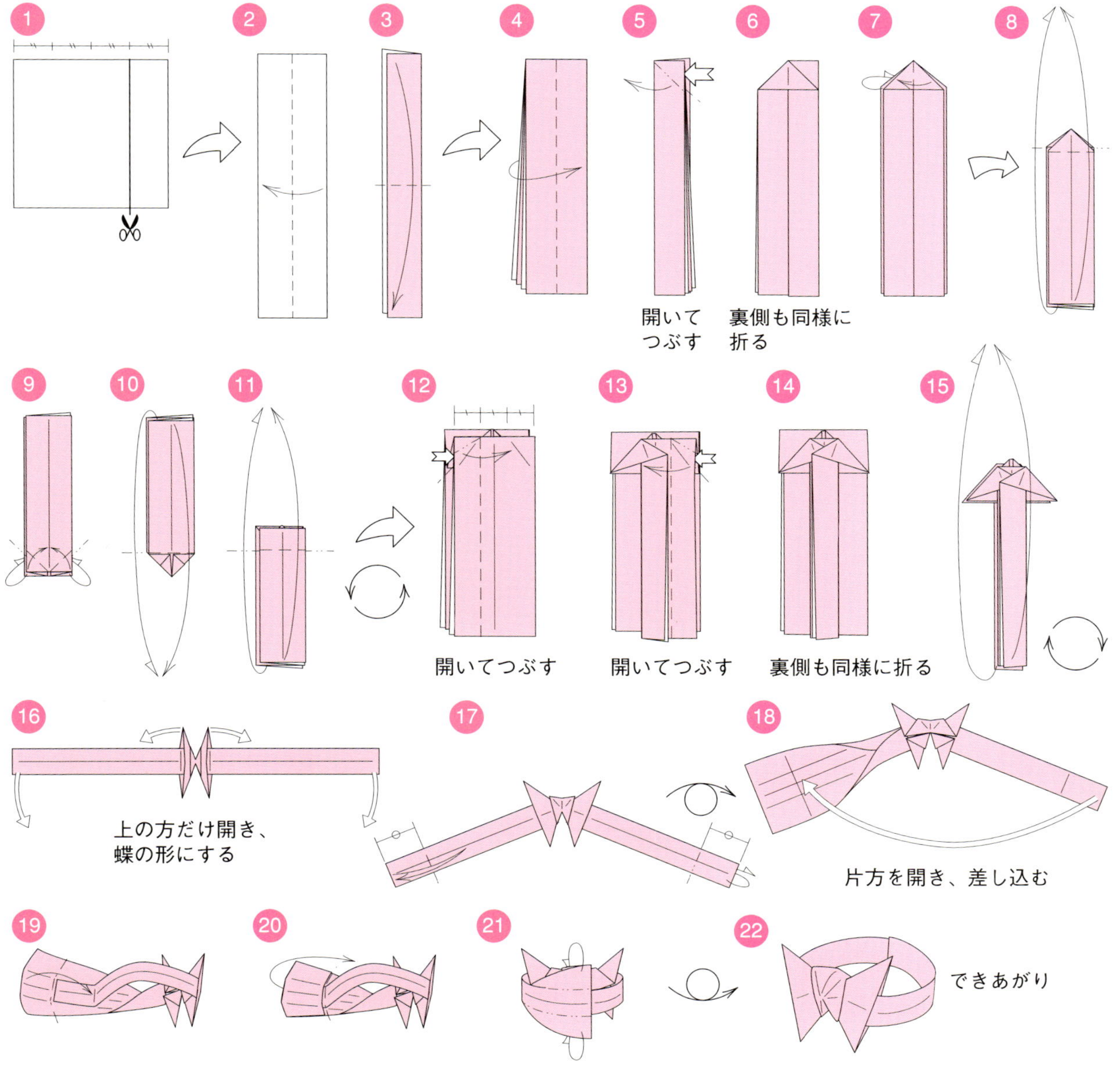

1
2
3
4
5
開いて
つぶす
6
裏側も同様に
折る
7
8
9
10
11
12
開いてつぶす
13
開いてつぶす
14
裏側も同様に折る
15
16
上の方だけ開き、
蝶の形にする
17
18
片方を開き、差し込む
19
20
21
22
できあがり

PART 4

LIVING GOODS

居間を華やかに彩る

折り紙で作るリビンググッズ

居間は家族が集まってくつろぐ場所であり、お客様を招くスペースでもあります。家の中で最もパブリックな意味合いを持つこの空間には、皆が楽しめて、利用できる折り紙を用意したいものです。ここでは花器カバーやオブジェなどの“飾る折り紙”から、茶托や楊枝入れなどの“使える折り紙”まで11種類の作品をご紹介します。

斜めに入る折り筋模様がポイント

一輪挿しカバー

折り筋模様がアクセントになるので、模様の入った紙よりも無地の紙がおすすめです。写真の二つの花器カバーは折り筋の入り方が違いますが、最後に折りたたむ際に、82ページの折り図通りに折ると黄色の花器に、逆に折るとブルーの花器になります。

FLOWER VASE COVER

一種類のパーツを組み合わせて作る

編み目模様の花器カバー

大作なので一見難易度が高そうに見えますが、折り方がむずかしいわけではありません。同じパーツを100枚作って組み合わせるだけでOK。薄手の紙でも、重ねて折り込んでいくので、丈夫な花器カバーに仕上がります。

上記の花器カバーと同じ折り方。底の紙を丸くするか、四角にするかで形が変えられます。ところどころに色違いのパーツを加えて、模様を作るのも楽しいものです。

小さな観葉植物を花器カバーの中に寄せ植えのように配して、居間のセンターテーブルに飾りました。

一輪挿しカバー　難易度★★

朝日勇作

●用意する紙●35×35cm　やや薄手の紙

●アドバイス●折り筋をしっかりつければ、あとはスムーズに折れます。幾重にも折りたたんで折り筋をつけるので、紙はやや薄手の方がいいでしょう。シャープなフォルムを生かすために、フラットでハリのある紙が適しています。

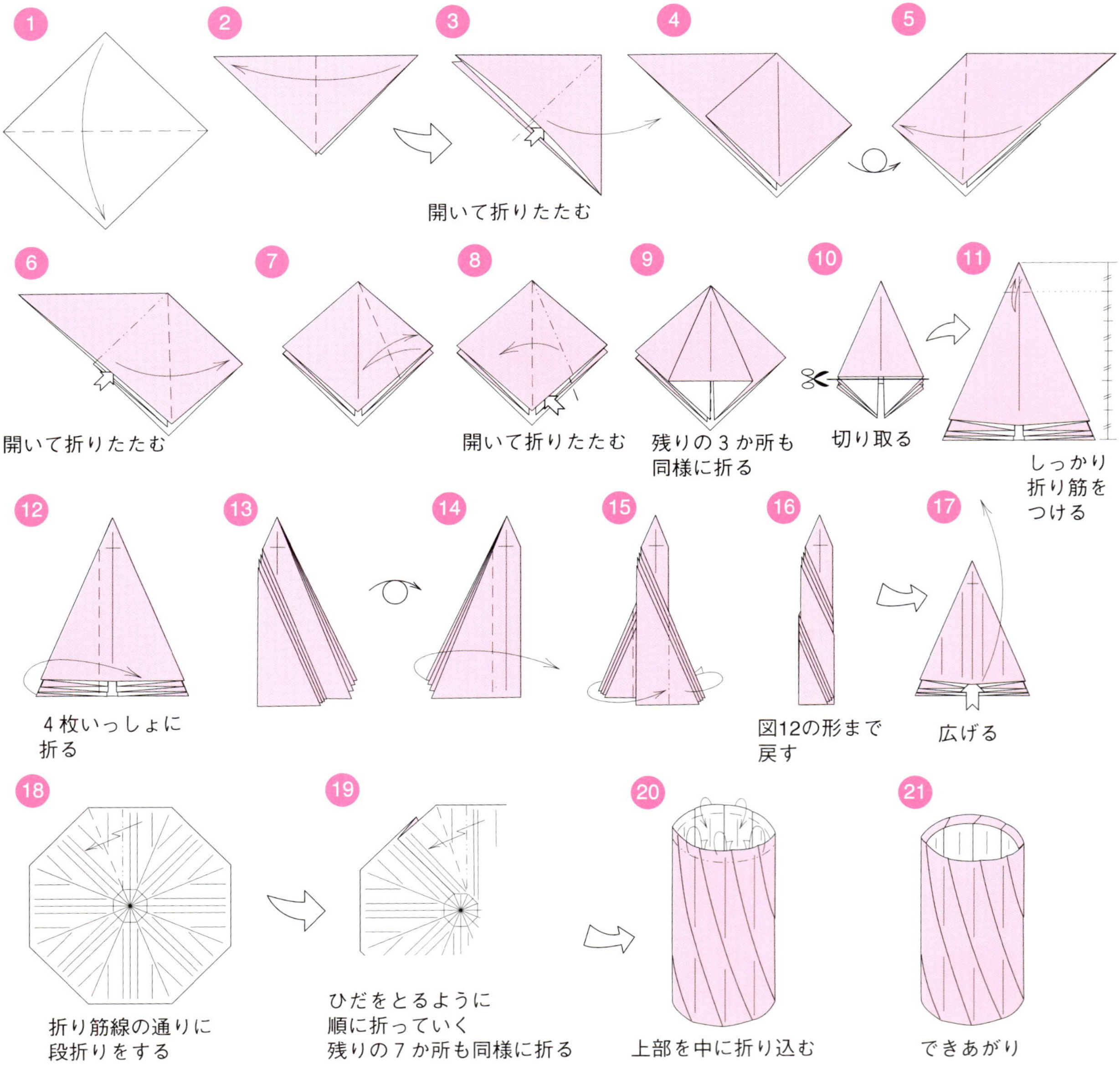
1
2
3
開いて折りたたむ
4
5
6
開いて折りたたむ
7
8
開いて折りたたむ
9
残りの３か所も
同様に折る
10
切り取る
11
しっかり
折り筋を
つける
12
４枚いっしょに
折る
13
14
15
16
図12の形まで
戻す
17
広げる
18
折り筋線の通りに
段折りをする
19
ひだをとるように
順に折っていく
残りの７か所も同様に折る
20
上部を中に折り込む
21
できあがり

編み目模様の花器カバー

難易度★★★

川村晟作

●用意する紙●このページで紹介している折り図は7.5×7.5cmの紙で折ったパーツを24枚使ったものです。写真の丸型花器は同じ大きさのパーツを100枚、角型花器は120枚使っています。数が異なるだけで、各パーツの折り方、組み合わせ方は同じです。

●アドバイス●薄手の紙を使うと編み目がきれいに出ます。一つ一つのパーツをきちんと折って、形をそろえるようにしましょう。

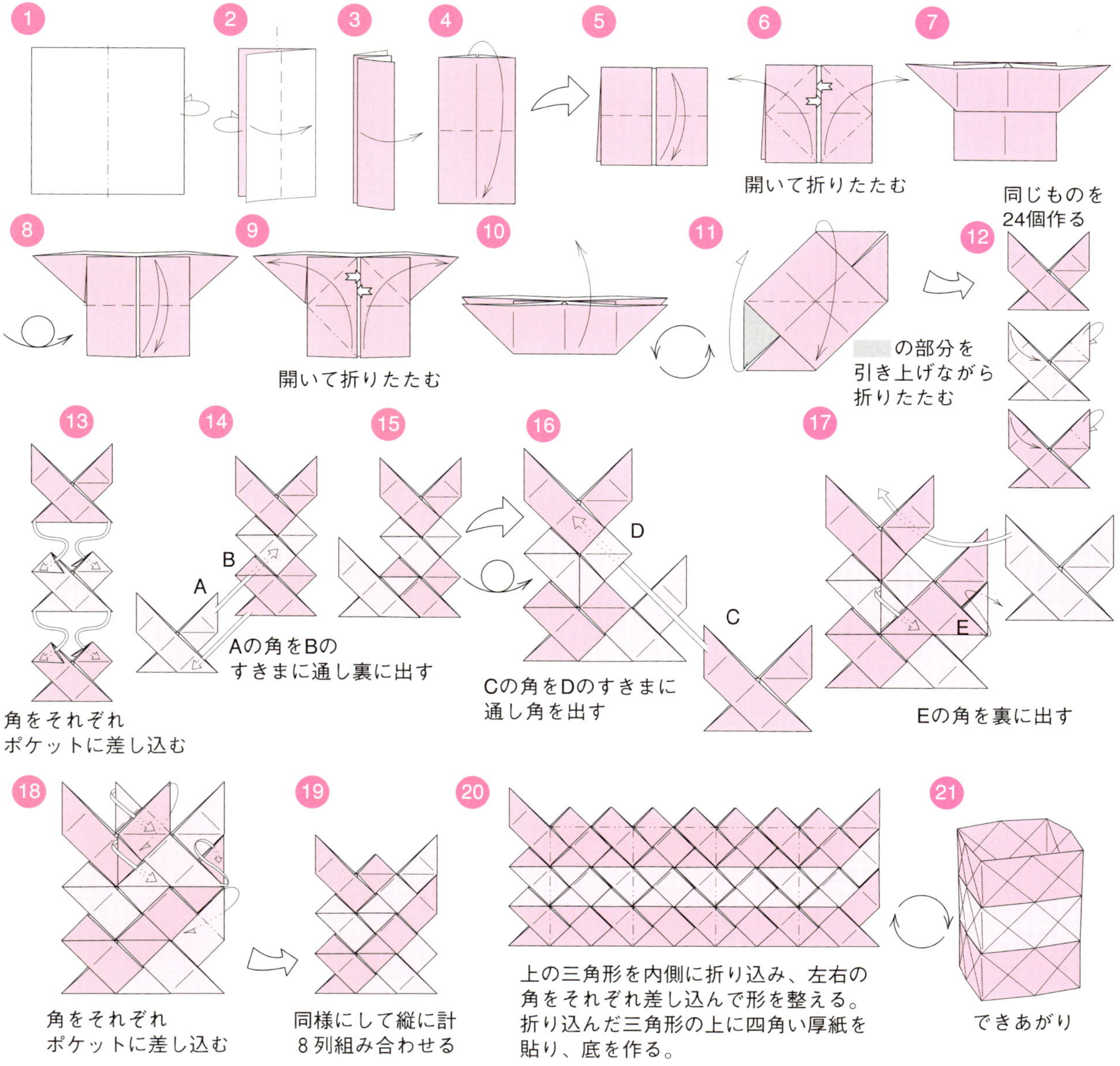

1
2
3
4
5
6
開いて折りたたむ
7
8
9
開いて折りたたむ
10
11
の部分を
引き上げながら
折りたたむ
12
同じものを
24個作る
13
角をそれぞれ
ポケットに差し込む
14
B
A
Aの角をBの
すきまに通し裏に出す
15
16
D
C
Cの角をDのすきまに
通し角を出す
17
E
Eの角を裏に出す
18
角をそれぞれ
ポケットに差し込む
19
同様にして縦に計
8列組み合わせる
20
上の三角形を内側に折り込み、左右の
角をそれぞれ差し込んで形を整える。
折り込んだ三角形の上に四角い厚紙を
貼り、底を作る。
21
できあがり

TEACUP SAUCER

上品で使い勝手もいい
シンプルな形

八角茶托

手軽に作れる八角形の茶托です。装飾のない単純な形ですが、とても使い勝手がいいのでぜひお試しを。写真のサイズは、小ぶりな煎茶茶碗に合う大きさです。シックな和紙で作れば、お客様用としても利用できます。

のりを使わずに折り上げる

壺型楊枝入れ

これはもともと壺として発表された作品です。本書ではサイズを小さくして、楊枝入れとして制作しました。のりやハサミをまったく使わずに、折るだけで、きっちりとした美しい形に仕上がります。

TOOTH PICK CASE

左の写真と同じ作品「八角茶托」を、色とりどりの華やかな千代紙で折ってみました。紙を替えるだけで、これだけ印象が変わります。

壺型楊枝入れ　難易度★★★　加瀬三郎作

●用意する紙●15×15cm　やや薄手の紙

●アドバイス●折り筋がかなり複雑なので、初心者の人にとってはちょっと難易度が高いかもしれません。ただ、図にしたがって一つ一つ正確に折り筋をつけていけば、最後に立体にしたときに微妙な壺の形がピタリと決まるはずです。

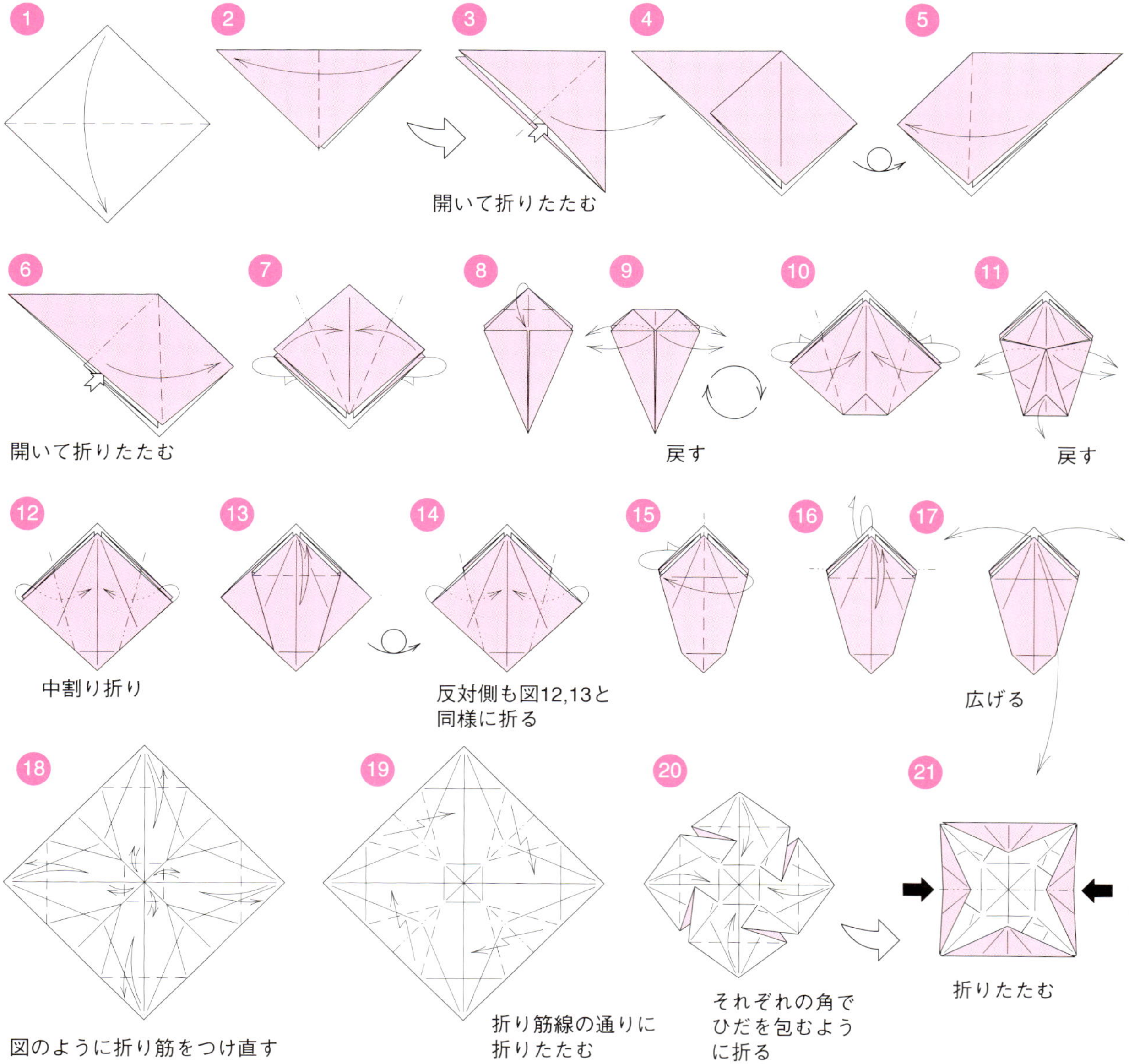

1
2
3
開いて折りたたむ
4
5
6
開いて折りたたむ
7
8
9
戻す
10
11
戻す
12
中割り折り
13
14
反対側も図12,13と
同様に折る
15
16
17
広げる
18
図のように折り筋をつけ直す
19
折り筋線の通りに
折りたたむ
20
それぞれの角で
ひだを包むよう
に折る
21
折りたたむ

八角茶托　難易度★　中村潤哉作

●用意する紙●15×15cm　やや厚手の紙

●アドバイス●折り自体は難しくありませんが、図7で段折りして茶托の立ち上がりの部分を作るところがポイント。段折りの幅が大きすぎると小鉢のようになり、小さすぎると立ち上がりが足りずに平べったくなってしまいます。

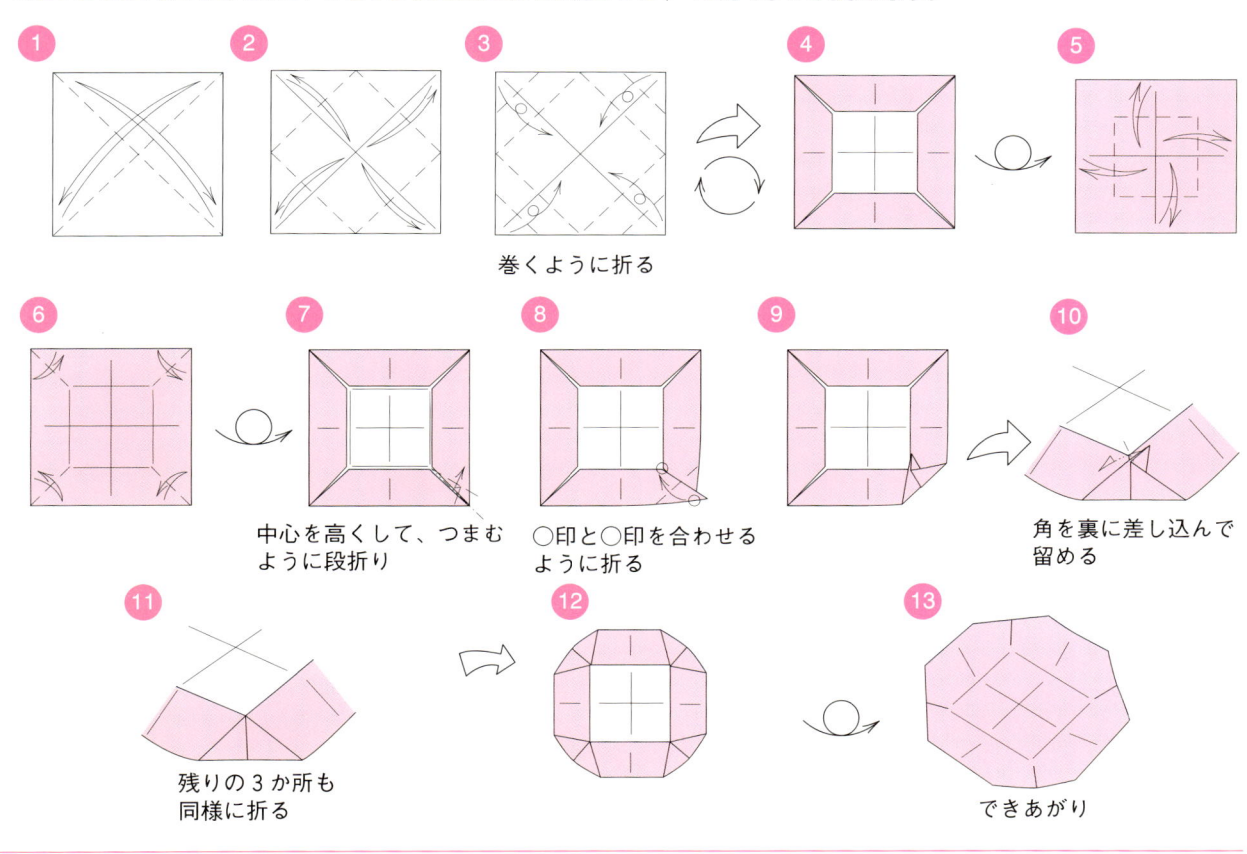

1

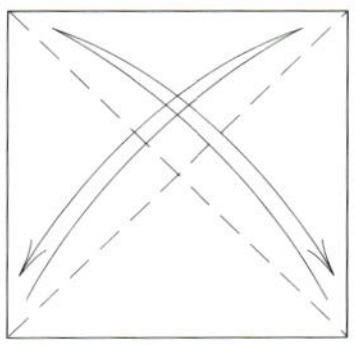

2

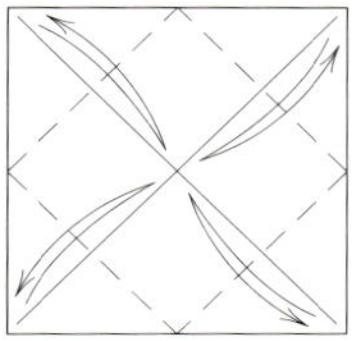

3

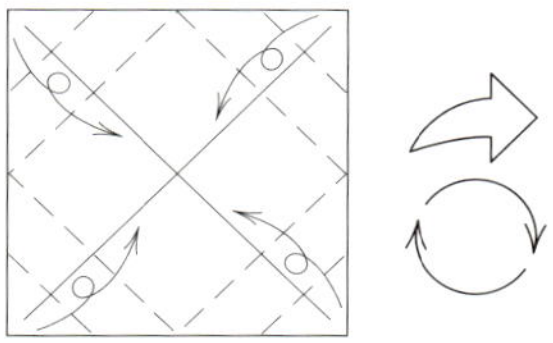

巻くように折る

4

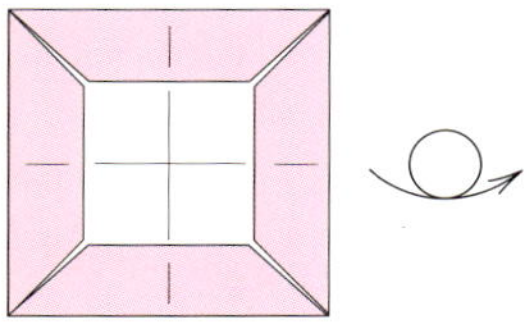

5

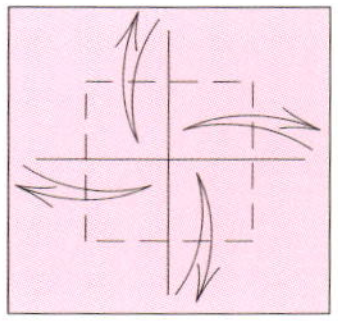

6

7

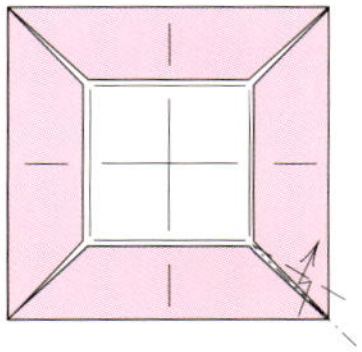

中心を高くして、つまむように段折り

8

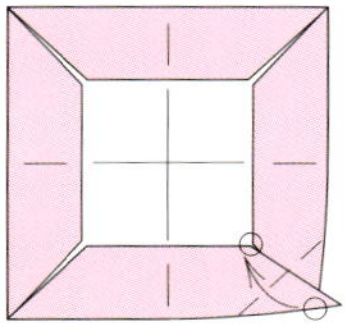

○印と○印を合わせるように折る

9

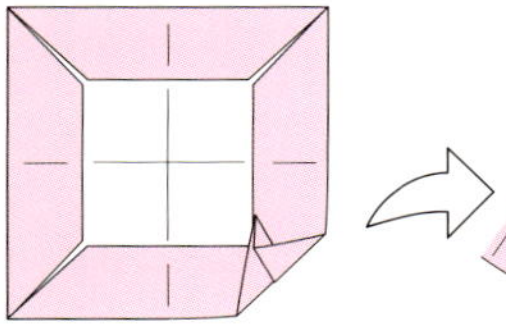

10

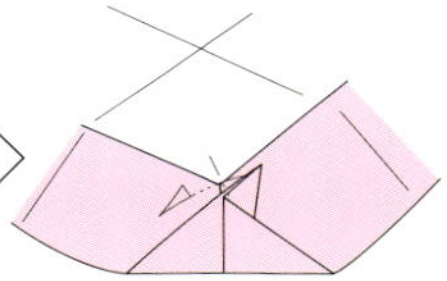

角を裏に差し込んで留める

11

残りの3か所も同様に折る

12

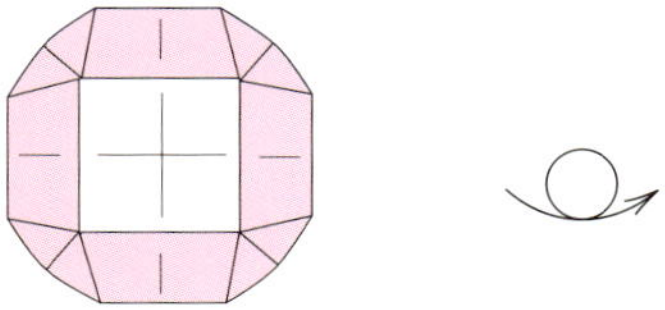

13

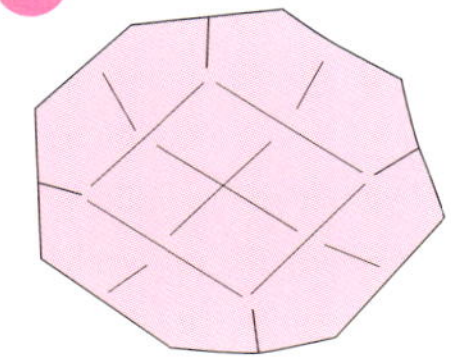

できあがり

22

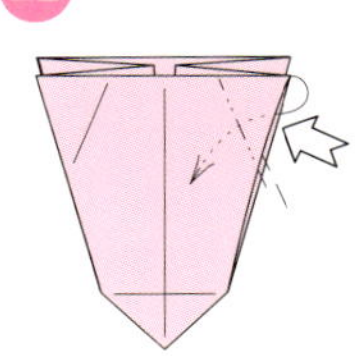

角を上から押しつぶすように中割り折り

23

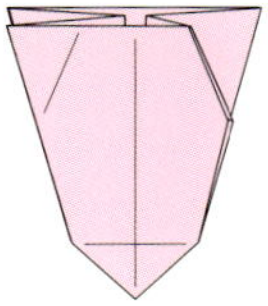

残りの3か所も同様に折る

24

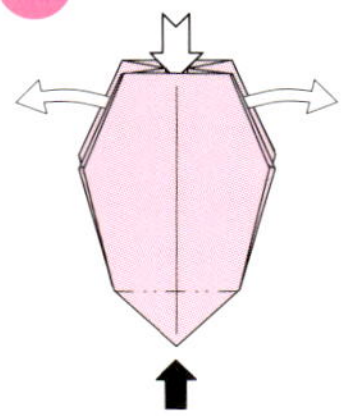

中を開いて立体にし、形を整える

25

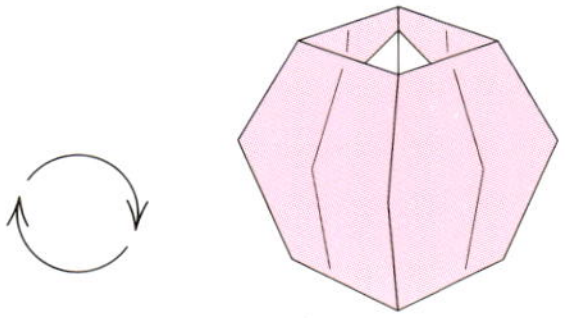

できあがり

COASTER

中央の4枚の羽が目立つように

風ぐるまコースター

中央で折り返した裏の部分が、ちょうど風ぐるまの羽のように見えませんか。羽の部分がくっきりと際立つように、ここでは裏に目立つ色の紙を重ねて2枚で折っています。「たとう折り」なので、ポチ袋として使ってもいいでしょう。

花型コースターは紙選びがポイント。写真では無地と花柄のリバーシブルの紙を使っています。

大輪の花を思わせる華やかさ

花型コースター

伝承折り紙の「コップ」を16枚作り、花型に重ねたコースター。簡単にできるのに見映えがする折り紙です。花びらのように重ねた部分は厚みがあるので、コースターだけでなく、花瓶敷きや鍋敷きなどいろいろなものに応用できます。

色の組み合わせを楽しみたい

八角コースター

花型コースターと同じく、伝承折り紙の「コップ」のアレンジ。8枚のコップを組み合わせたものです。同じ紙で組み合わせればシンプルなイメージになります。一つおきに違う色を組み合わせたり、１枚ずつ色を変えてみたりしても楽しいでしょう。

折り紙でコースターを作るときは、水に強いコーティングされた紙がおすすめ。

花型コースター　難易度★

小林俊彦作

●用意する紙●7.5×7.5cmを16枚　薄手の紙

●アドバイス●コースターとして使う場合、厚手の紙を使うとパーツ（伝承折り紙の「コップ」）の重なった部分が浮いてしまい、上にのせたグラスが安定しません。薄手の紙を使って、パーツを一つ一つていねいに折っていきましょう。

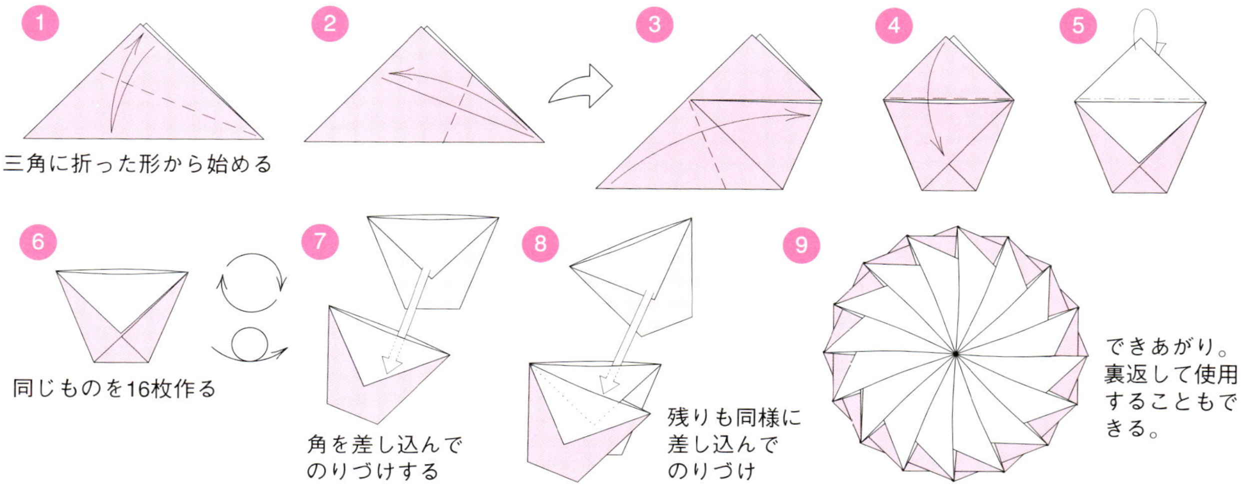
1
三角に折った形から始める
2
3
4
5
6
同じものを16枚作る
7
角を差し込んで
のりづけする
8
残りも同様に
差し込んで
のりづけ
9
できあがり。
裏返して使用
することもで
きる。

八角コースター　難易度★

小林俊彦作

●用意する紙●7.5×7.5cmを8枚　やや厚手の紙

●アドバイス●花型コースターよりパーツの重なり部分が少ないので、少し厚手の紙を選んだほうが見映えがします。最後に8枚のパーツの中心線がきちんと合うように差し込んでください。

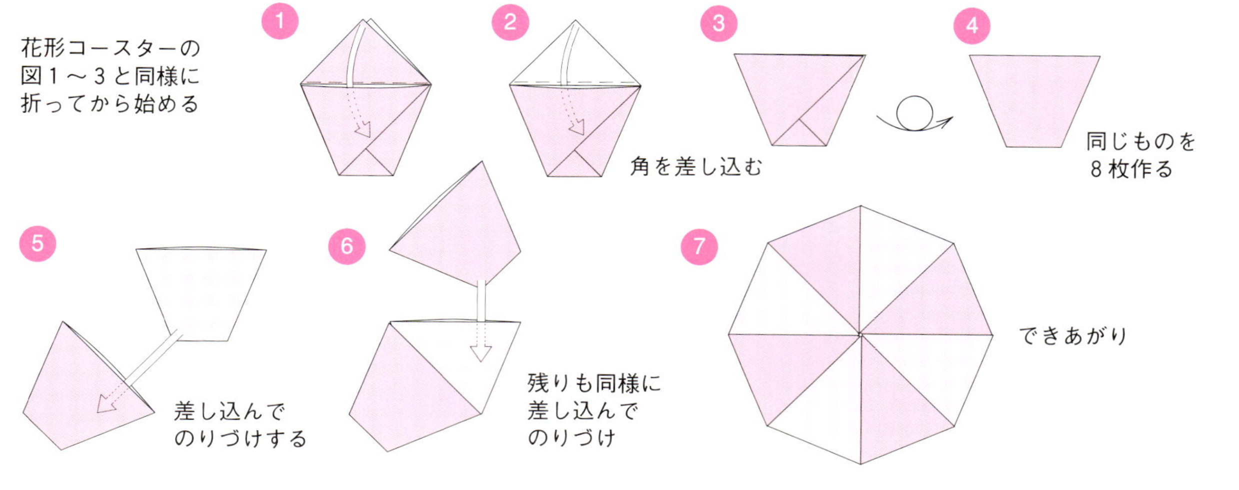
花形コースターの
図1～3と同様に
折ってから始める
1
2
角を差し込む
3
4
同じものを
8枚作る
5
差し込んで
のりづけする
6
残りも同様に
差し込んで
のりづけ
7
できあがり

風ぐるまコースター　難易度★★　朝日勇作

●用意する紙●18×18cm　やや厚手の紙

●アドバイス●図2の折り筋が大事なポイント。図のように、4か所に1/3の折り筋を入れるとき、定規を使って測ることをおすすめします。この折り筋を正確に入れると、八角形の中に風ぐるまの模様がきれいにできあがります。

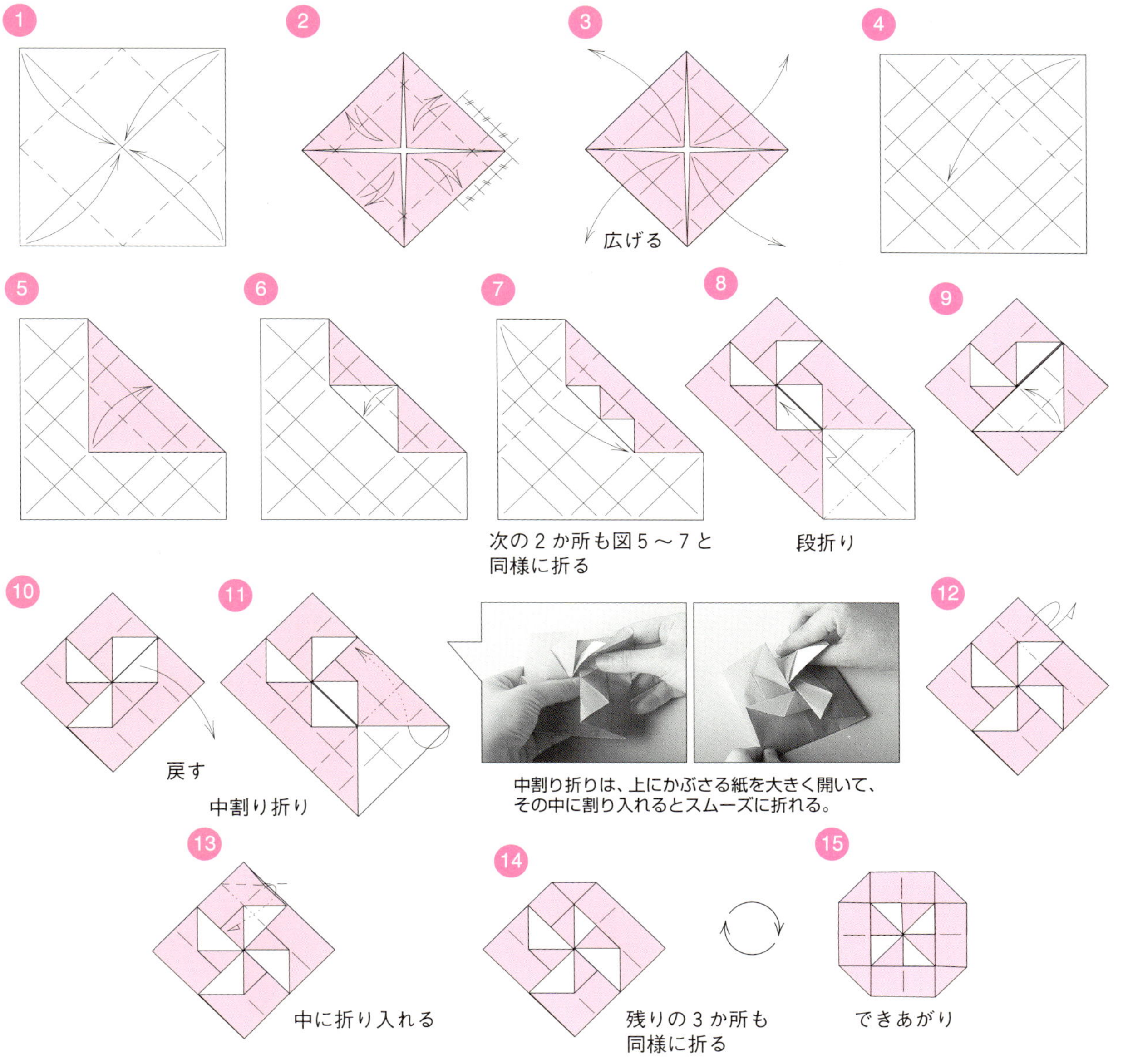
1
2
3
広げる
4
5
6
7
次の2か所も図5～7と同様に折る
8
段折り
9
10
戻す
11
中割り折り
12
13
中に折り入れる
14
残りの3か所も同様に折る
15
できあがり

中割り折りは、上にかぶさる紙を大きく開いて、その中に割り入れるとスムーズに折れる。

窓辺にフォトスタンドを並べて飾るとおしゃれ。飾る写真に最も合う形や色のスタンドを選んでください。夏はブルー系、冬はオレンジ系など、四季折々でフォトスタンドを衣替えするのも楽しいものです。

PHOTO STAND

コップがあっという間に変身
簡単フォトスタンド

正面から見ていると想像もつかないのですが、このフォトスタンドは、おなじみ伝承折り紙の「コップ」にちょっと手を加えたもの。コップ2つを土台にしているので、飾る写真は大きさを問わず、横長でも縦長でも対応できるのがうれしいところです。

安定した形なので倒れにくい
三角柱フォトスタンド

三角柱を寝かせた形なので、安定のよいフォトスタンド。横から見ても後ろから見てもきれいなので、テーブルに置いても映えます。ダイニングなどのテーブルに置いて、家族の連絡メモをはさむスタンドとして使ってもいいでしょう。

右のフォトスタンドを横から見たところ。フォトスタンドは倒れにくいように、後ろの部分を安定させることも大切な条件のひとつです。

壁に掛けて飾ってもきれい
2WAYフォトスタンド

シンプルなデザインなので、写真が引き立つフォトスタンド。折り返し部分を折らないで、フォトフレームとして壁に飾ることもできます。メモスタンドにしてもいいのですが、じかに文字を書き込んでバースデーカードなどに使っても喜ばれます。

簡単フォトスタンド　難易度★　榎本宣吉作

●用意する紙●7.5×7.5cmを2枚　やや厚手の紙

●アドバイス●伝承折り紙「コップ」に最小限ともいえる工程を加えただけで、フォトスタンドに変身させた作品です。前面の部分に切り込みを入れたりして、オリジナルのフォトスタンドを作ってみるのも楽しいでしょう。

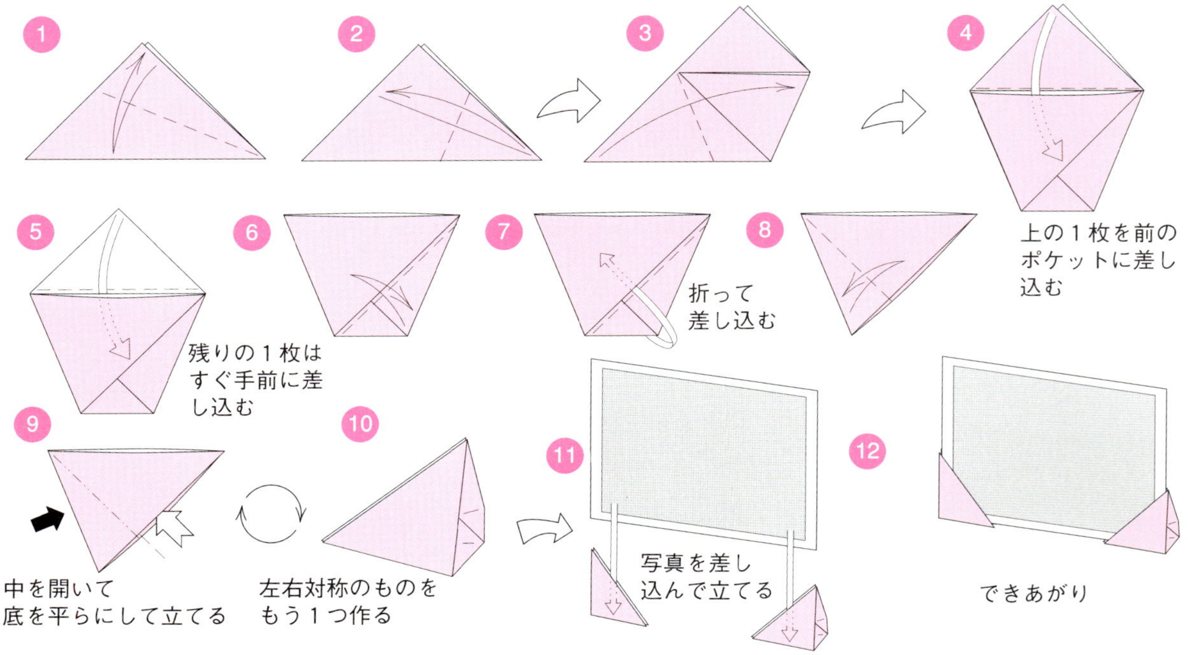
1
2
3
4
上の１枚を前のポケットに差し込む
5
残りの１枚はすぐ手前に差し込む
6
7
折って差し込む
8
9
中を開いて底を平らにして立てる
10
左右対称のものをもう１つ作る
11
写真を差し込んで立てる
12
できあがり

三角柱フォトスタンド　難易度★　石井英子作

●用意する紙●18×18cm　やや厚手の紙

●アドバイス●前面に見える三角形が3つ並ぶ飾りの部分（図5～9）は、いろいろバリエーションが考えられます。細かく折り返さないで、紙の表だけを見せるなど、自分なりに工夫してみましょう。

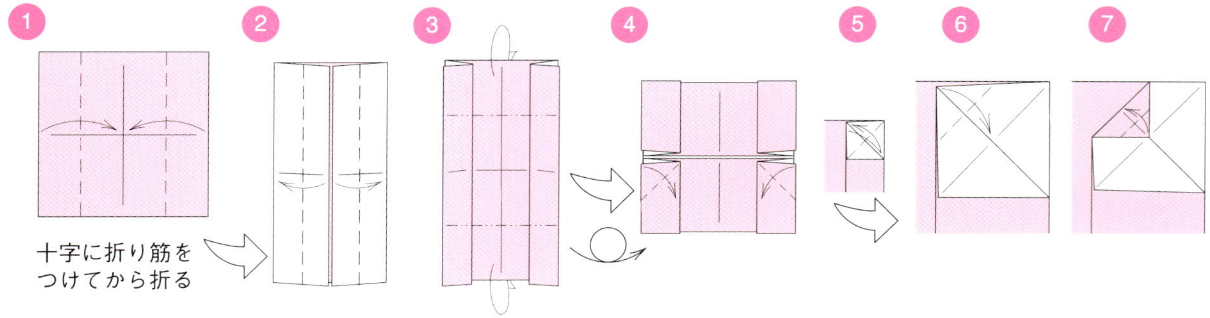
1
十字に折り筋をつけてから折る
2
3
4
5
6
7

2WAYフォトスタンド　難易度★　朝日勇作

●用意する紙●18×18cm　やや厚手の紙

●アドバイス●フォトスタンドとして使う場合は紙の表だけが見える形なので、裏を気にすることなく、いろいろな紙を利用できます。模様入りの包み紙を使ったりしても、ポップな感じでおもしろく仕上がります。

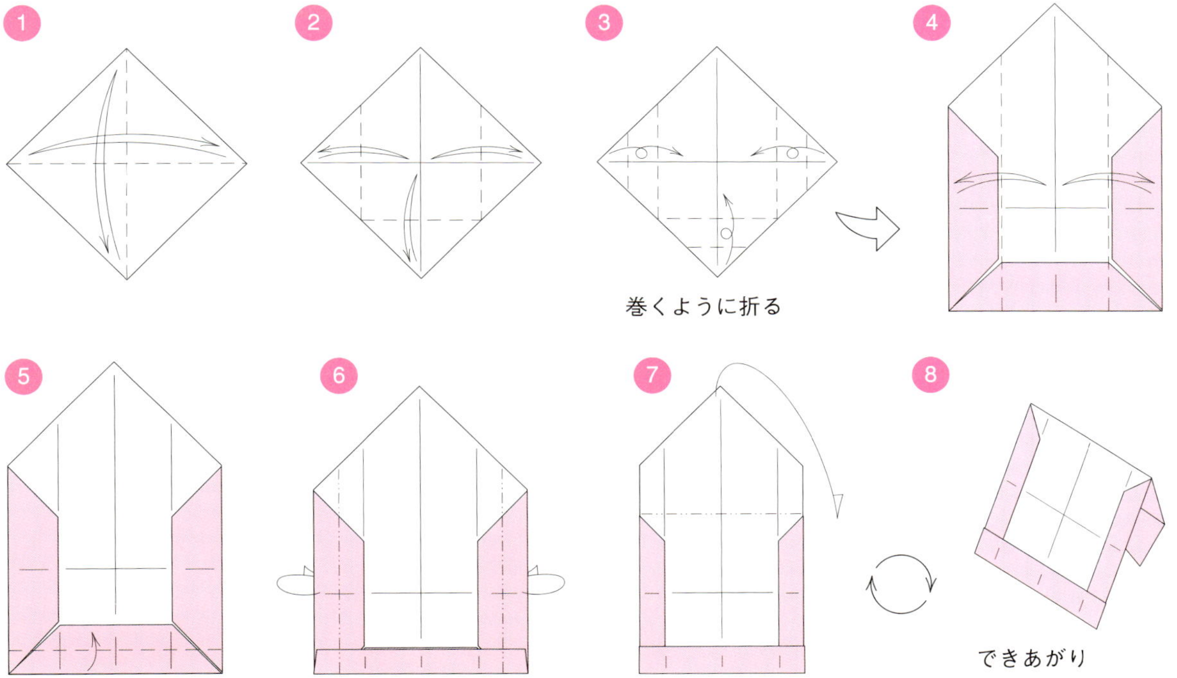
1
2
3
巻くように折る
4
5
6
7
8
できあがり

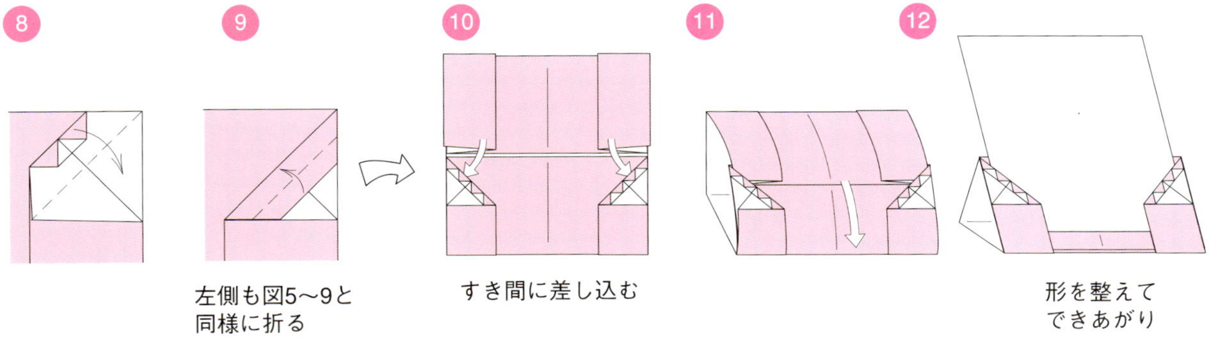
8
9
左側も図5〜9と
同様に折る
10
すき間に差し込む
11
12
形を整えて
できあがり

ORNAMENT

リビングが華やぐオーナメント

フラワーボール

伝承折り紙の「にそうぶね」を応用して、球体に組み立てたオーナメントです。写真では、洋室に合うように、ピンクやイエロー、小花模様の紙を使っています。シックな和紙や千代紙を使えば、和室にもマッチするオーナメントになります。パーツのつなぎ目はのりづけしているので、子どものおもちゃにして、キャッチボールで遊ぶことも可能です。

このフラワーボールは紙の選び方でいろいろな表情を作ることができます。写真のフラワーボールは、小花模様とピンクのリバーシブルの紙を使ったもの。小さな花々が咲き乱れるお花畑のなかで、ピンクの大輪の花が顔をのぞかせているように見えます。ピンクの花の花心部分にはイエローの紙を別にはさみ込んで、アクセントをつけてみました。自分なりのアイデアでお気に入りのフラワーボールを作ってみましょう。

フラワーボール　難易度★★

●用意する紙●12×12cmを32枚　薄手の紙

●アドバイス●球形のオーナメントなので、360度どこから見てもきれいに見えるように作りましょう。ポイントは図13～17の折り筋。きっちりと折り筋をつけるのではなく、軽く印をつける程度にしておくのがコツです。

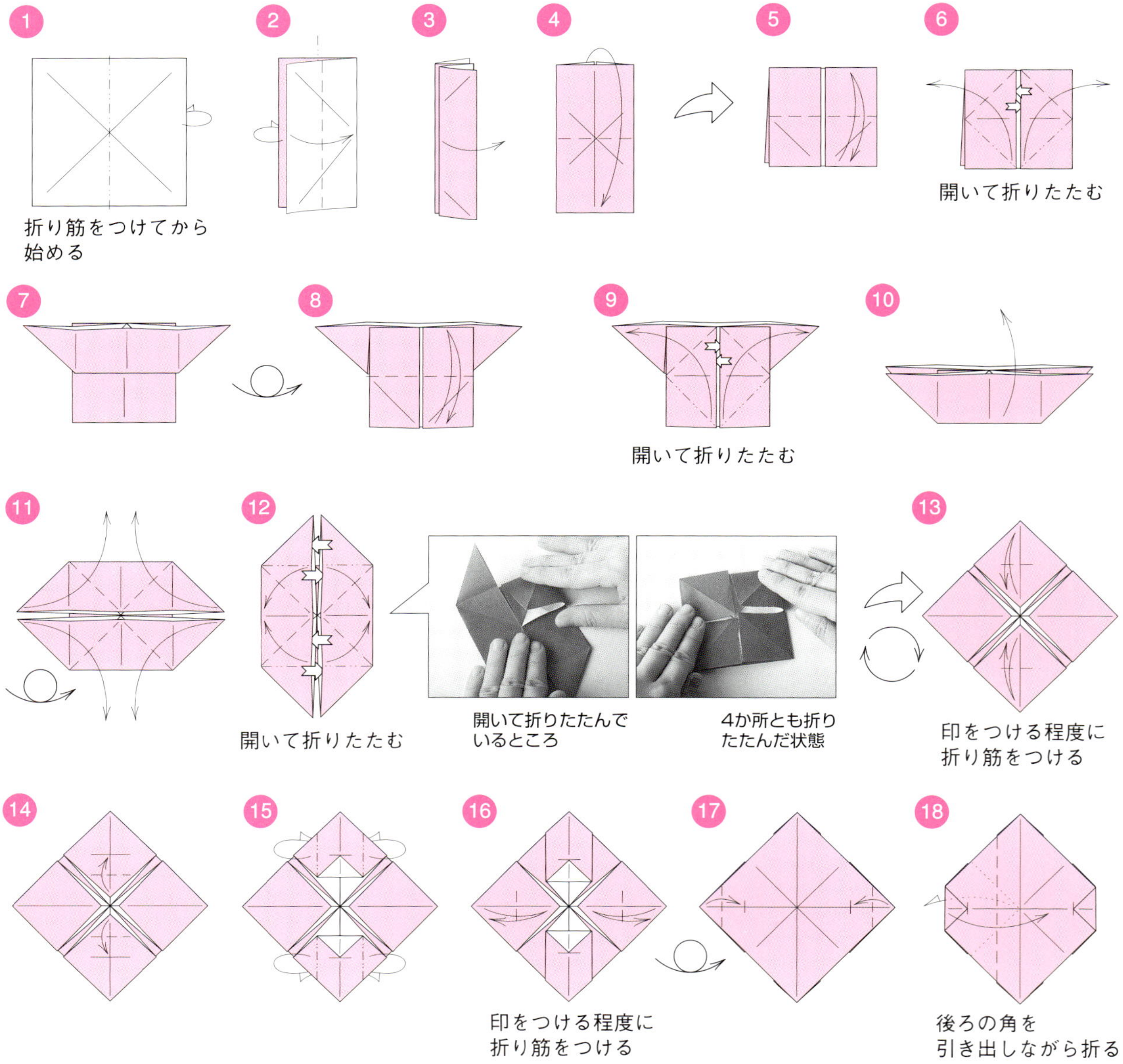

1
折り筋をつけてから
始める
2
3
4
5
6
開いて折りたたむ
7
8
9
開いて折りたたむ
10
11
12
開いて折りたたむ
開いて折りたたんで
いるところ
4か所とも折り
たたんだ状態
13
印をつける程度に
折り筋をつける
14
15
16
印をつける程度に
折り筋をつける
17
18
後ろの角を
引き出しながら折る

19
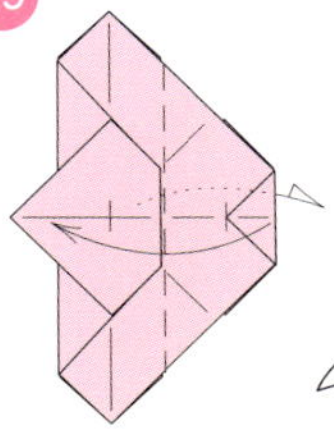
反対側も
同様に折る

20
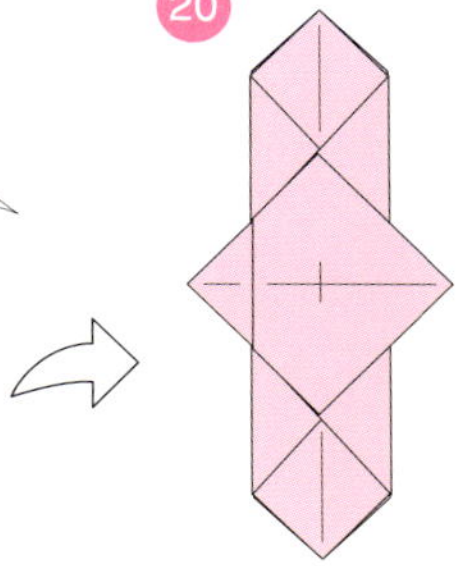

21
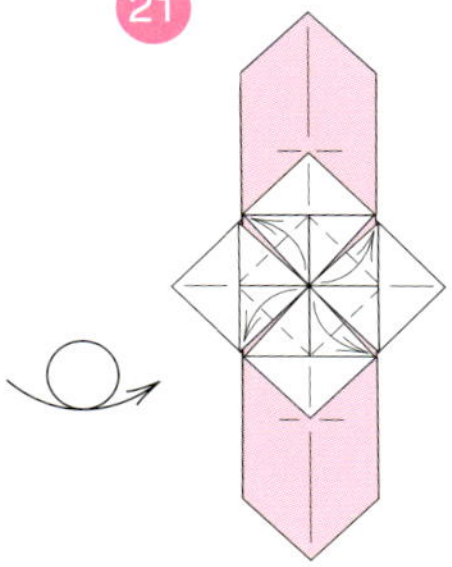
同じものを
32枚作る

22
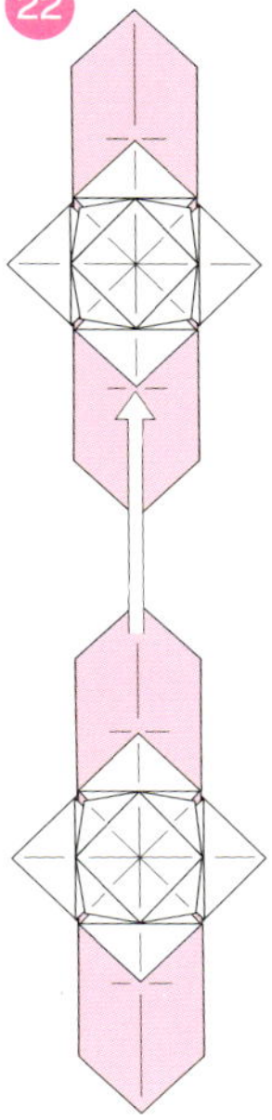

23
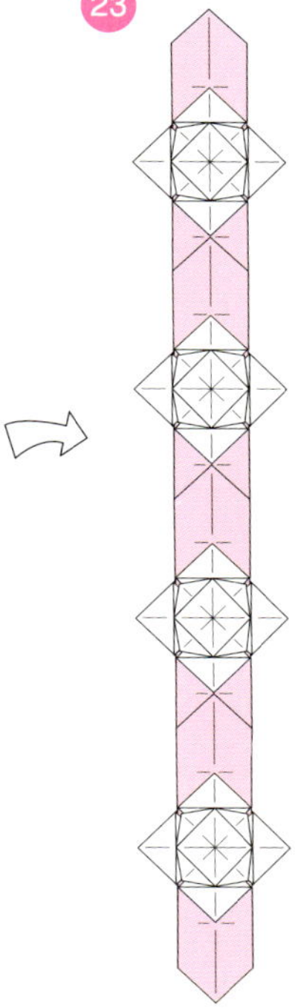
図のように
組み合わせ
たものを 8
個作る

24
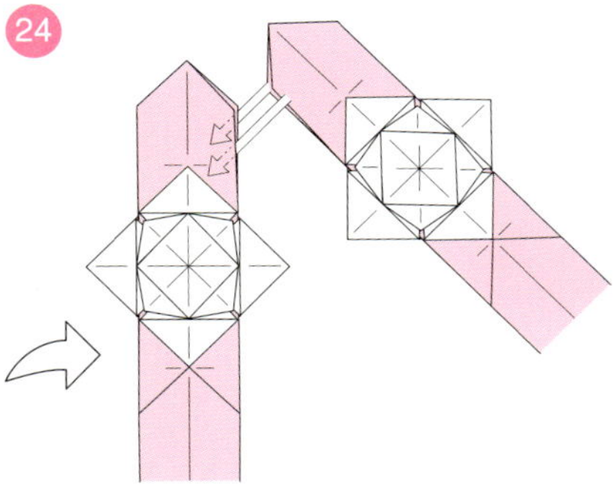
図23の先端を
順に差し込んで
のりづけする

25
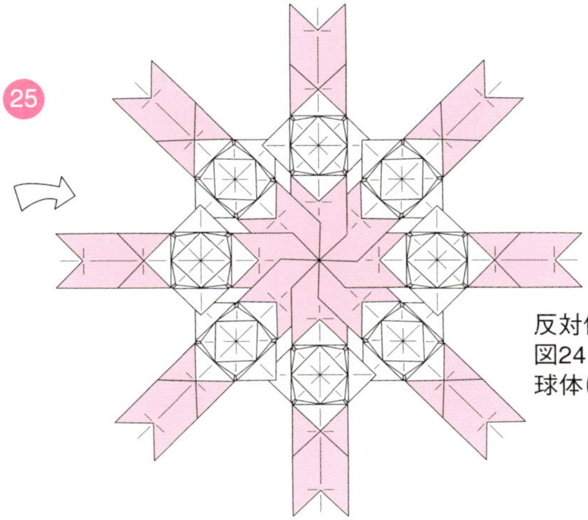
反対側の先端も
図24と同様にして、
球体にする

26

できあがり

PART 5

HOUSE WORK GOODS

台所＆家事室にあると便利

折り紙で作る ハウスワークグッズ

台所や家事室などの仕事をする部屋では、便利で役に立つ折り紙がほしいもの。ここでは、食品箱やレシピ入れ、裁縫箱などに利用してみました。こんな使い方もあるのか…と驚くような発見もあるはず。ぜひお試しを。

NOTE & PAN STAND

丈夫で使い勝手がいい

伝承の鍋敷き

昔から古いハガキを使って鍋敷きに利用されてきた折り紙です。奥は、実際に使用済みの年賀状を使っています。厚みがあり非常に丈夫です（折り図P43）。

おしゃれな包装紙を有効利用

キッチンノート

頂き物のしゃれた包装紙でキッチンノートを作ってみました。買い物のリストアップに、家族の伝言メモに、さまざまな用途に利用できます。小さい紙で折れば、誕生日カードにもなります。

WINDOW ORNAMENT

キッチンを明るく楽しく変身

透かし折り窓飾り

ドイツでは「クリスマスの飾り」として使われている折り紙をアレンジしたものです。キッチンの窓に貼れば、料理をするのも楽しくなりそう。紙は光を通す半透明の紙がおすすめです。天気のいい日には光を通して、美しく輝きます。グリーンの窓飾りはピンクのアレンジ版です。

キッチンノート　難易度★　田中具子作

●用意する紙●49×68cm　包装紙

●アドバイス●裏が印刷されていない包装紙を使います。初心者の人でも手軽に折れますが、間違えやすいのは、図10の開いて折りたたむところと、図11の中割り折り。それぞれ折った直後の図をよく見て参考にしましょう。

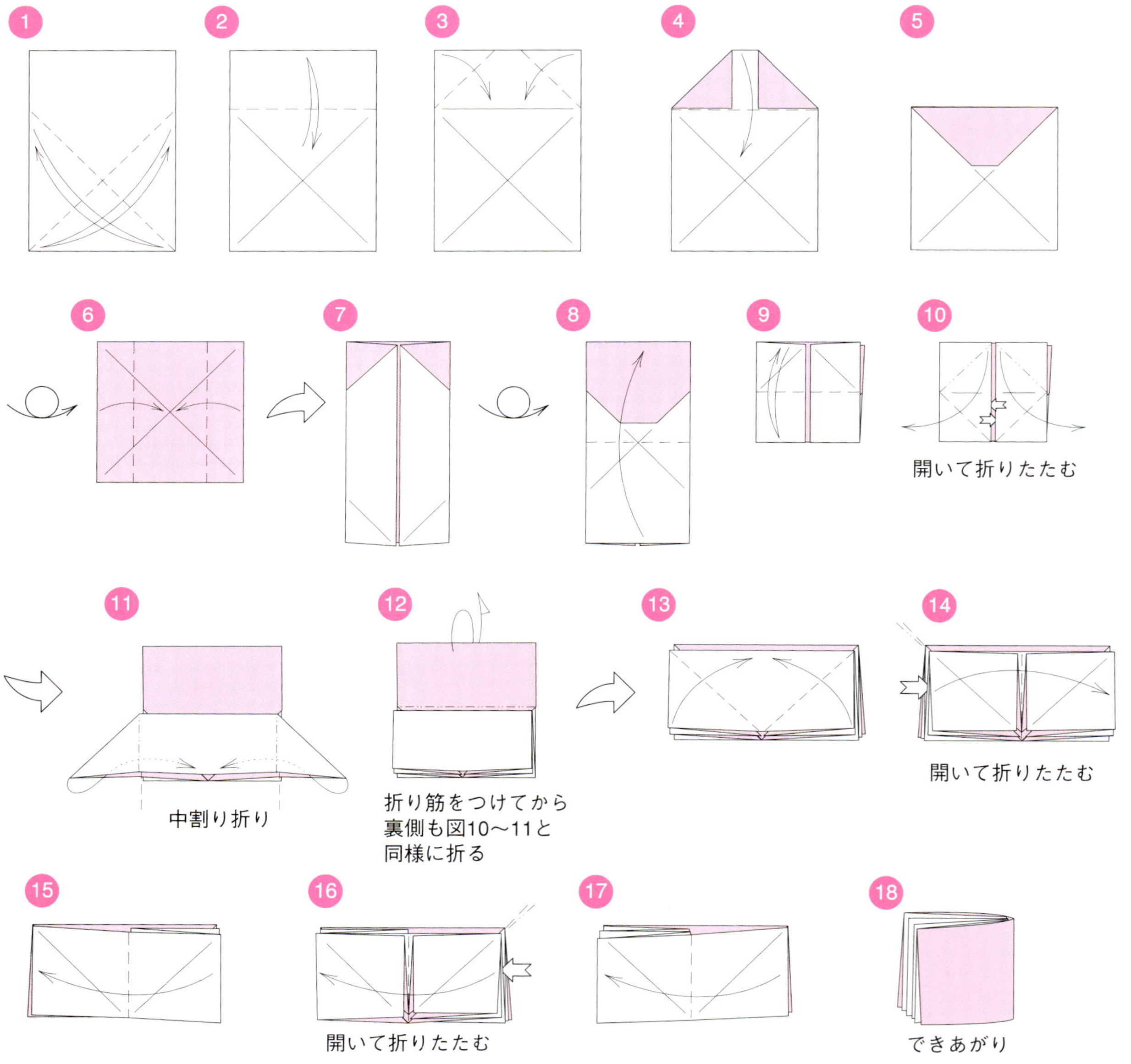
1
2
3
4
5
6
7
8
9
10
開いて折りたたむ
11
中割り折り
12
折り筋をつけてから
裏側も図10～11と
同様に折る
13
14
開いて折りたたむ
15
16
開いて折りたたむ
17
18
できあがり

透かし折り窓飾り　難易度★　伊達好紹介

●用意する紙●星型窓飾り7.5×7.5cm8枚　花型窓飾り7.5×7.5cm12枚　透過光の紙

●アドバイス●作り方そのものは簡単です。同じパーツを複数枚折り、順番に貼り合わせていくだけでOK。きれいに仕上げるコツは、組み合わせてのりづけするときに、ずれたり、はみ出さないようにすることです。

[花型窓飾りを折る]

1

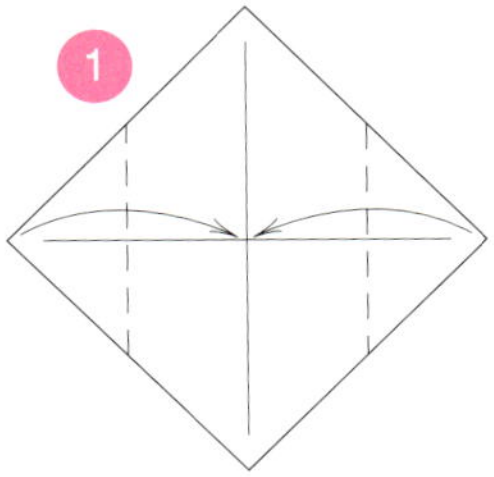

十字に折り筋をつけてから折る

2

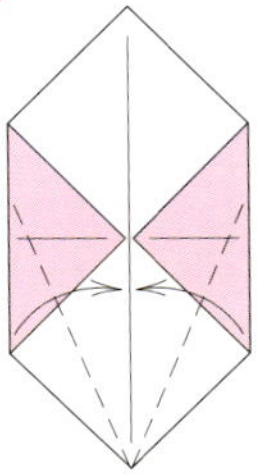

3

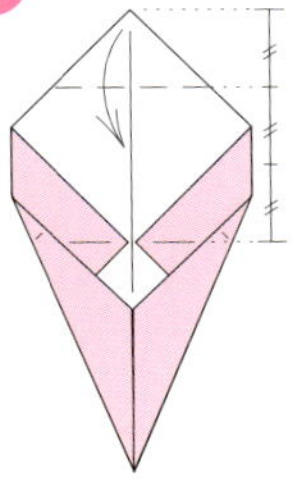

4

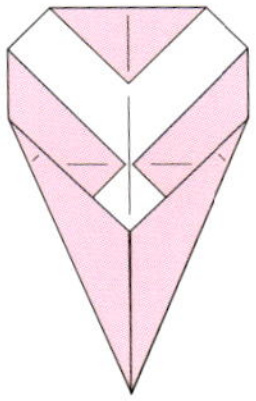

5

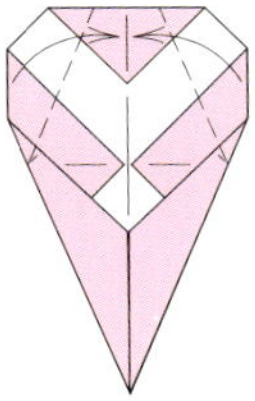

6

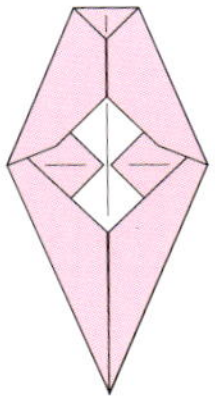

同じものを計12枚作る

7

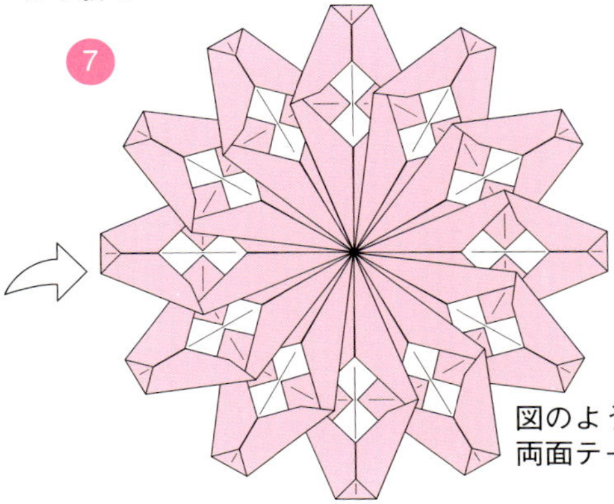

図のように組み合わせて両面テープでのりづけ

8

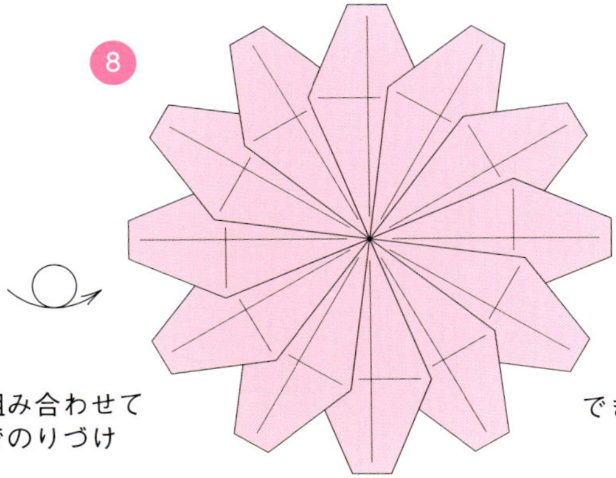

できあがり

[星型窓飾りを折る]

1

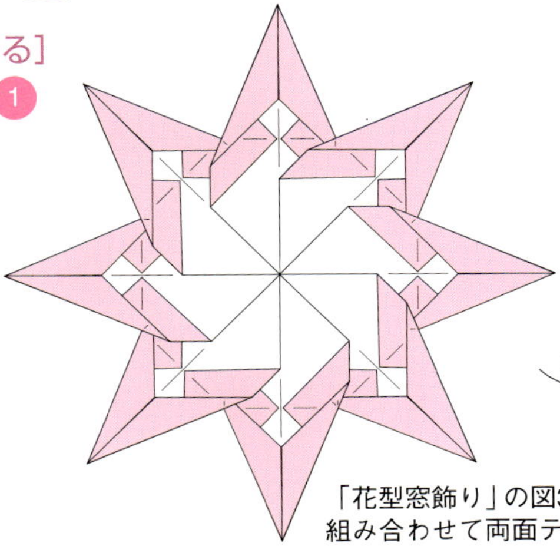

「花型窓飾り」の図3のパーツを計8枚作り、組み合わせて両面テープでのりづけ

2

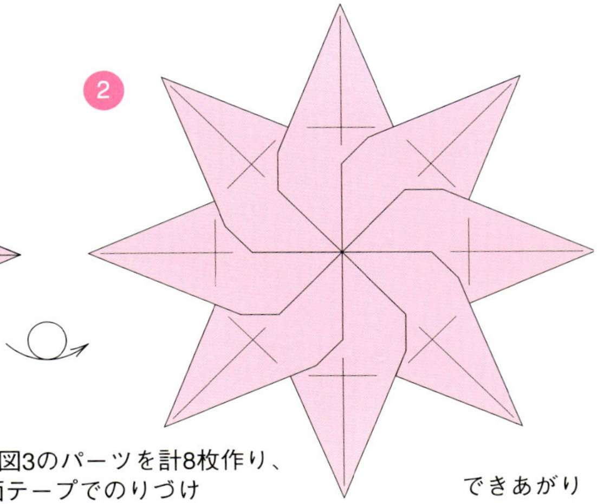

できあがり

果物や野菜を入れて。手提げつき

食品バスケット

形がキュートなだけでなく、実用に耐えうる丈夫なバスケットです。底の部分を作るときに左右に開くか、上下に開くかで取っ手の位置が変わります。写真と105ページの赤いバスケットは同じ作品ですが最後の広げ方を変えています。

FOOD BASKET

手早く折れて、
持ち運びにも便利

キッチンボックス

簡単に折れて、コンパクトにたたむことができる便利な食品入れです。キャンプやバーベキューなど、野外で使うときにも重宝します。折り重ねる部分が少ないので、大きな紙で作れば、かなり大きな箱にもなります。

食品バスケット　難易度★★★　遠藤和邦作

●用意する紙●赤のバスケット60×60cm　ベージュのバスケット79×79cm　洋紙

●アドバイス●この折り図は、105ページの赤い食品バスケットの折り方です。ベージュのバスケットも図23までは同じ折り方。底を作るときに取っ手が左右にくるように折りたたむとベージュのバスケットの形になります。

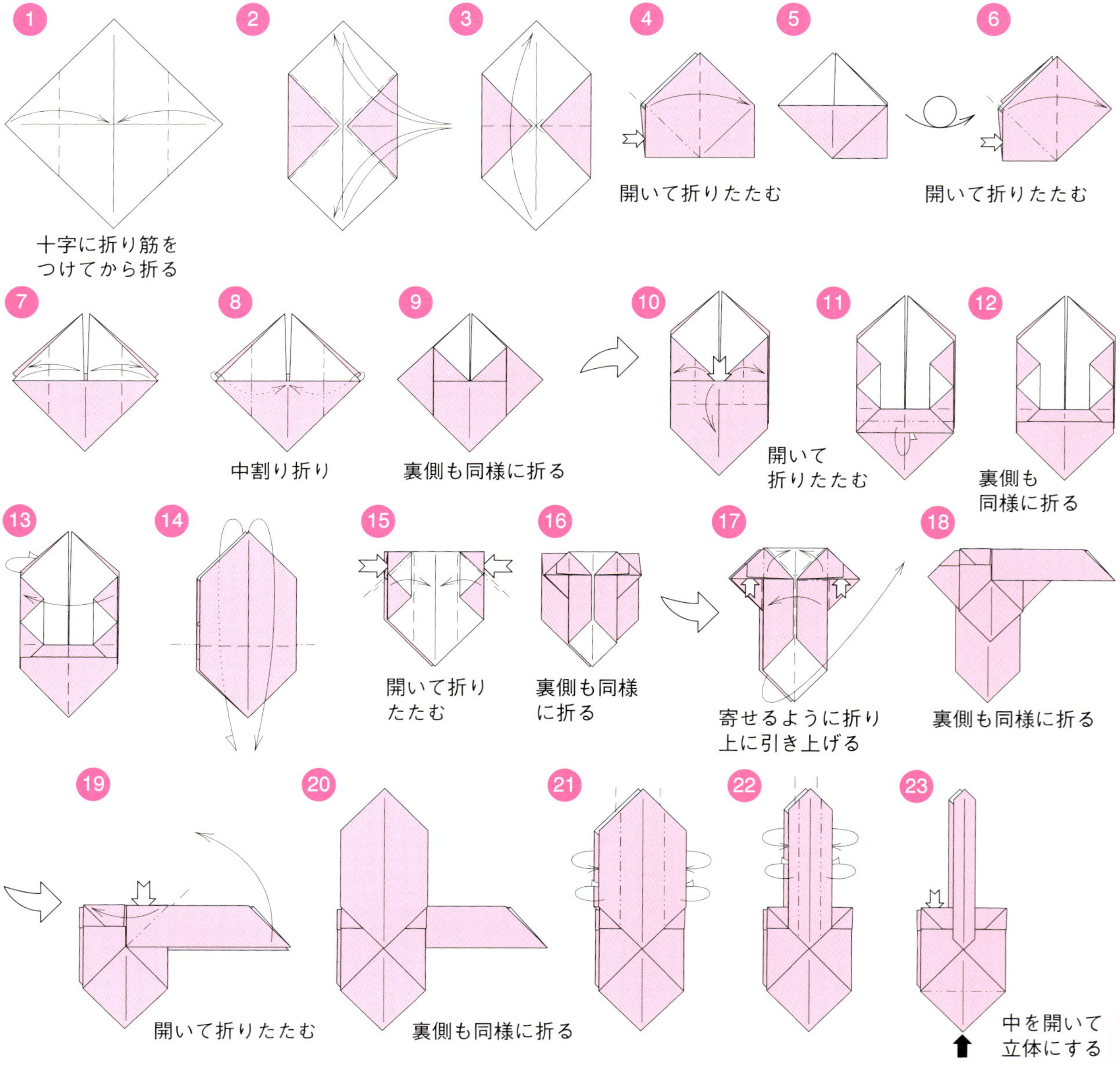

1
十字に折り筋をつけてから折る
2
3
4
開いて折りたたむ
5
6
開いて折りたたむ
7
8
中割り折り
9
裏側も同様に折る
10
開いて折りたたむ
11
12
裏側も同様に折る
13
14
15
開いて折りたたむ
16
裏側も同様に折る
17
寄せるように折り上に引き上げる
18
裏側も同様に折る
19
開いて折りたたむ
20
裏側も同様に折る
21
22
23
中を開いて立体にする

キッチンボックス

難易度★

野中陽子作

●用意する紙●50×50cm　厚手の洋紙

●アドバイス●キッチンで使うため、キメの粗い和紙よりはキメの細かい洋紙の方が清潔感があっておすすめです。折り方は簡単なので、初心者の人でも迷わずできるはず。図6までは風船の折り紙と同じ折り方です。

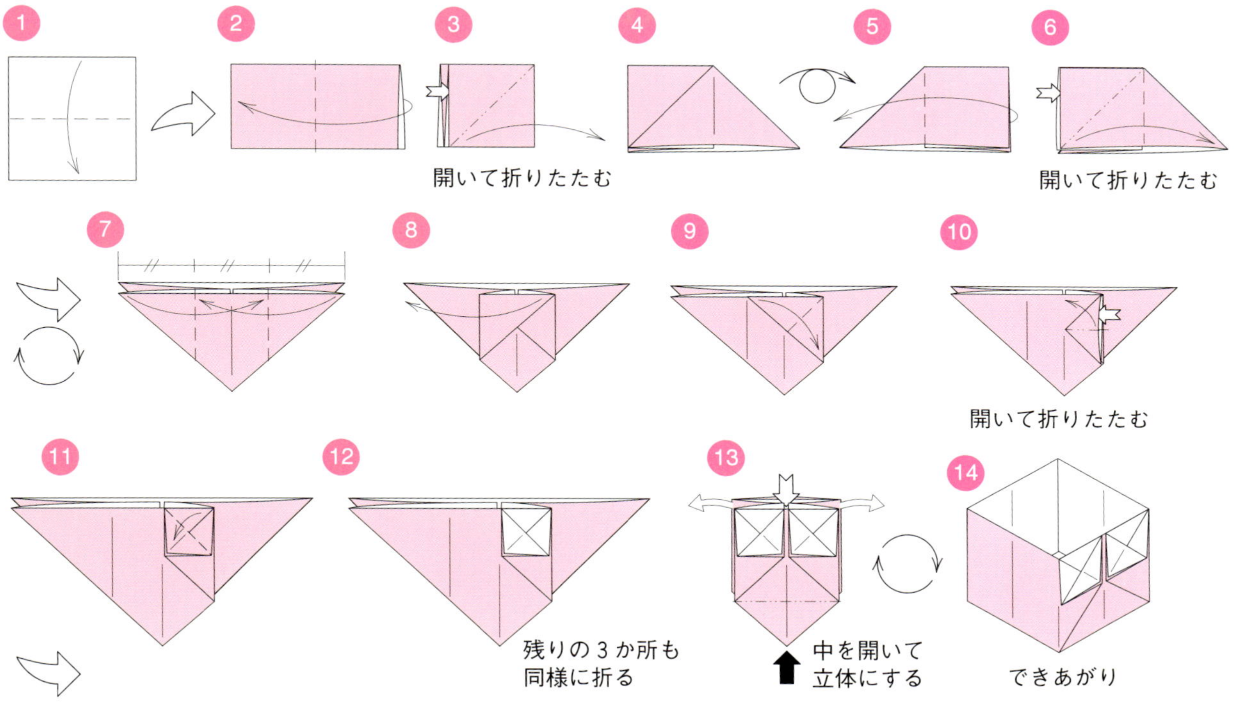

1
2
3
開いて折りたたむ
4
5
6
開いて折りたたむ
7
8
9
10
開いて折りたたむ
11
12
残りの3か所も
同様に折る
13
中を開いて
立体にする
14
できあがり

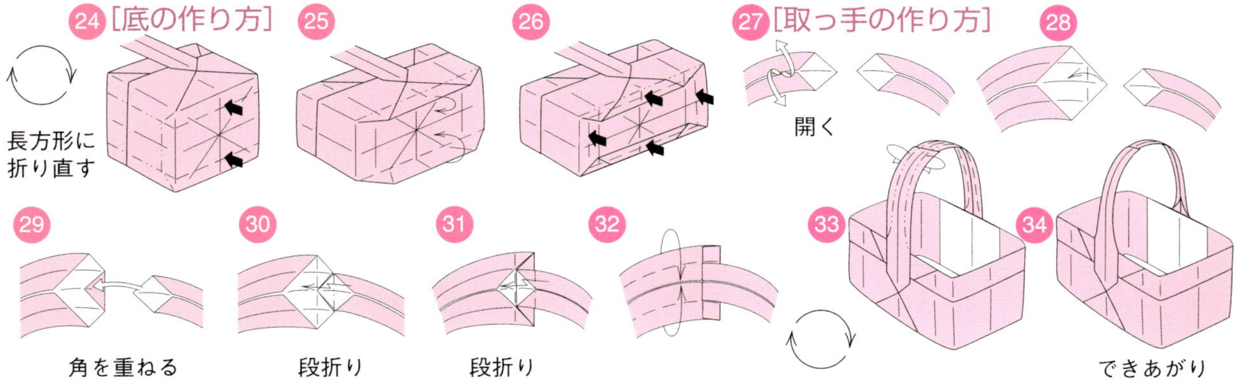

24 [底の作り方]
長方形に
折り直す
25
26
27 [取っ手の作り方]
開く
28
29
角を重ねる
30
段折り
31
段折り
32
33
34
できあがり

雑誌の切り抜きも
きちんと整理

レシピ用ファイル

4か所にポケットのあるレシピ用ファイル。和食、洋食、中華、エスニック料理別に分けてファイルしても、お気に入りの料理雑誌別にファイルしてもOK。A4判を折らずにそのまま入れられるたっぷりサイズです。

RECIPE FILE

場所をとらずに、
見やすく収納

レシート・ポケット

散らかりやすいレシートを整理する袋。ひとつで利用することも、縦につなげることもできます。食料品や衣料品などの種類別や、期日別に収納しておけば、家計簿をつけるときにも便利。小さくて場所をとらないのも都合のいいものです。

RECEIPT POCKET

レシピ用ファイル　難易度★　藤田文章作

●用意する紙●70×100cm　厚手の洋紙

●アドバイス●のりやハサミを使わずに、折って差し込むだけで仕上げます。折り方そのものは簡単ですが、大きい厚手の紙をきれいに折るのは意外に難しいものです。5ページの上手な折り方を参考にしてみましょう。

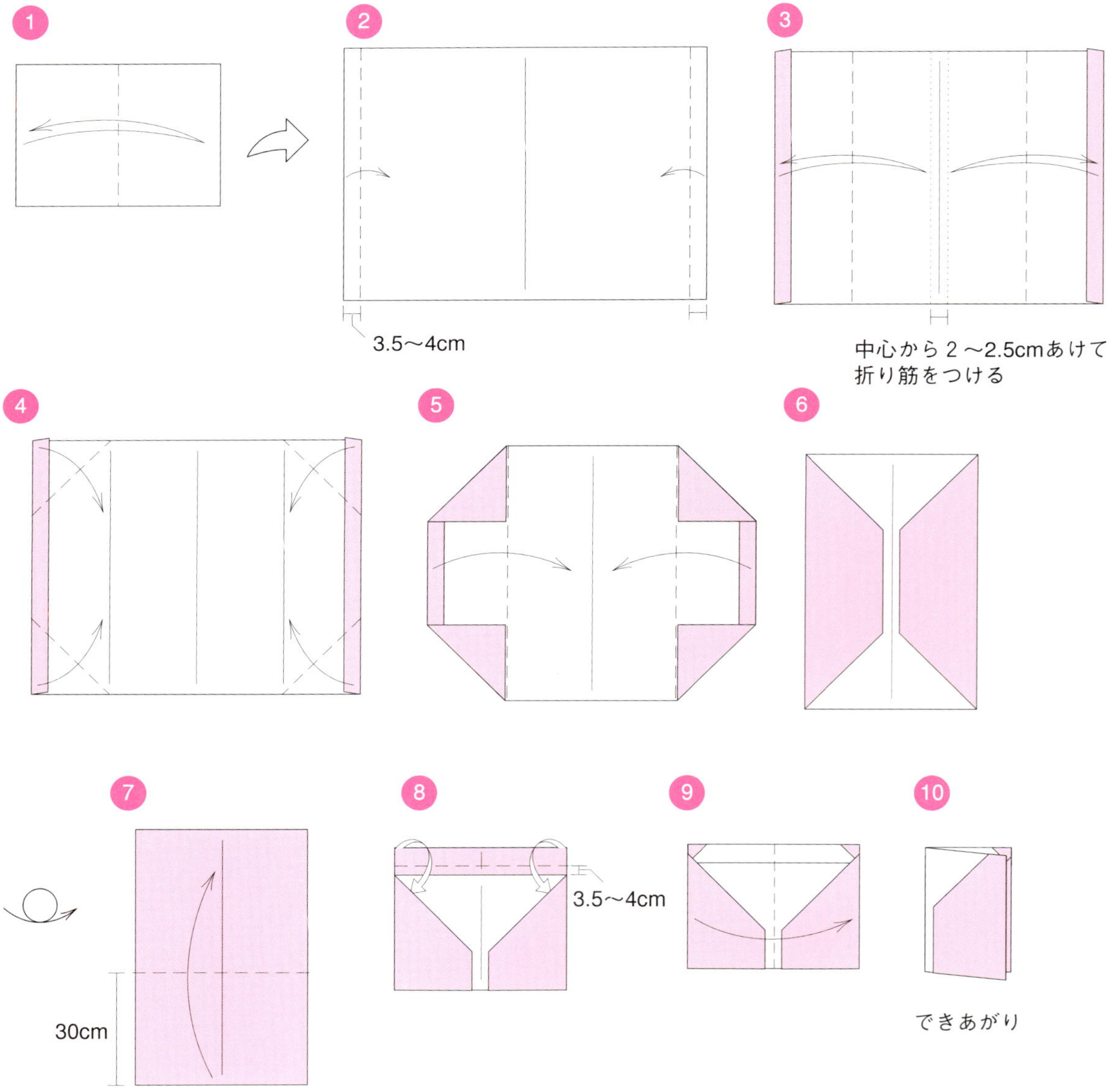

1
2
3.5～4cm
3
中心から 2 ～2.5cmあけて
折り筋をつける
4
5
6
7
30cm
8
3.5～4cm
9
10
できあがり

レシート・ポケット　難易度★

小林俊彦作

●用意する紙●18×18cm　洋紙

●アドバイス●特別に込み入った折り方はありませんが、図7で少し悩む人もいるかもしれません。図6でしっかり折り筋をつけておくと、自然に導かれるようにして図8の形になります。⓫を3〜4個つなげたり、色違いで作っても楽しいものです。

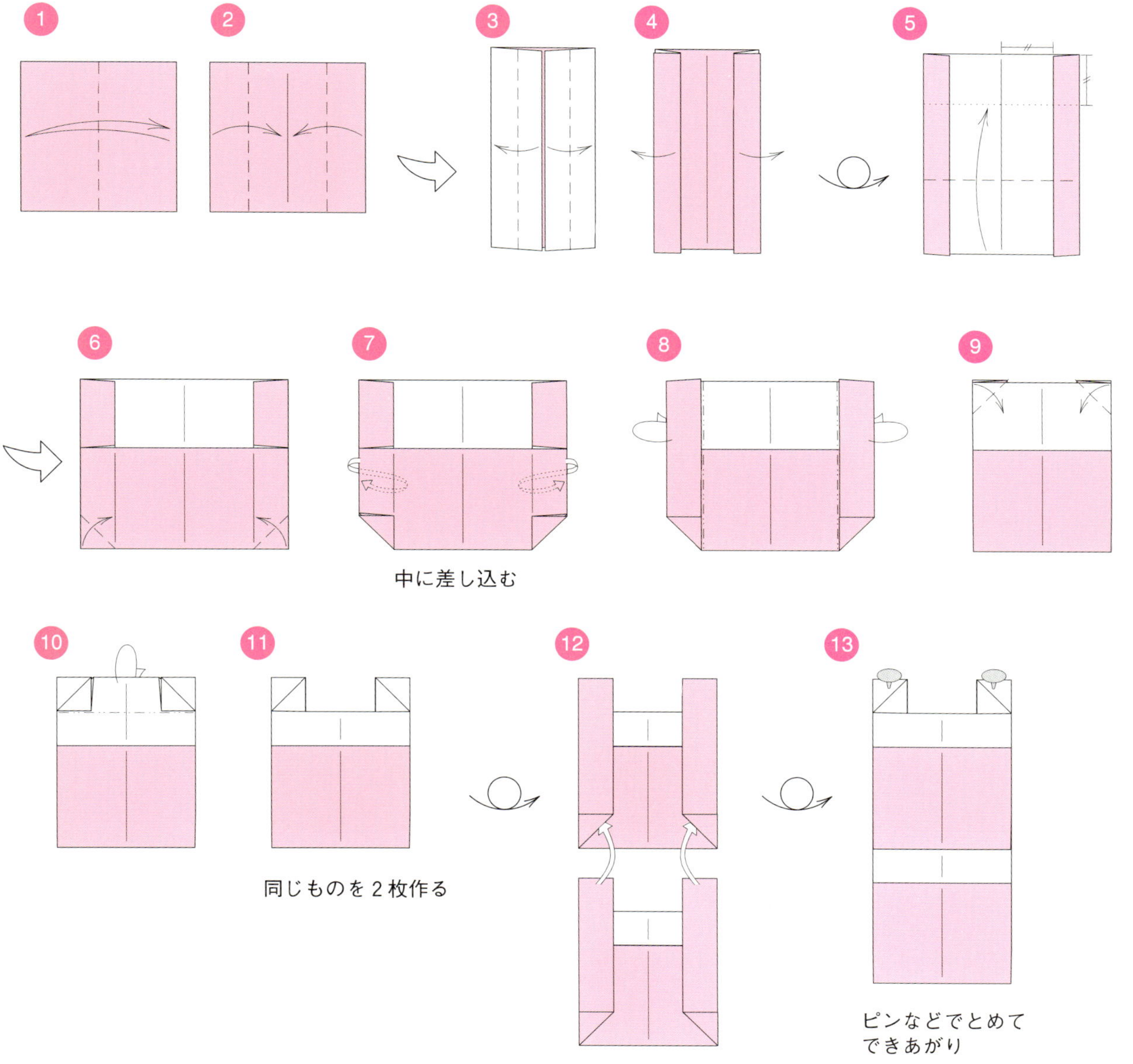
1
2
3
4
5
6
7
中に差し込む
8
9
10
11
同じものを２枚作る
12
13
ピンなどでとめて
できあがり

HOUSEWIFE

大きな三角形の紙で作る

六角裁縫箱

できあがりサイズが直径約20cm、高さ8cmの裁縫箱。針山や糸、ハサミなどがきちんと収納できるジャストサイズです。フタつきの箱なので一見難しそうですが、意外に簡単。ぜひ挑戦してみてください。

SPOOL

毛糸やゴムひもにも
利用できる

多目的糸巻き

簡単に折れる使い勝手のいい糸巻きです。カラフルな色で作れば、繕いものやボタンつけも楽しくなりそう。仕上がりサイズが6×9cmと大きめなので、糸だけでなく、毛糸やゴム、細いリボンなどにも利用できます。

六角裁縫箱　難易度★★　中野光枝作

●用意する紙●箱61×61cm　フタ64×64cm　厚手の紙

●アドバイス●正三角形の紙で折り始めます。コツは図10までの工程で折り筋をしっかりつけること。ここまでできていれば、あとはスムーズに折ることができます。フタの折り方も、図16までは同じ。最後に、立ち上がりを内側に折り込み、半分の高さにします。

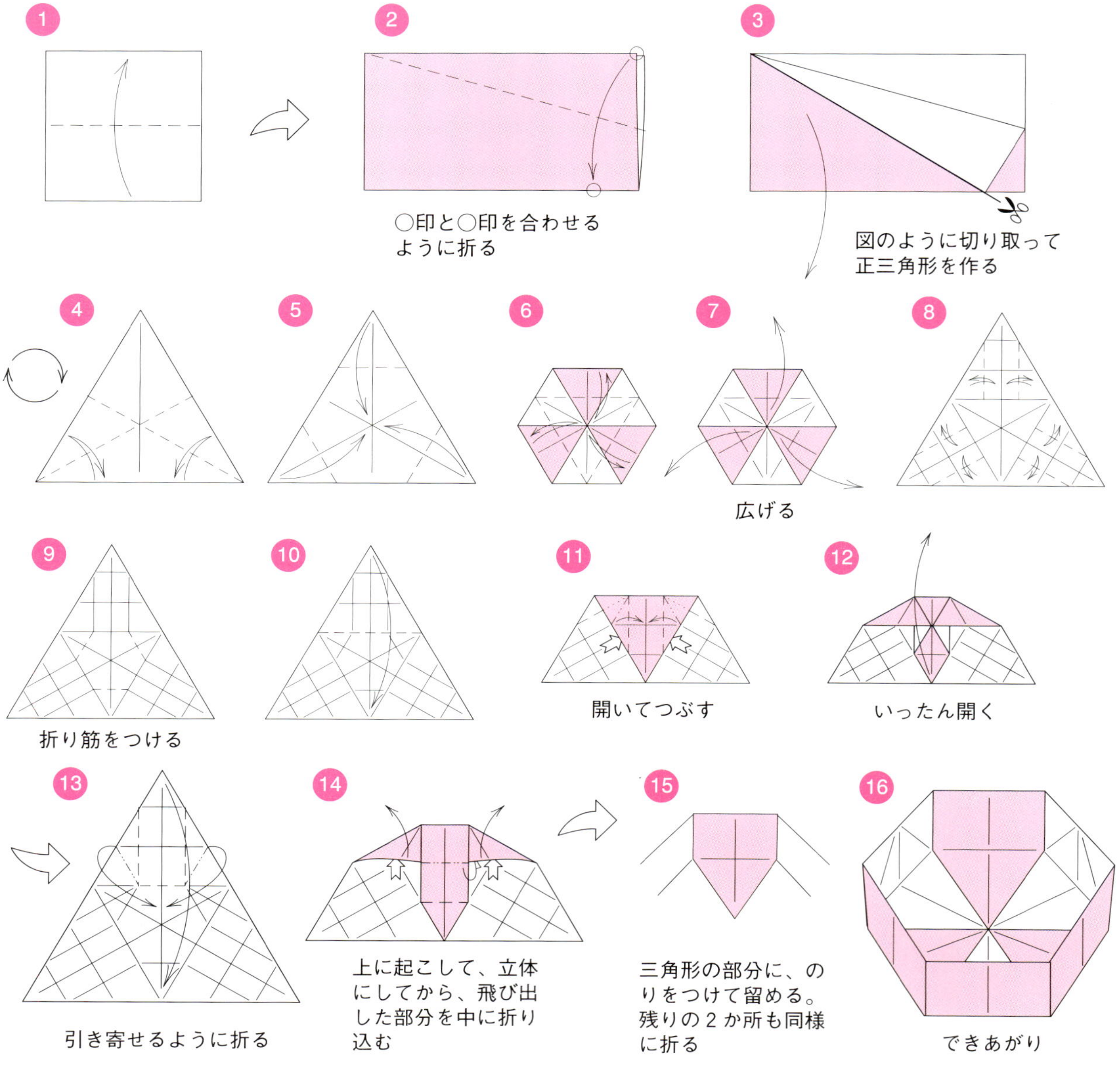
1
2
○印と○印を合わせる
ように折る
3
図のように切り取って
正三角形を作る
4
5
6
7
8
広げる
9
折り筋をつける
10
11
開いてつぶす
12
いったん開く
13
引き寄せるように折る
14
上に起こして、立体
にしてから、飛び出
した部分を中に折り
込む
15
三角形の部分に、の
りをつけて留める。
残りの2か所も同様
に折る
16
できあがり

多目的糸巻き

難易度★

竹川青良作

●用意する紙●12×12cm　厚手の紙

●アドバイス●特に難しい折り方はありませんが、悩むとしたら図6から8にかけて。折り図と写真を参考にして折ってみましょう。図8の段階で、中央にあるすき間から厚紙を入れておくとより丈夫になります。

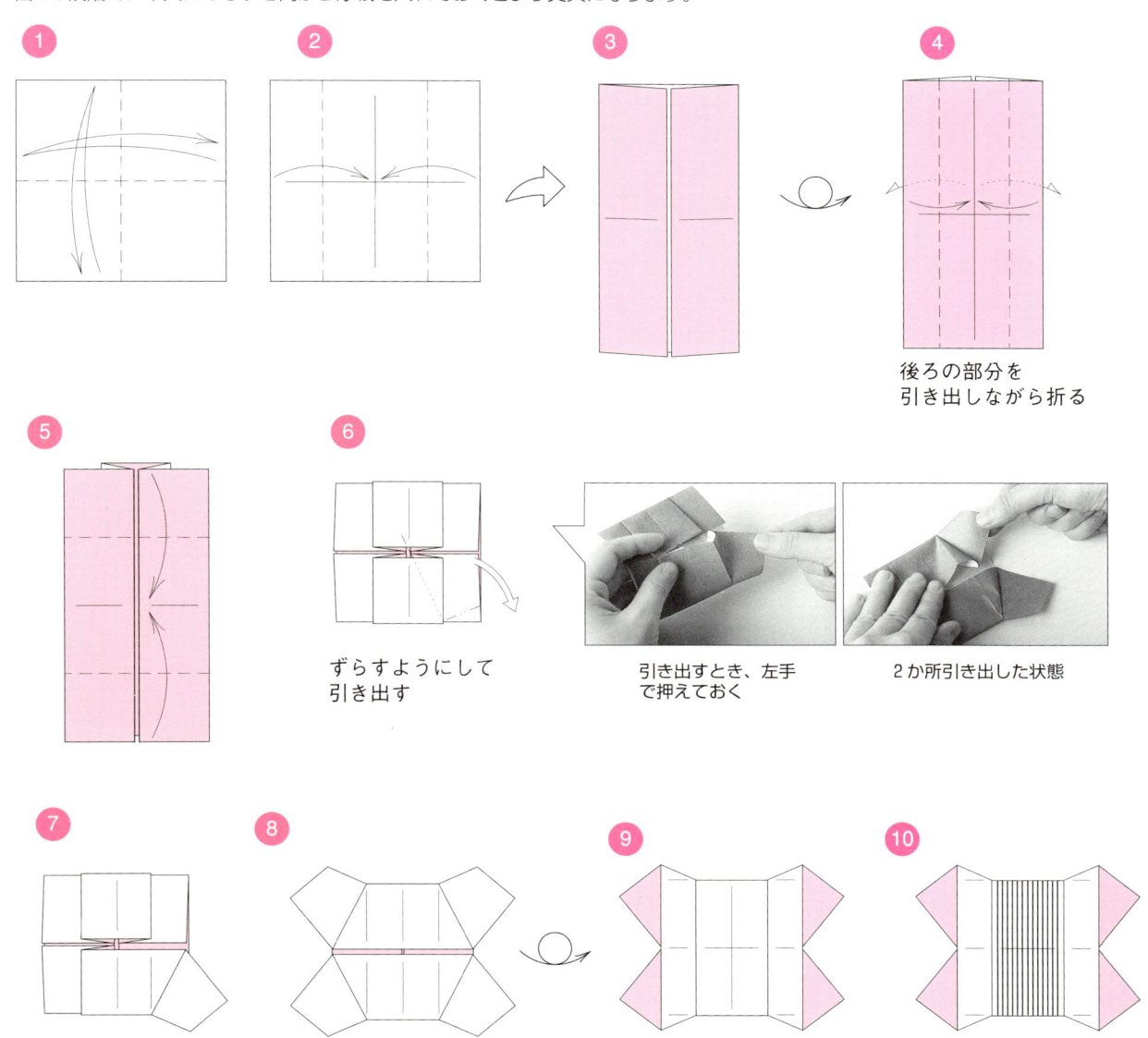

1

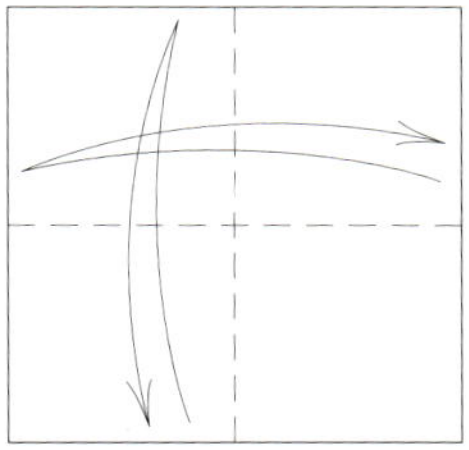

2

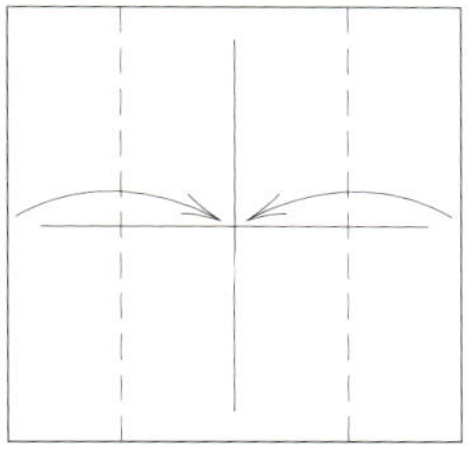

3

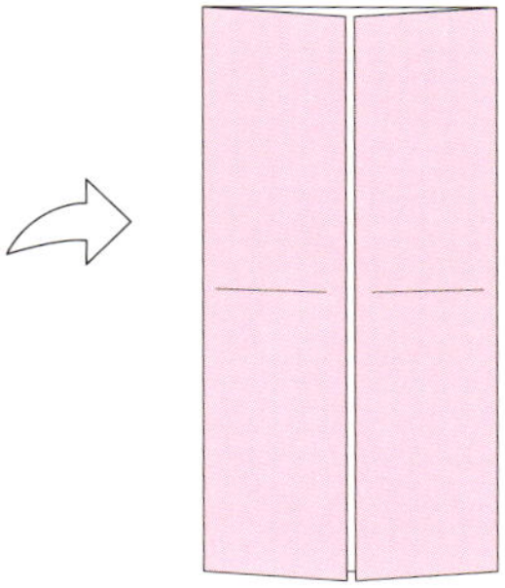

4

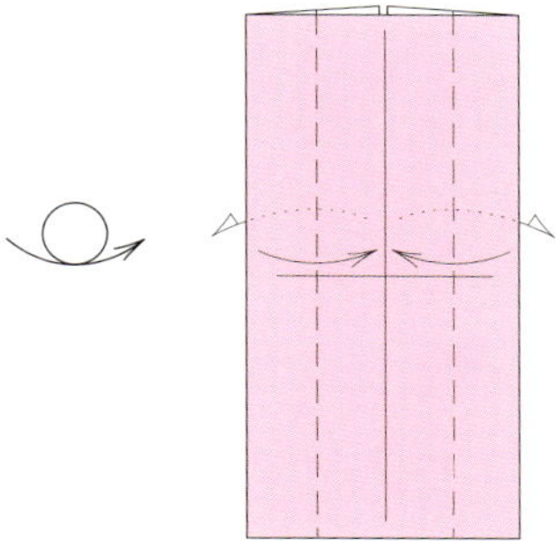

後ろの部分を
引き出しながら折る

5

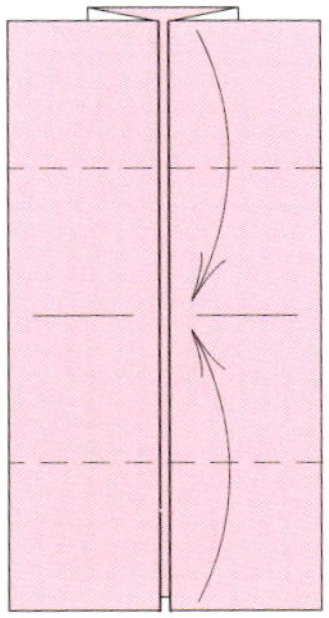

6

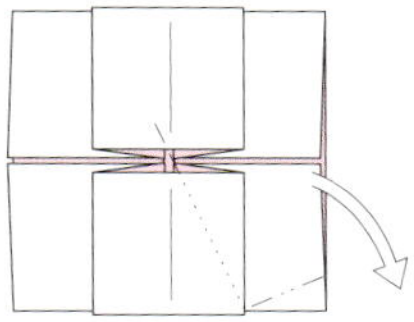

ずらすようにして
引き出す

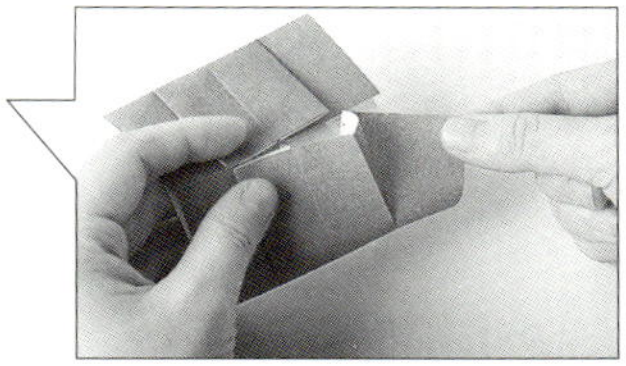

引き出すとき、左手
で押えておく

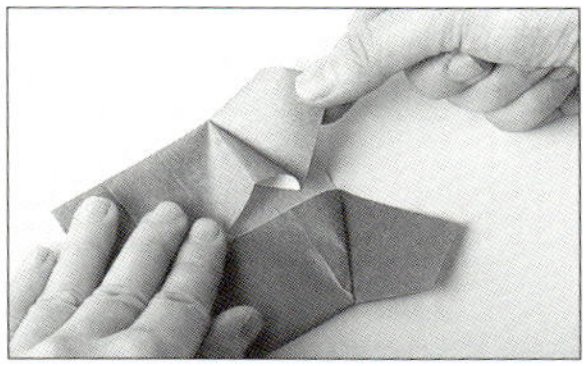

2か所引き出した状態

7

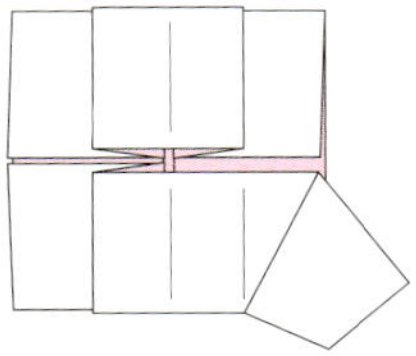

残りの3か所も
同様に折る

8

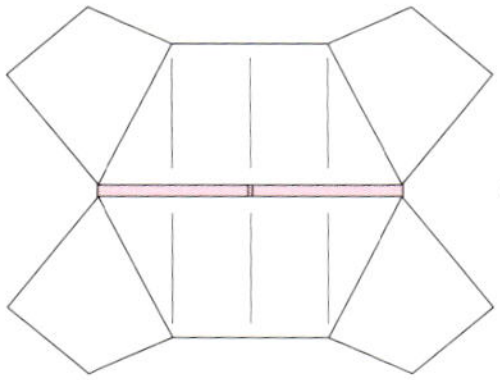

9

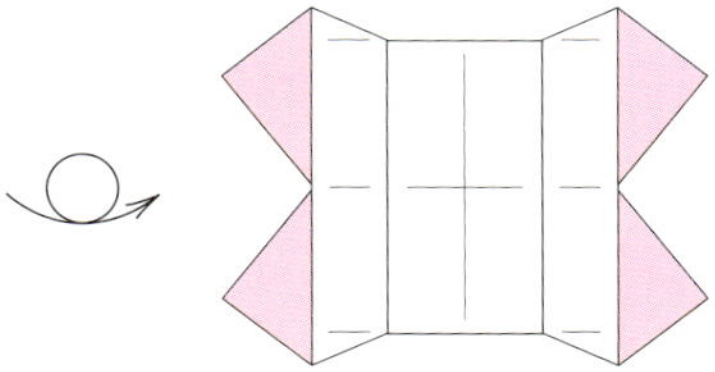

10

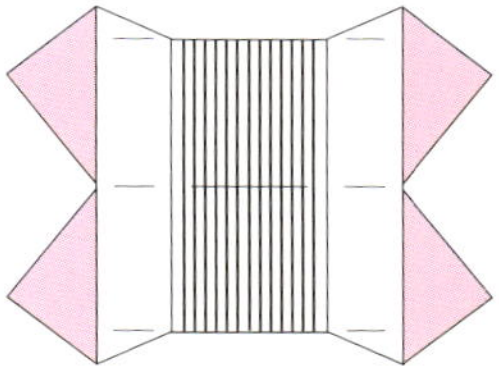

糸を巻いて
できあがり

折り返し部分が
アクセントになる

ハンドタオルケース

来客時、こんな風に新しいタオルをたっぷり用意しておけば、歓迎の気持ちも伝わりそう。折り返し部分がポイントなので、紙の色合わせには気を配りましょう。同系色なら落ち着いた雰囲気に、反対色なら個性的な印象に仕上がります。

TOWEL CASE

SOAP CASE

香り高い石けんを入れて
部屋の香水に

白鳥のソープ入れ

置物としても、部屋の香水としても役立ちます。湯船に入れるバスエッセンス用の器としても便利。洗面所周りに置くので、表面にケバだちのある和紙よりはツルツルした質感の洋紙の方が清潔感があってよいでしょう。

正面から見ると、また違った印象に。紙で作った彫刻のようです。

白鳥のソープ入れ　難易度★★★　今村明子作

●用意する紙●35×35cm　薄手の洋紙

●アドバイス●紙を折りたたんで重ねていくので、薄手の紙でもしっかりした仕上がりになります。くちばしの部分を作る図13は細かい作業になりますが、目立つところなので丁寧に。この部分がわかりにくい場合は、写真を参考にしてみてください。

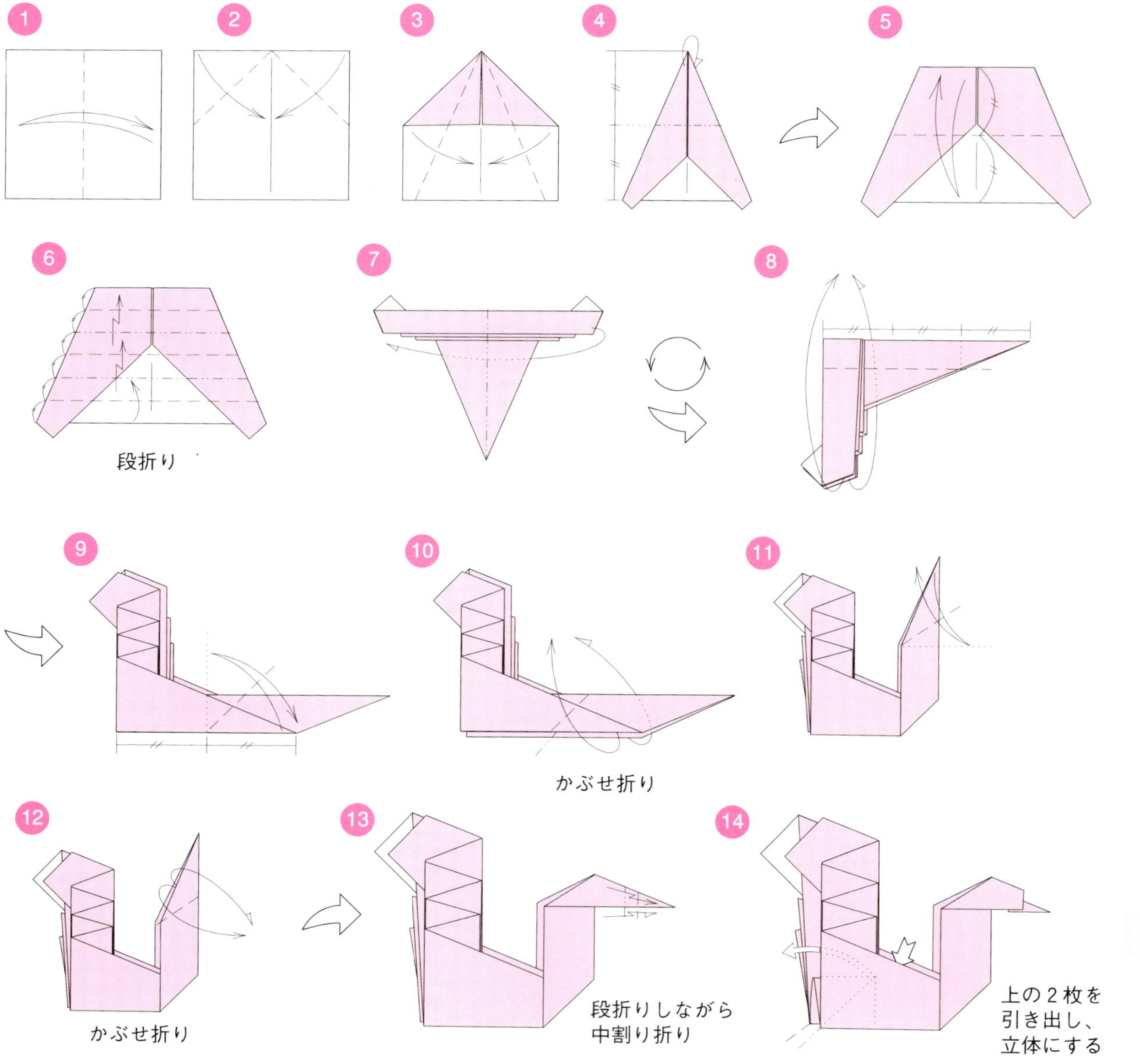
1
2
3
4
5
6
段折り
7
8
9
10
かぶせ折り
11
12
かぶせ折り
13
段折りしながら
中割り折り
14
上の２枚を
引き出し、
立体にする

ハンドタオルケース　難易度★　石橋美奈子作

●用意する紙●50×50cm　厚手の洋紙

●アドバイス●リバーシブルの紙がおすすめ。色や柄の異なる紙を2枚重ねて使ってもよいでしょう。細かい作業がないので、2枚重ねでもきれいに折れます。図12の段階で、開口部の折り返しの裏に針金を入れると、さらに丈夫になります。

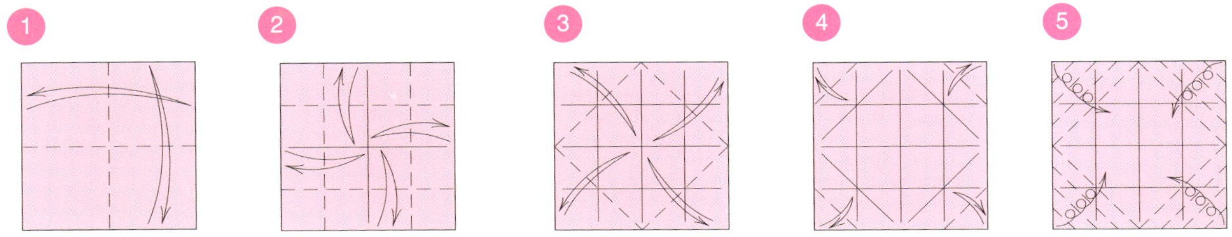

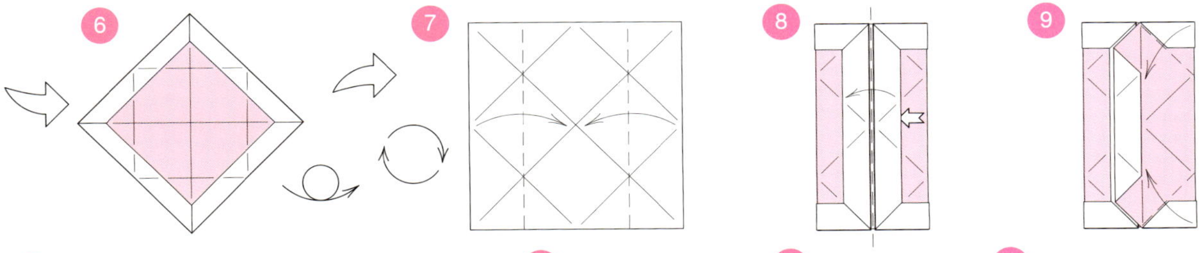

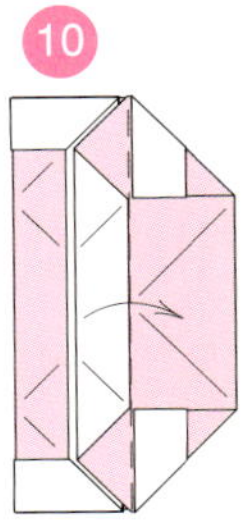

箱の底の部分を作っているところ

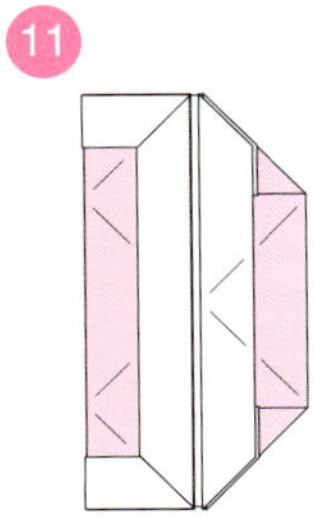

左側も図８～10と同様に折る

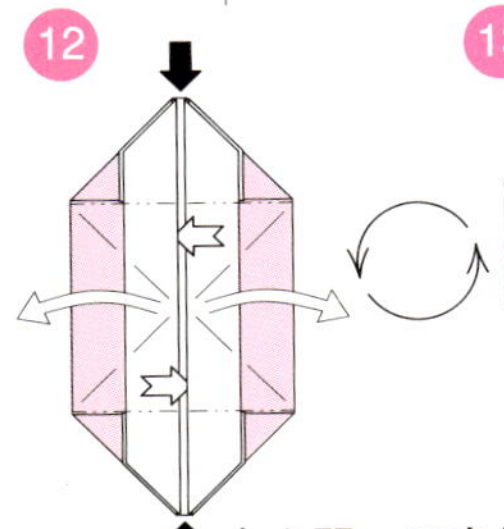

中を開いて立体にする

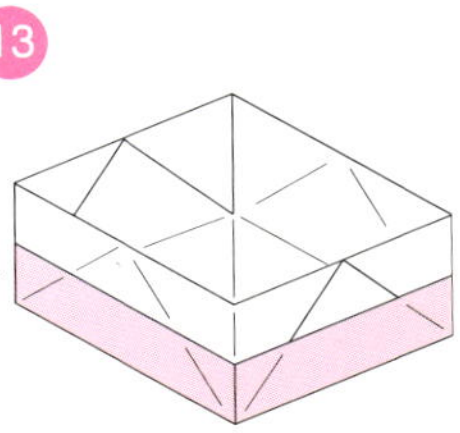

できあがり

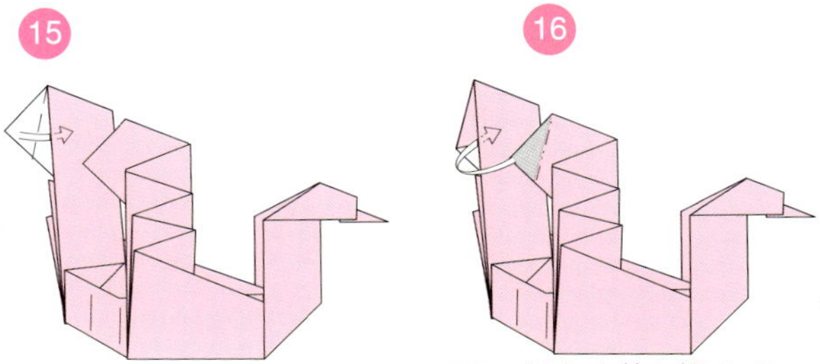

の部分を差し込んで、のりづけする

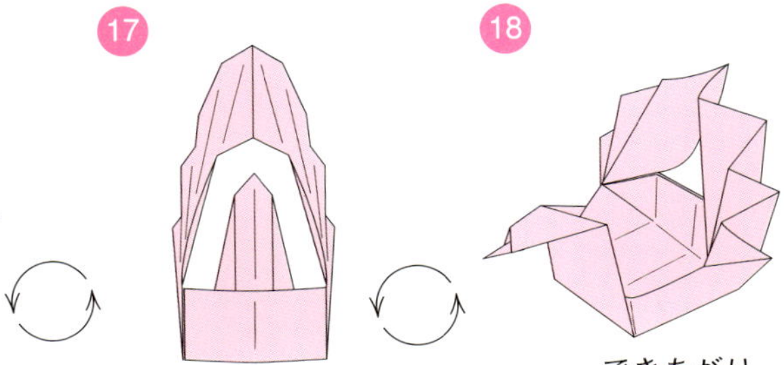

できあがり

PART 6

BEDROOM GOODS

寝室に安らぎを与える

折り紙で作るベッドルームグッズ

一日の疲れを取り、ゆったりとくつろぎのときを過ごすベッドルーム。家の中でも特にプライベートな場所だけに、身近に置く小物は自分好みの吟味したものを置きたいものです。折り紙で、納得できるこだわりのグッズを作ってみましょう。

畳紙としても利用できる

かんざししおり

花型の丸い飾りと帯の部分は別々に折り、貼り合わせます。共紙で折ればシックな印象に、他の紙や色違いの紙を使えば個性的な印象になります。帯をとれば畳紙としても利用できます。

本が納まるジャストサイズ

文庫カバー

本をバッグに入れて持ち運んでも、頁がめくれたり、折れたりしないバンドつきの文庫カバーです。読みかけのときは、写真のようにバンドをはさめばしおり代わりに。使い勝手のいい文庫カバーの決定版です。

BOOK COVER & BOOKMARK

大切な日記帳もカバーリング

ダイアリーカバー

文庫カバーの折り方で、サイズを大きくしたものです。大切な日記帳には特にお気に入りの紙でカバーリングしてみましょう。バンドとカバーの色を変えるとそれがアクセントにもなります。かんざししおりと合わせてもすてきです。

文庫カバー　難易度★★　巽照美作

●用意する紙●文庫カバー31×72.5cm　ストッパー5.5×39cm

●アドバイス●図1で寸法通りに折り筋をつけるのがちょっと大変かもしれませんが、あとはスムーズに折ることができます。図5でのりをつけるときに、つけ過ぎないことも大切です。

[ブックカバーを折る]

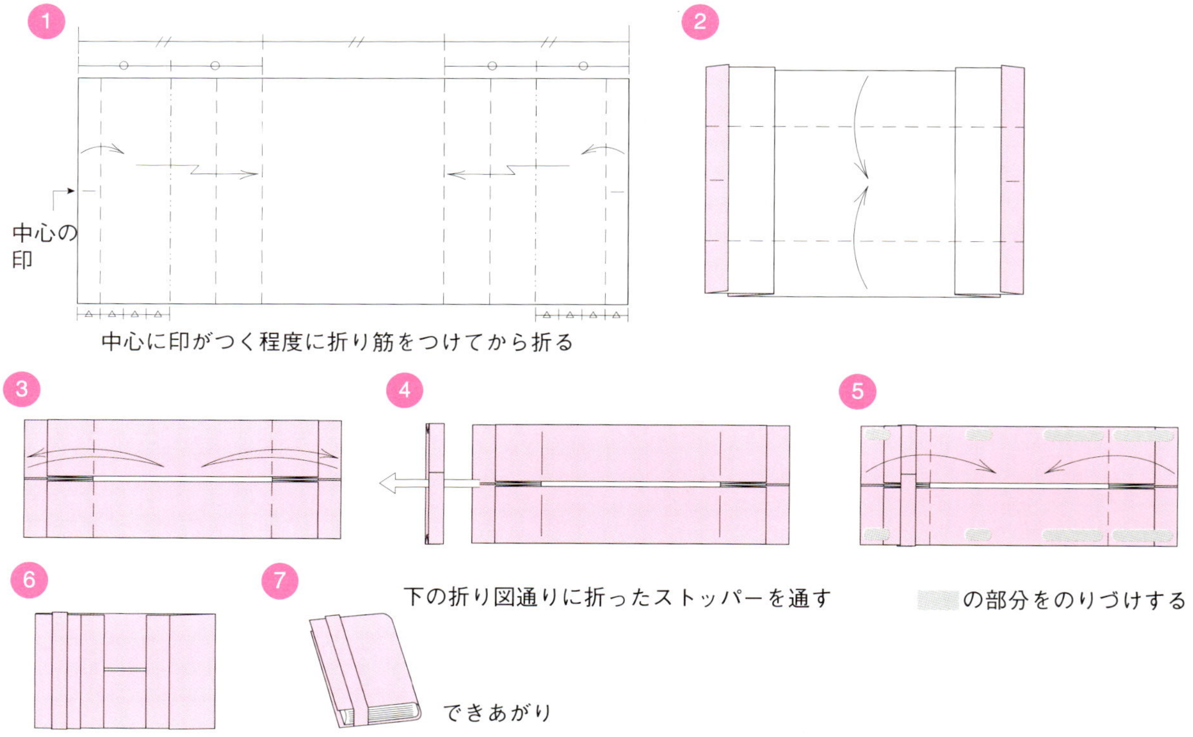
1
中心の印
中心に印がつく程度に折り筋をつけてから折る
2
3
4
5
下の折り図通りに折ったストッパーを通す
の部分をのりづけする
6
7
できあがり

[ストッパーを折る]

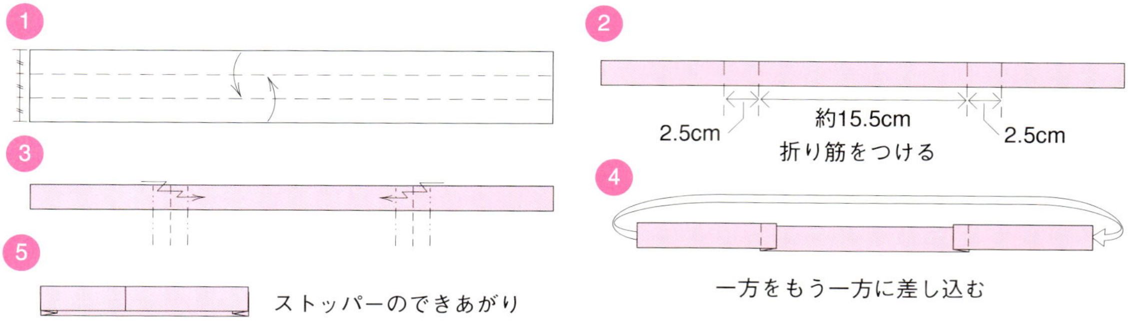
1
2
2.5cm
約15.5cm
2.5cm
折り筋をつける
3
4
一方をもう一方に差し込む
5
ストッパーのできあがり

かんざししおり　難易度★★　高濱利恵作

●用意する紙●12×12cm　帯は厚手の別紙

●アドバイス●丸いかんざし部分は折り重ねて作ってあるので、意外にボリュームがあります。下につける帯の方も、何重かに折り重ねて、太めにがっちり作るとバランスがよくなります。

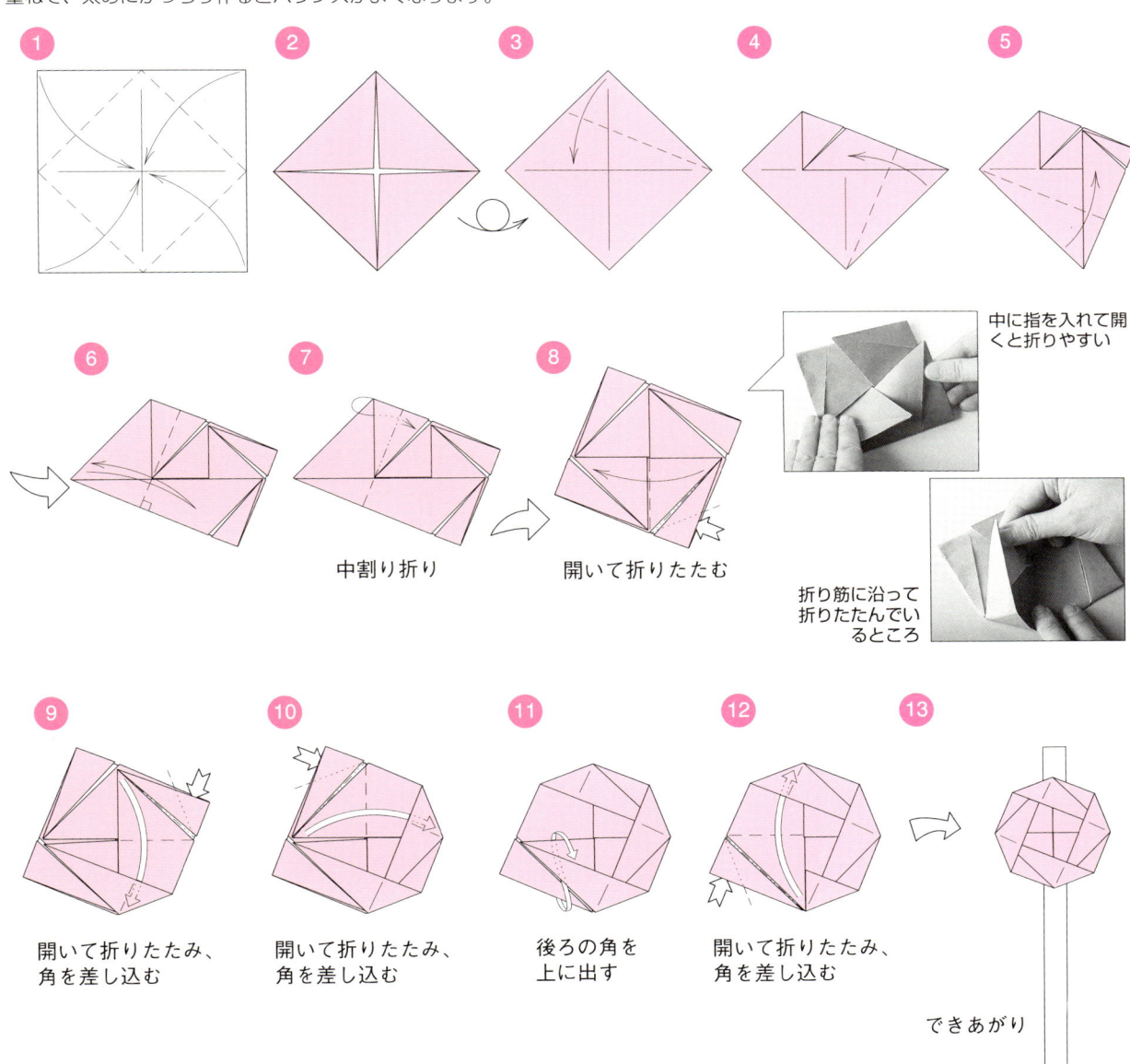

1

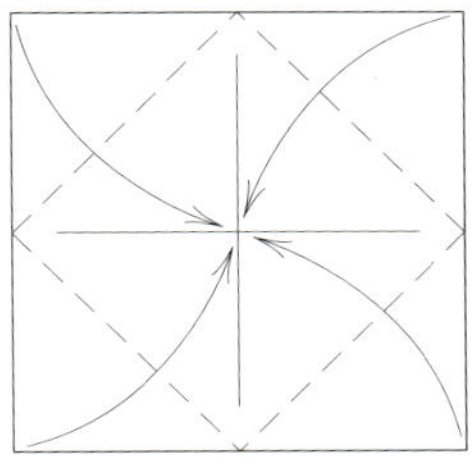

2

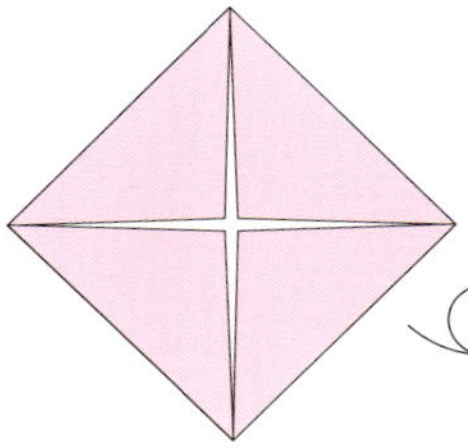

3

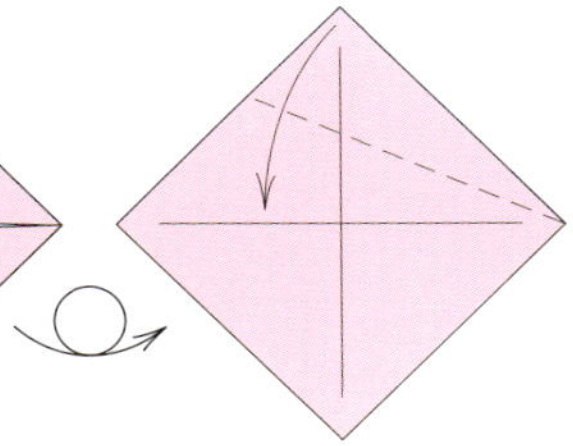

4

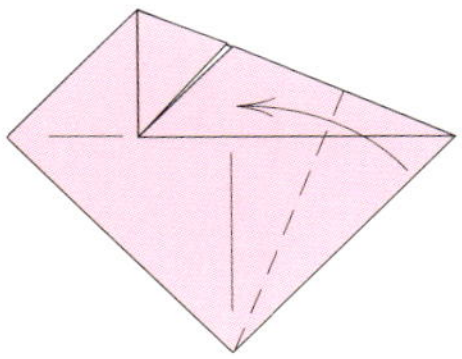

5

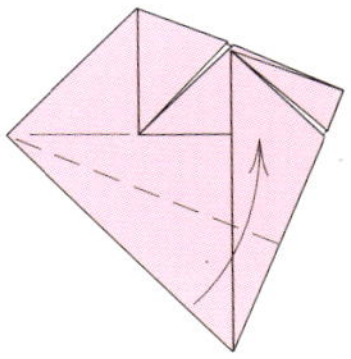

6

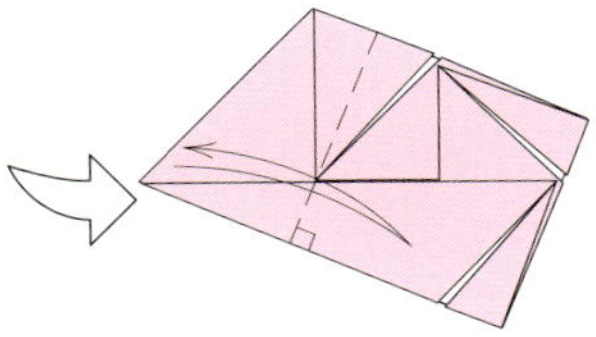

7

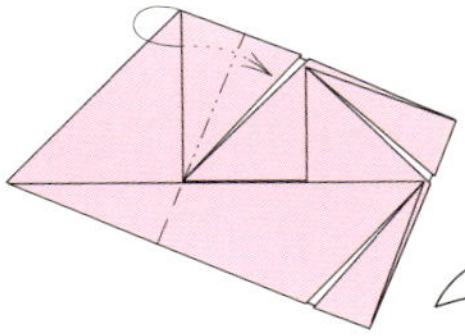

中割り折り

8

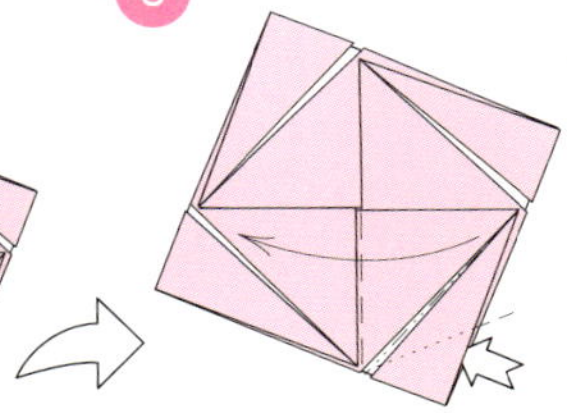

開いて折りたたむ

中に指を入れて開くと折りやすい

折り筋に沿って折りたたんでいるところ

9

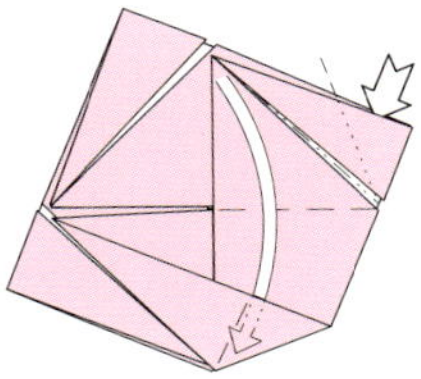

開いて折りたたみ、角を差し込む

10

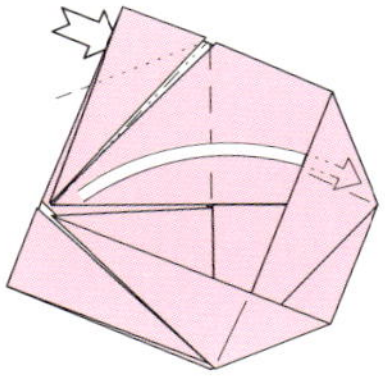

開いて折りたたみ、角を差し込む

11

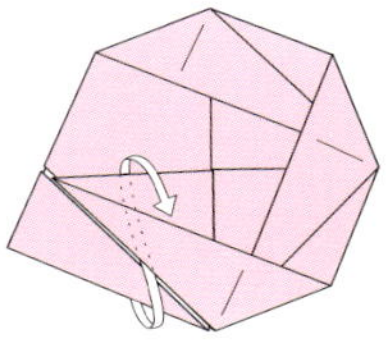

後ろの角を上に出す

12

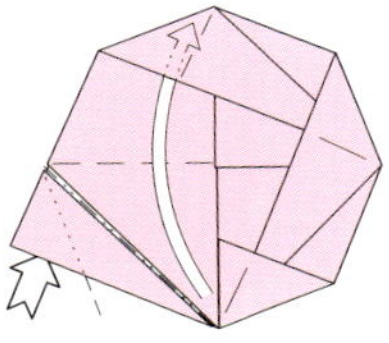

開いて折りたたみ、角を差し込む

13

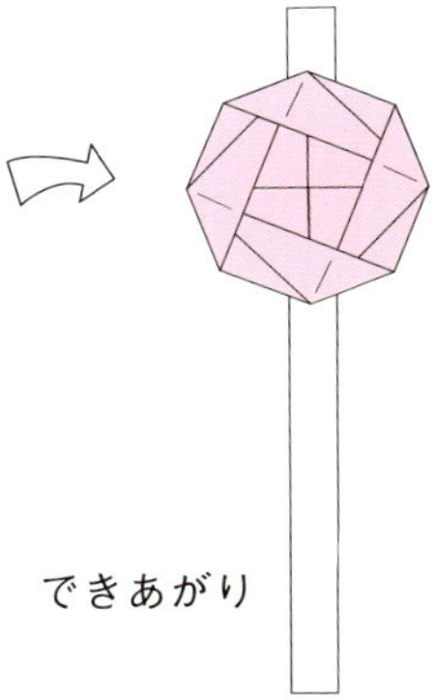

できあがり

ACCESSORY CASE

整理がしやすい中仕切りつき

アクセサリーケース

仕切りがついているので、ネックレスやブレスレットなどがからみにくい便利なケースです。アクセサリーケースにふさわしい金入りの豪華な和紙で折りました。フタはついていないので、毎日つけるデイリーアクセサリーの一時保管に役立ちます。

DRESSING BAG

花飾りのついたおしゃれな

ドレッシングバッグ

化粧品や化粧道具などを入れるケースです。口紅やマニキュアを入れるときは、立てて収納すると選びやすくて便利。コットンやパフなどの化粧道具入れとしても役立ちます。紙の裏面が花飾りになるので、リバーシブルの紙がおすすめです。

完全に折りたたむと、畳紙としても利用できます。

アクセサリーケース　難易度★★　田中具子作

●用意する紙●24×18cm　薄手の丈夫な紙

●アドバイス●表に裏紙が出ないので、紙を自由に選ぶことができます。このサイズで折る場合は、薄手の紙の方が細かい作業をするときに便利です。もう少し大きい紙で折る場合には、やや厚手の紙でもよいでしょう。

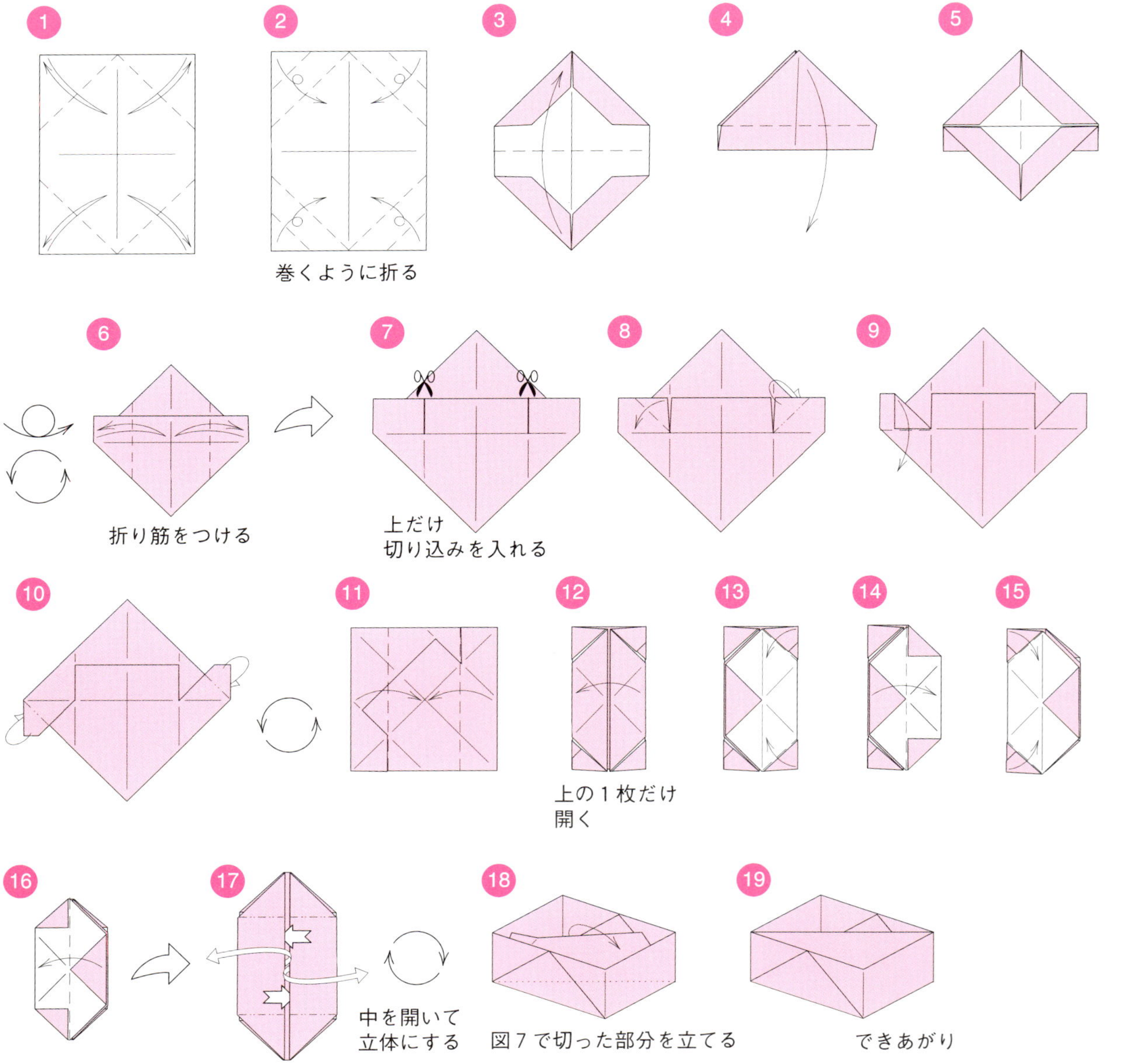

1
2
巻くように折る
3
4
5
6
折り筋をつける
7
上だけ
切り込みを入れる
8
9
10
11
12
上の1枚だけ
開く
13
14
15
16
17
中を開いて
立体にする
18
図7で切った部分を立てる
19
できあがり

ドレッシングバッグ　難易度★★★　メイ・スーン作

●用意する紙●35×17.5cm　丈夫な薄手の紙

●アドバイス●平らに折りたたむこともできるドレッシングバッグ。箱の部分は紙が一重になるので、しっかりした丈夫な紙を使いましょう。ただし紙が厚過ぎると、両脇の飾りが折りにくくなります。

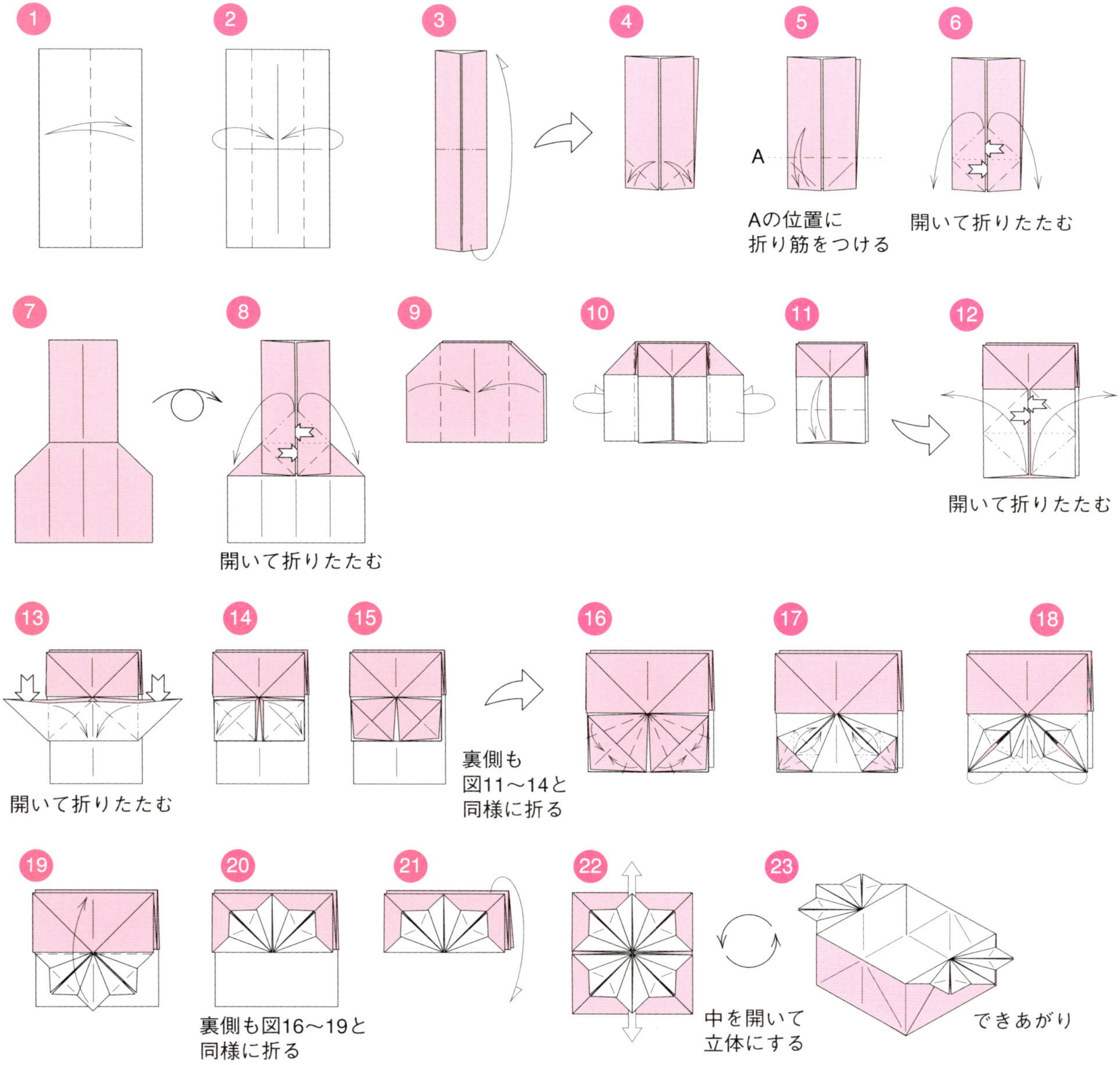
1
2
3
4
5
A
Aの位置に
折り筋をつける
6
開いて折りたたむ
7
8
開いて折りたたむ
9
10
11
12
開いて折りたたむ
13
開いて折りたたむ
14
15
裏側も
図11～14と
同様に折る
16
17
18
19
20
裏側も図16～19と
同様に折る
21
22
中を開いて
立体にする
23
できあがり

寝室が甘い香りに包まれる

ハートポプリ箱

ハートがふたつついたキュートなポプリ入れ。できあがり寸法は箱本体で4.5×4.5cmと、手の平にのる小ささですが、香りが強いポプリを入れるなら、この位のサイズが最適。開口部も小さいので、ほのかな香りが楽しめます。

正方形の折り紙1枚から、こんなダブルハートの箱が生まれます。

POTPOURRI CASE

折って差し込むだけでできる

星型ポプリケース

ハサミやのりをいっさい使わずに、五角形の紙を折って差し込むだけで美しい星型に仕上げます。開口部を写真奥のように完全に開くこともできます。中のポプリがよく見えるので、箱の色と相性のいいものを選びましょう。

ハートポプリ箱　難易度★★　朝日勇作

●用意する紙●18×18cm　薄手の丈夫な紙

●アドバイス●一見難しそうに見えますが、初心者の人でも比較的折りやすい作品です。小さい紙をさらに小さく折りたたんでいくので、薄手の紙の方が扱いやすいでしょう。

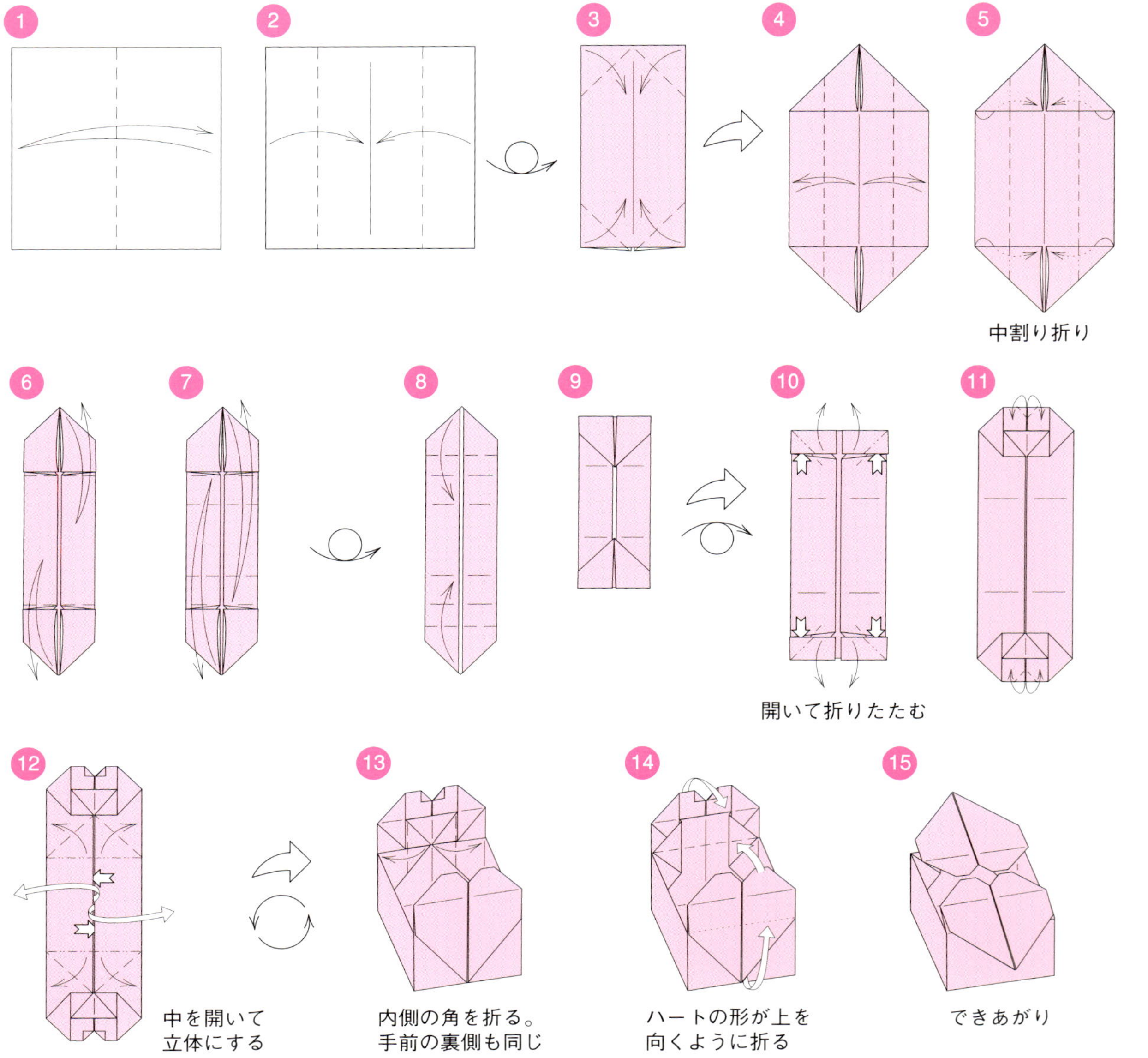
1
2
3
4
5
中割り折り
6
7
8
9
10
開いて折りたたむ
11
12
中を開いて立体にする
13
内側の角を折る。手前の裏側も同じ
14
ハートの形が上を向くように折る
15
できあがり

星型ポプリケース　難易度★★★　フィリップ・シェン作

●用意する紙●24×24cm　厚手の紙

●アドバイス●この五角形の作り方は、正確な五角形ではありませんが、割合に簡単にできる方法です。工程の中では、平面から立体に変わる図17〜19が一番難しいところ。図17の段折りで、折り筋をしっかりつけておくことが大切です。

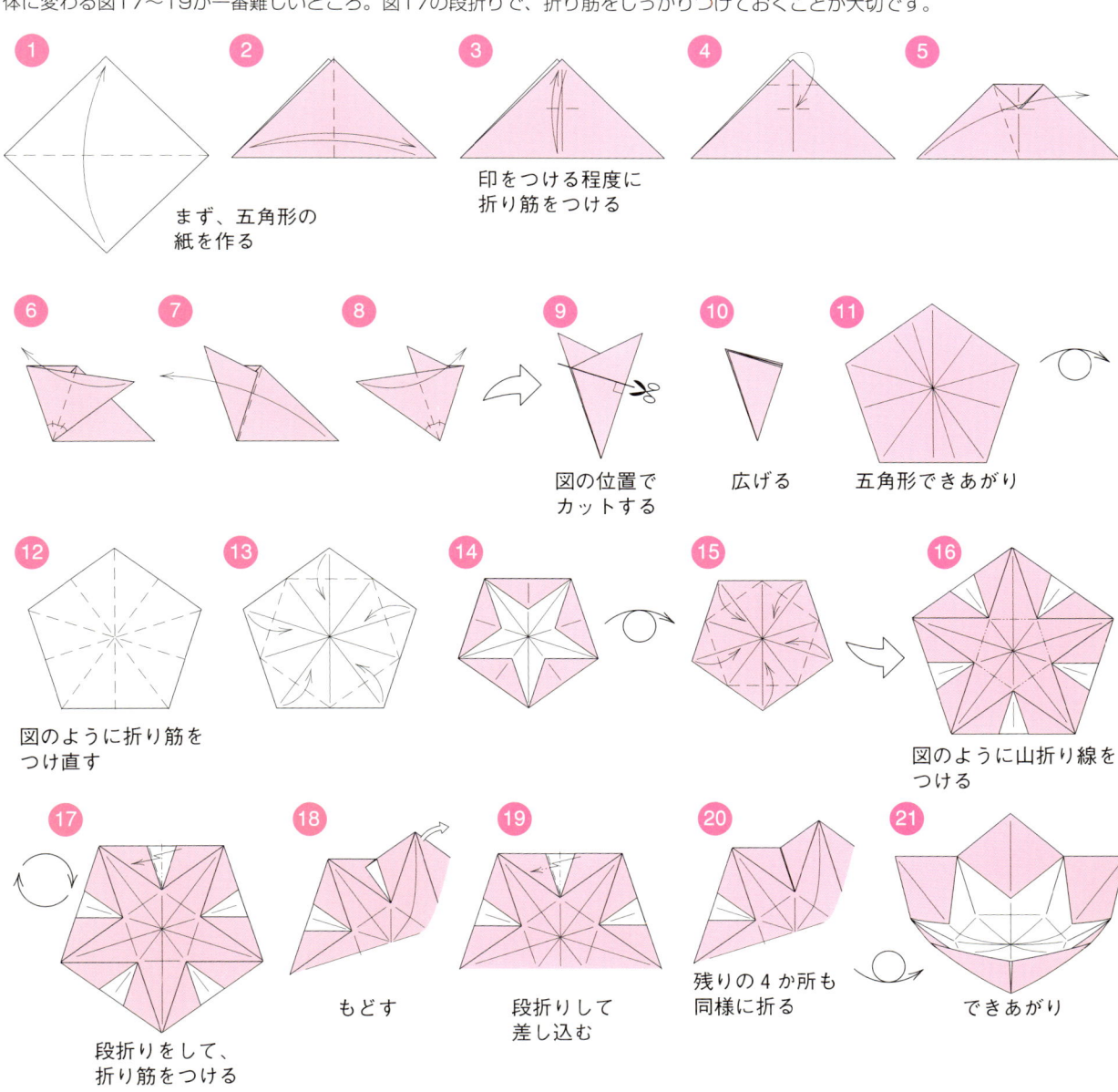

1
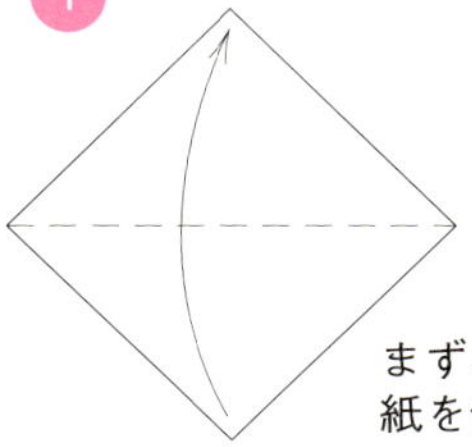
まず、五角形の紙を作る

2
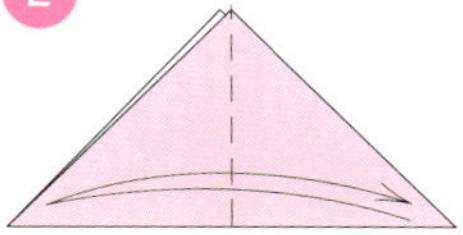

3
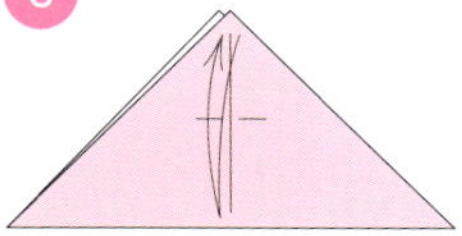
印をつける程度に折り筋をつける

4
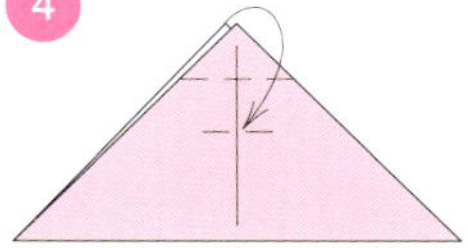

5
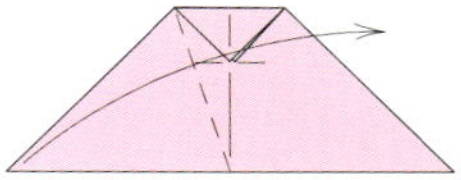

6
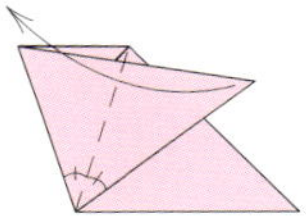

7
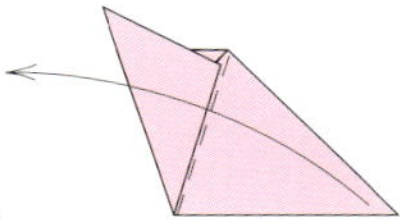

8
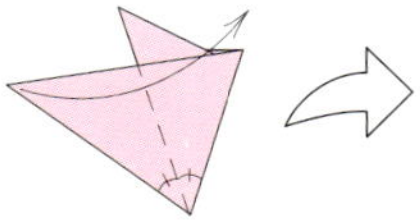

9
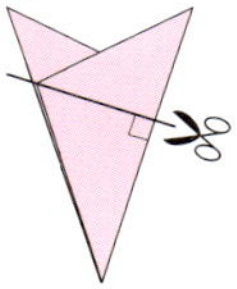
図の位置でカットする

10

広げる

11

五角形できあがり

12
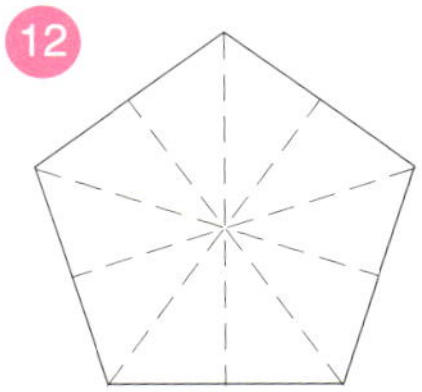
図のように折り筋をつけ直す

13
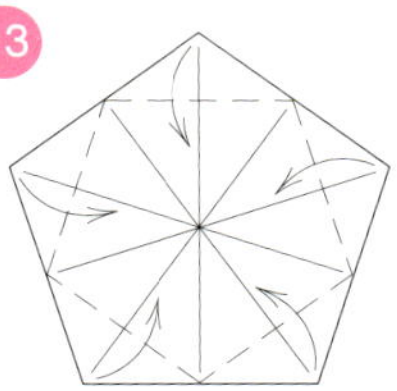

14
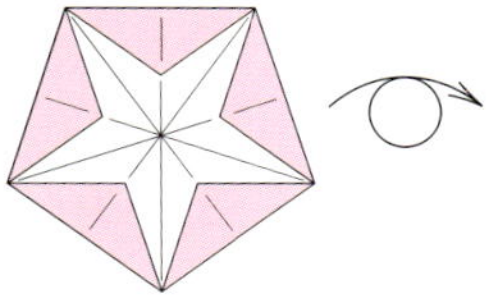

15
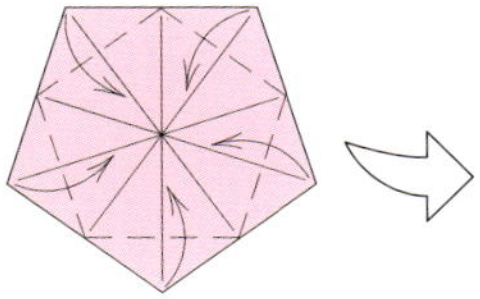

16
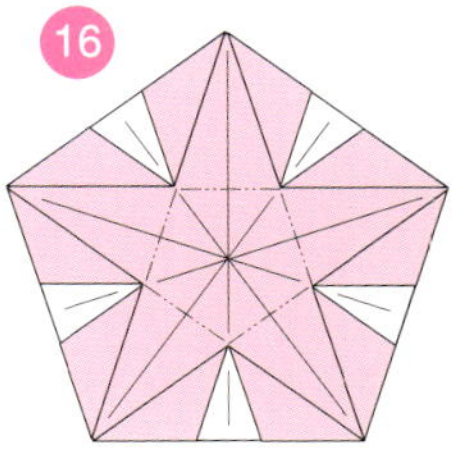
図のように山折り線をつける

17
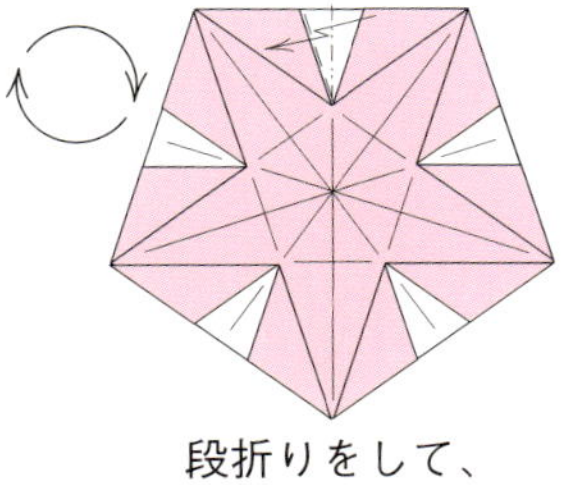
段折りをして、折り筋をつける

18
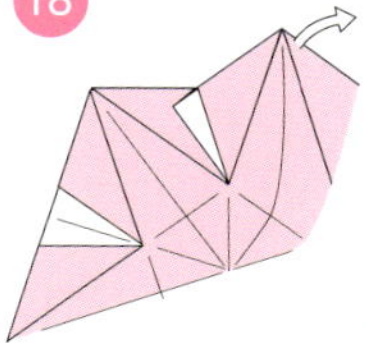
もどす

19
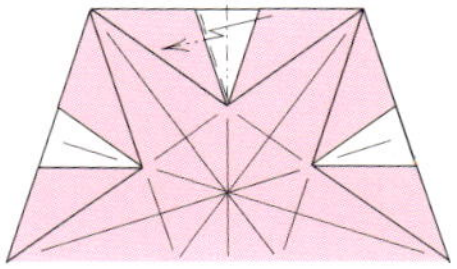
段折りして差し込む

20
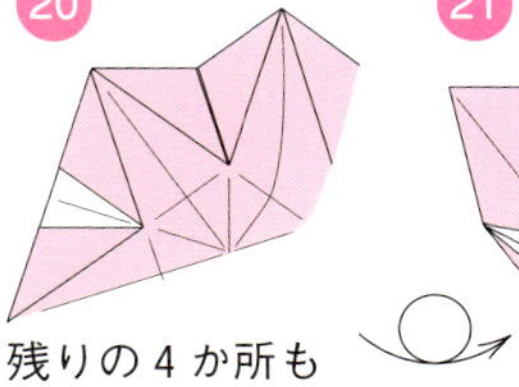
残りの4か所も同様に折る

21
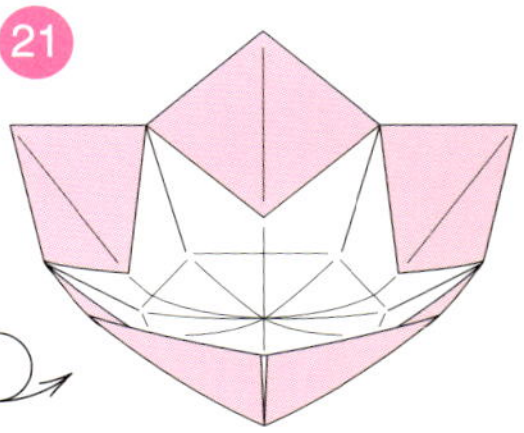
できあがり

LAMP SHADE

折り紙でインテリアグッズを作る

ランプシェード

折り紙作品としては大作ですが、折り方そのものはそれほど難しくありません。写真では市販の小さなスタンドの上に、折ったランプシェードをそのままかぶせて使っています。テーブルスタンドとして利用することもできます。

寝室を落ち着いたロマンチックな雰囲気に演出します。

ランプシェード　難易度★★

●用意する紙●63×63cm　和紙

●アドバイス●かなり大きい紙で折るので、小さい紙で練習してから本番の紙で折るとよいでしょう。大きい紙の上手な折り方（5ページ）を参考にしてみてください。

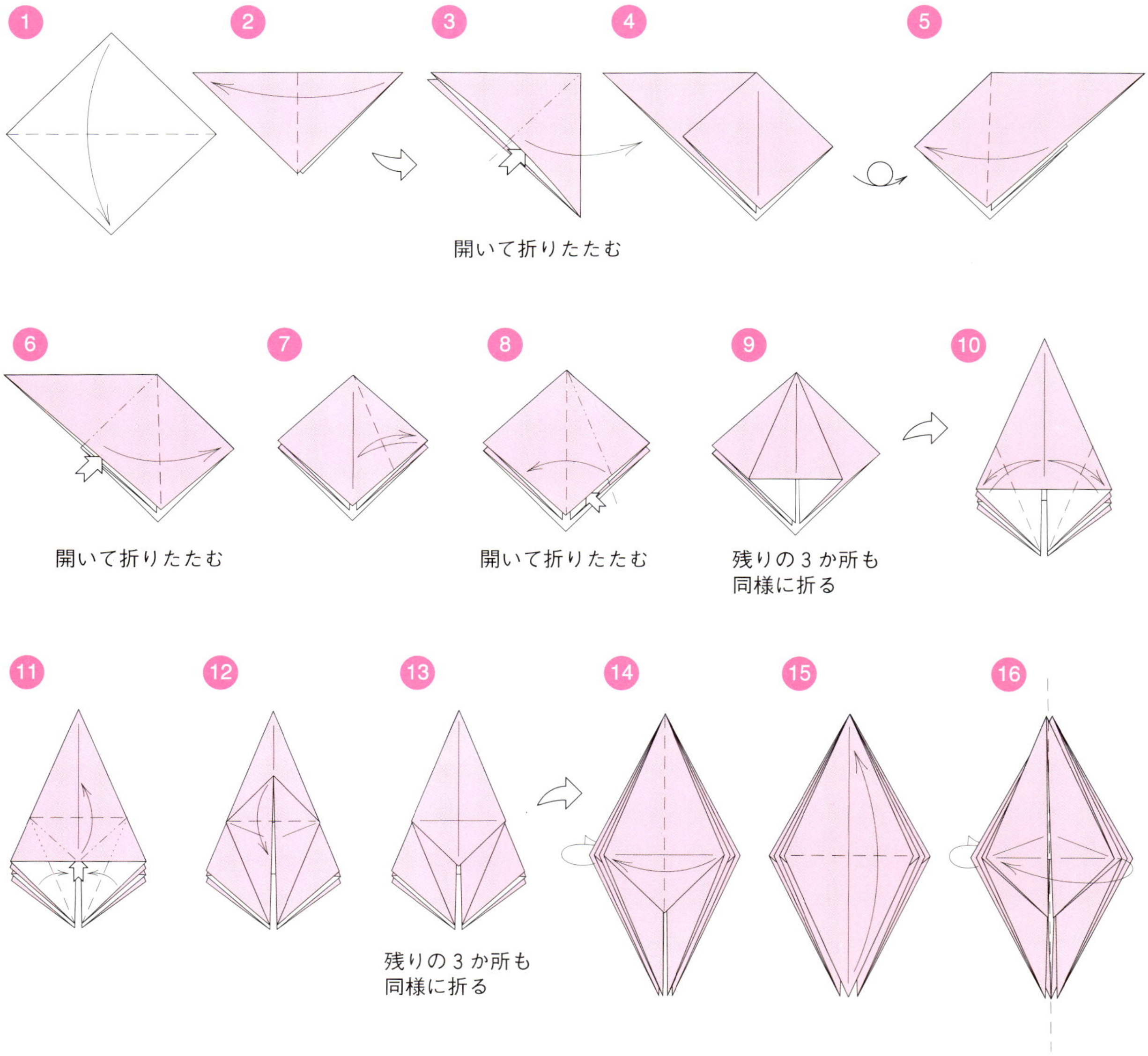
1
2
3
4
5
開いて折りたたむ
6
7
8
9
10
開いて折りたたむ
開いて折りたたむ
残りの3か所も
同様に折る
11
12
13
14
15
16
残りの3か所も
同様に折る

17

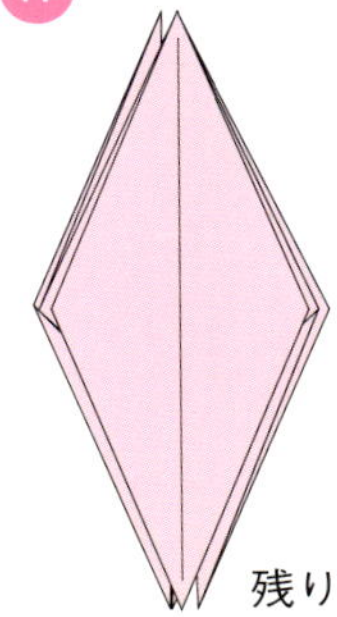

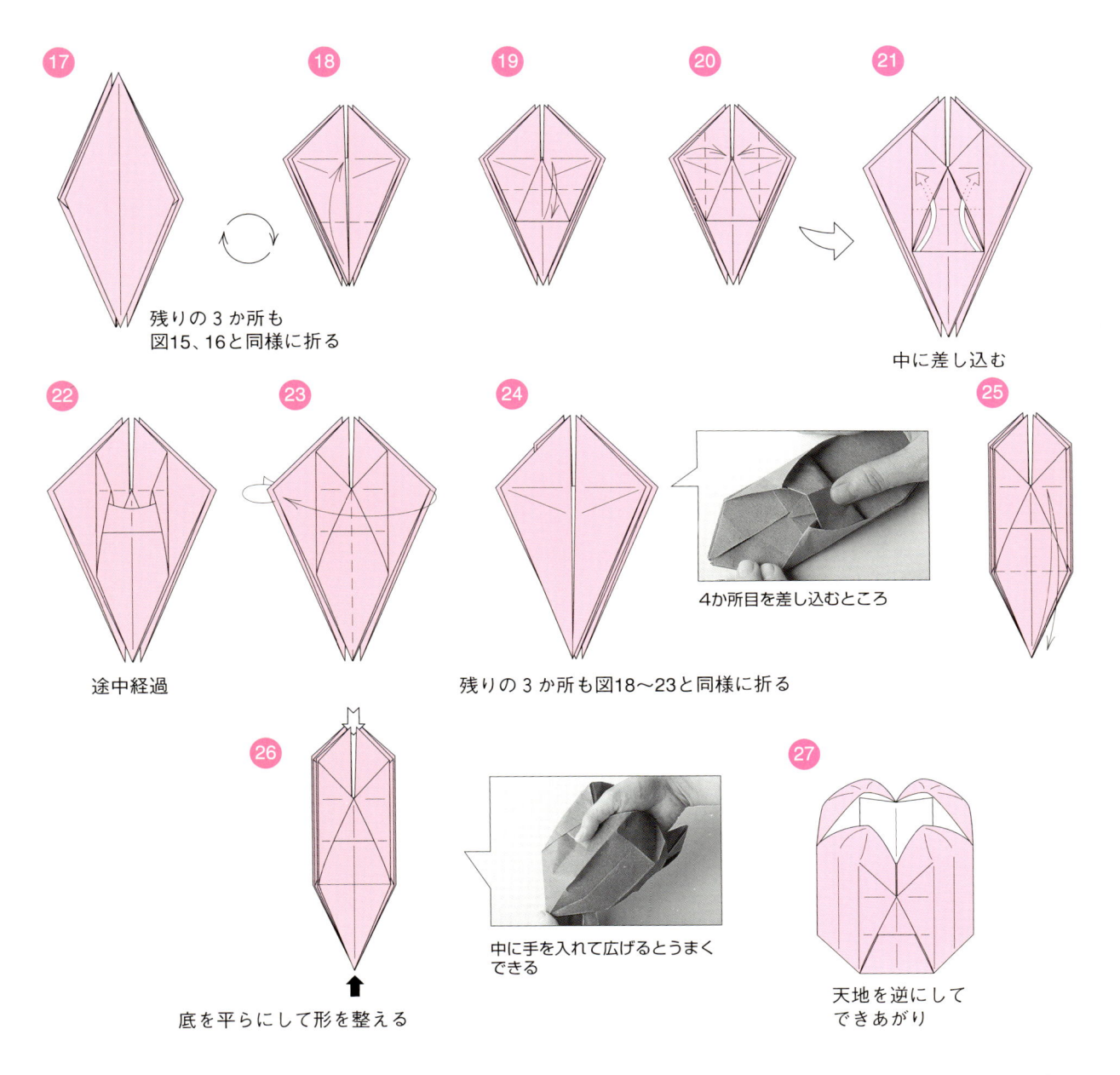

残りの３か所も
図15、16と同様に折る

18

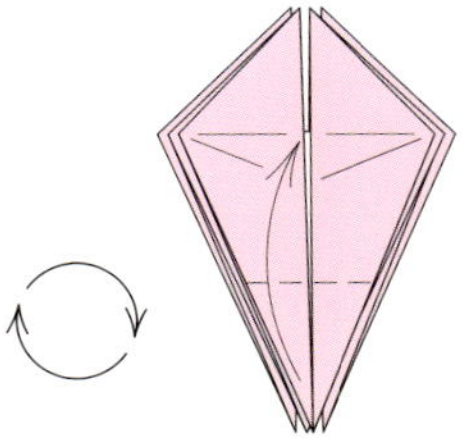

19

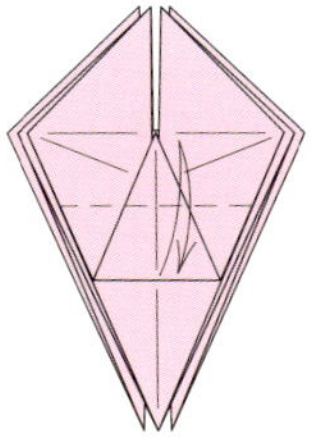

20

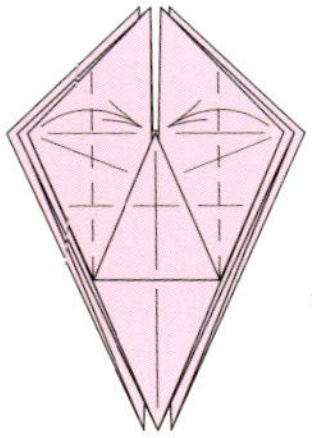

21

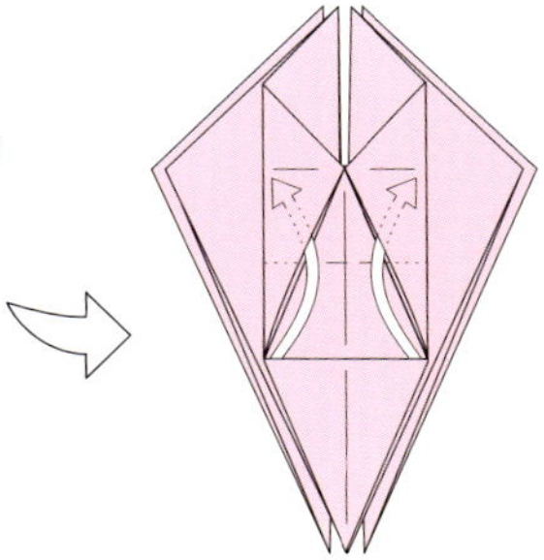

中に差し込む

22

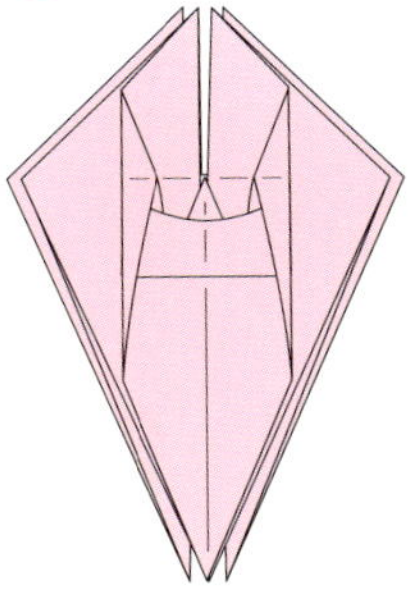

途中経過

23

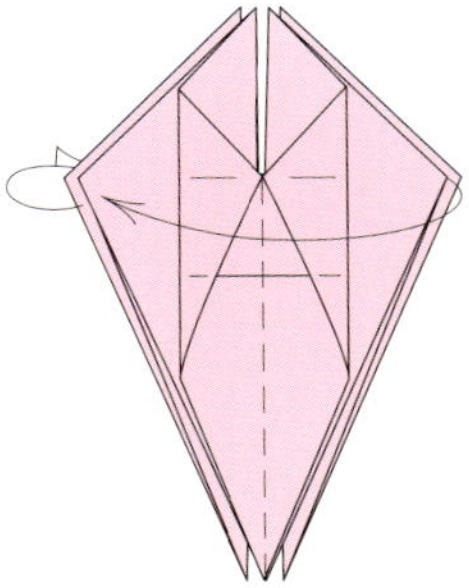

24

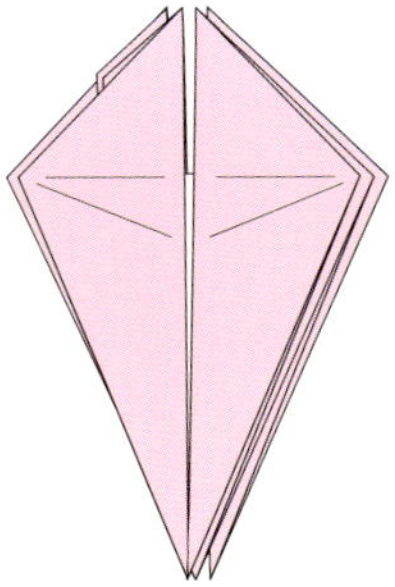

4か所目を差し込むところ

25

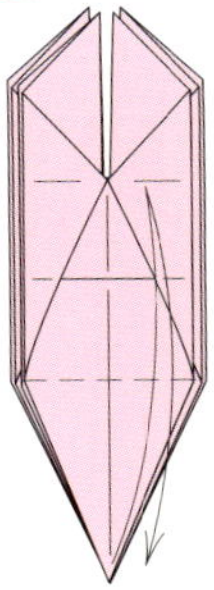

残りの３か所も図18～23と同様に折る

26

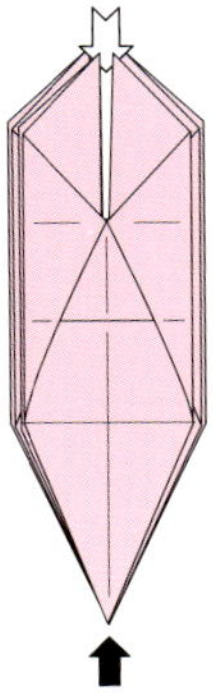

底を平らにして形を整える

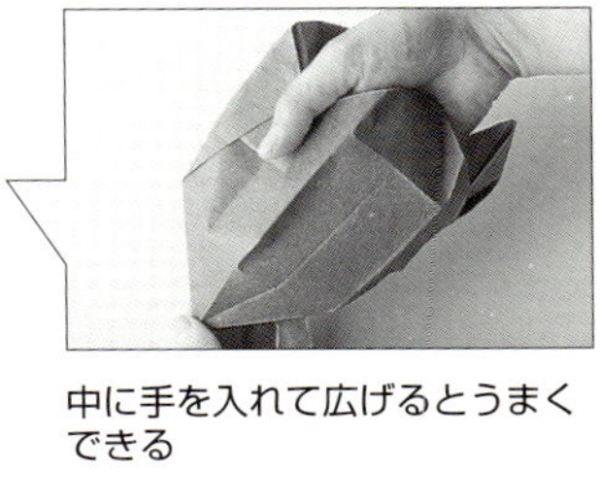

中に手を入れて広げるとうまく
できる

27

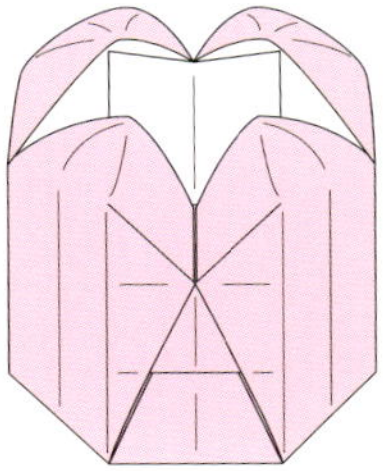

天地を逆にして
できあがり

PART 7

PLAY ROOM GOODS

子供に温もりを伝える

折り紙で作るプレイルームグッズ

子供部屋には、子供が喜ぶような楽しい折り紙グッズを用意しましょう。安全で、扱いやすいことも大切な条件のひとつ。そんな条件をクリアーしたおすすめグッズをご紹介します。お子さんといっしょに折るのも楽しいものです。

鉛筆などが取り出しやすいように、ケースの内側に傾斜がつけてあります。

カラフルな色で折ってみたい

皿型文房具入れ

整理しやすく、取り出しやすい、使い勝手のいい文房具入れ。鉛筆だけでなく、ハサミやのり、クリップなども入れられます。色違いで折れば、こんなに楽しい文房具入れに。勉強もはかどりそうです。

写真は普通の折り紙で折っています。凝った紙で折らなくてもこんなにおしゃれ。

白い裏地がポイントになる

くす玉鉛筆立て

オブジェにしてもいいような美しい鉛筆立て。横から挿し込むこともできます。高度な折り紙に見えますが、折り方そのものは難しくないのでぜひ試してみて。裏地（写真では白い部分）がアクセントになるので、表と裏の色が異なる紙を使います。

STATIONERY CASE

くす玉鉛筆立て　難易度★★　ルイス・サイモン作

●用意する紙●15×15cm12枚　薄手の紙

●アドバイス●12枚のパーツを組み合わせて作ります。きれいに仕上げるコツは、組み合わせるときに折り筋線をきれいにそろえること。図15を例にあげると、折り筋線をピッタリ合わせて、正方形になるように組み合わせます。

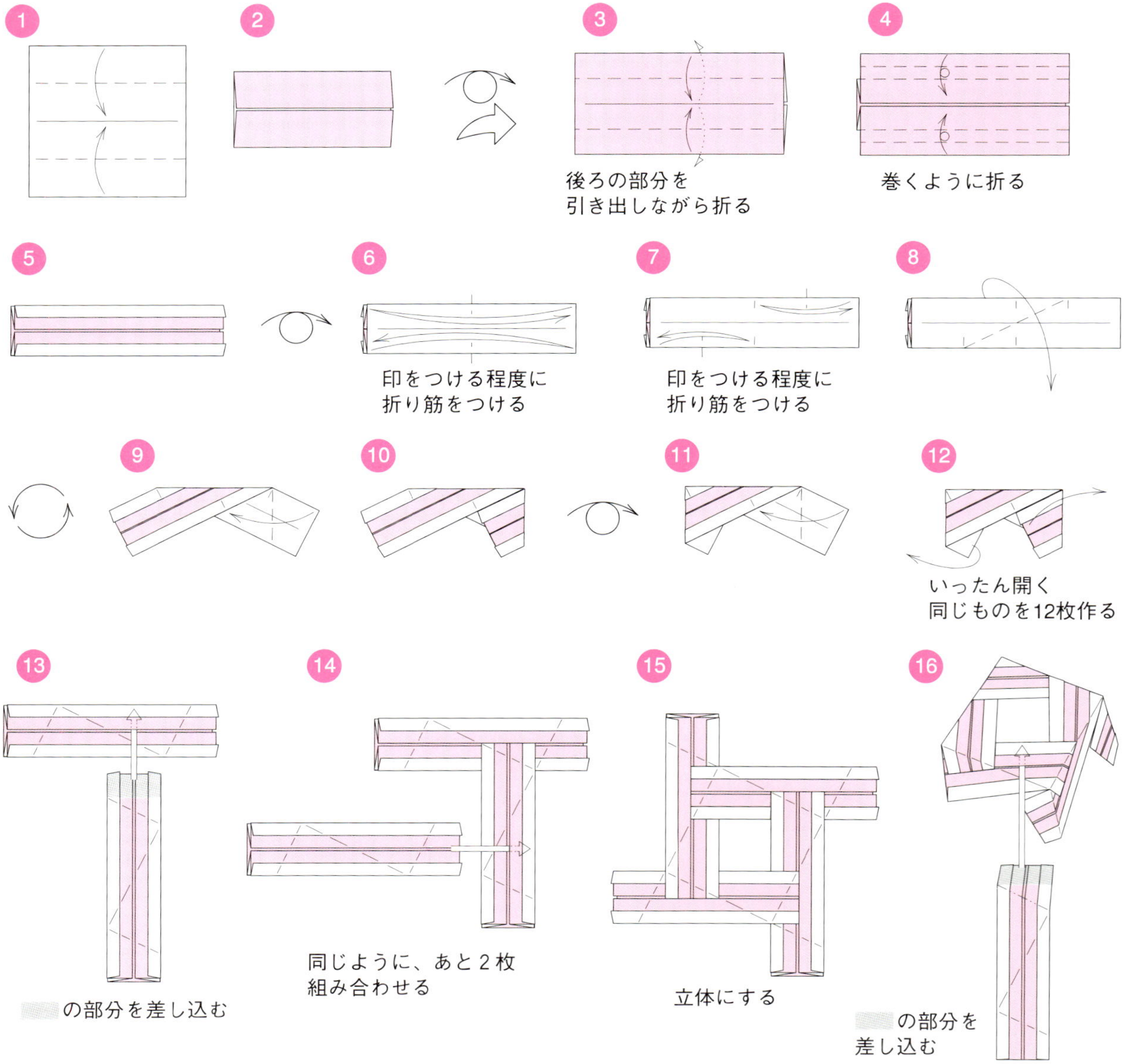

1
2
3
後ろの部分を
引き出しながら折る
4
巻くように折る
5
6
印をつける程度に
折り筋をつける
7
印をつける程度に
折り筋をつける
8
9
10
11
12
いったん開く
同じものを12枚作る
13
の部分を差し込む
14
同じように、あと2枚
組み合わせる
15
立体にする
16
の部分を
差し込む

皿型文房具入れ　難易度★　田中具子作

●用意する紙●30×30cm　厚手の紙

●アドバイス●この作品は、紙を折り重ねる部分が少なく、紙1枚でそのまま使う部分が多いので、丈夫な厚手の紙を利用します。図8の「巻くように折る」ところに針金を入れてから巻くと、より丈夫な作りになります。

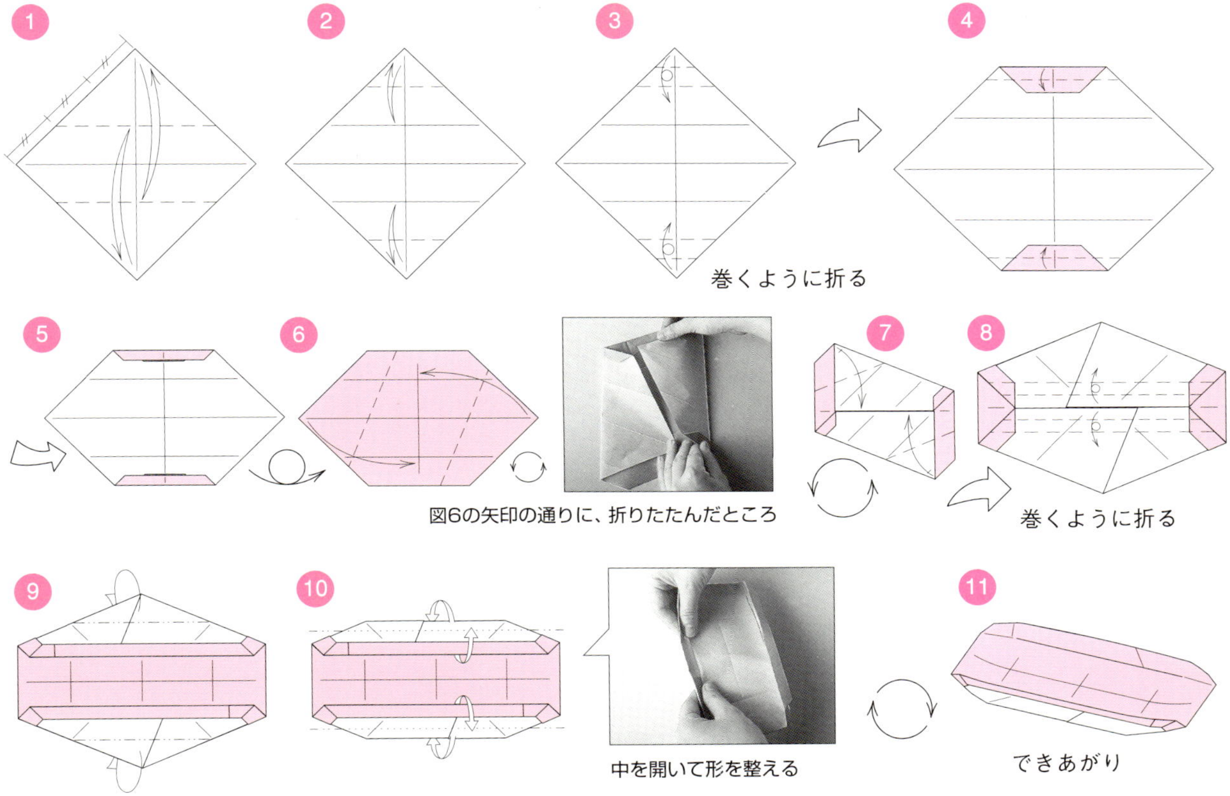
1
2
3
4
巻くように折る
5
6
7
8
図6の矢印の通りに、折りたたんだところ
巻くように折る
9
10
11
中を開いて形を整える
できあがり

17
下の紙を引き出して
差し込む
18
残りも同様にして
組んでいく
19
できあがり

LETTER FILE

手紙や学校の
お知らせを入れる

アニマル状差し

お友達や先生からもらった手紙や年賀状を入れておきましょう。学校で配られた大切な通達文を入れておくのにも便利。アニマル状差しに入れておけば、探しものをする時間も短縮できそうです。机の上の整理整頓にも役立ちます。

TIMETABLE

自分で作れば
忘れ物もなくなる!?

ハウス時間割

家の形をした時間割です。立てかけても壁に貼ってもOK。中に入れるもので色々な用途に利用できます。写真奥のようにカレンダーにしたり、写真を貼って飾ってもすてきです。ハサミやのりを使うクラフト的要素の強い折り紙です。

アニマル状差し　難易度★★　井石清作

●用意する紙●60×30cm　厚手の紙

●アドバイス●アニマル状差しの顔の部分に裏地が出るので、リバーシブルの紙がおすすめです。細かい作業が少ないので、紙を2枚重ねて使ってもきれいに仕上がります。

1
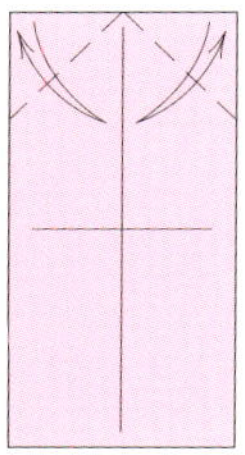

2
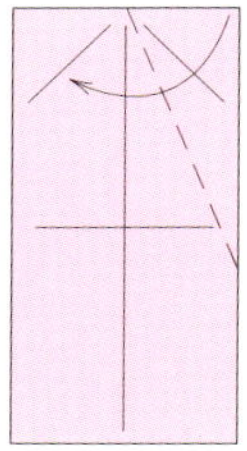

3
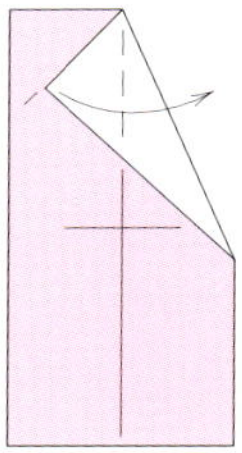

4
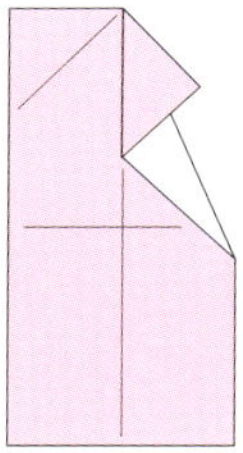

左側も図2、3と同様に折る

5
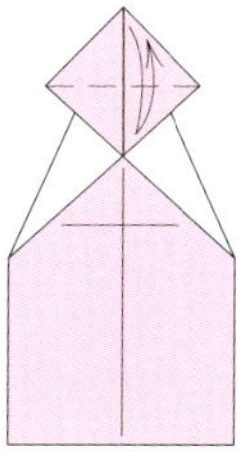

6
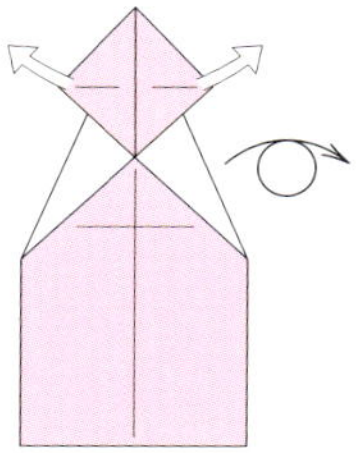

広げる

7
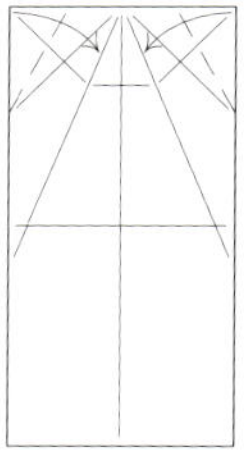

8
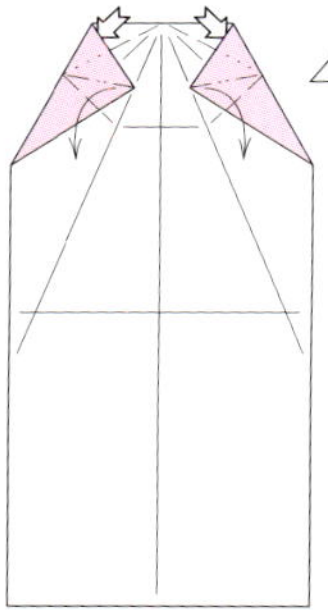

開いて折りたたむ

右側を開いて折りたたんだところ

9
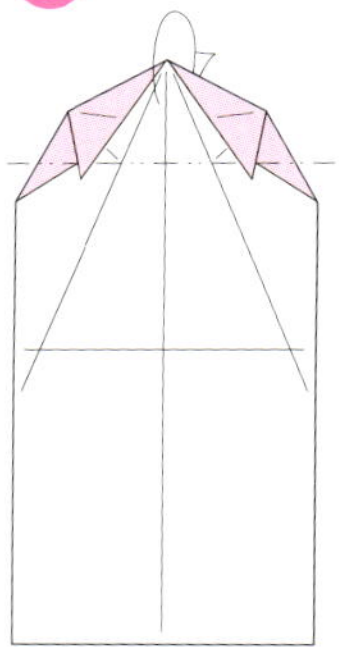

10
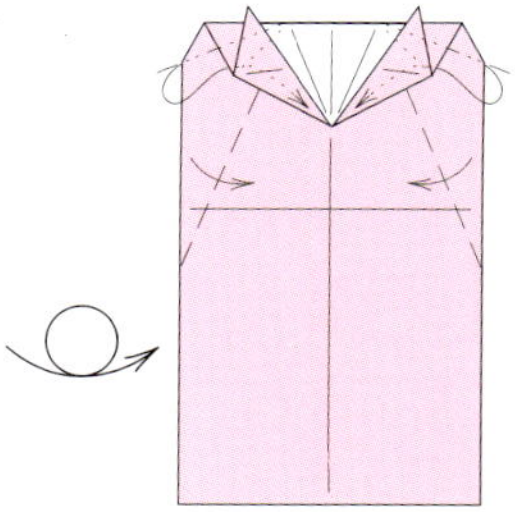

中割り折りの要領で折りたたむ

11
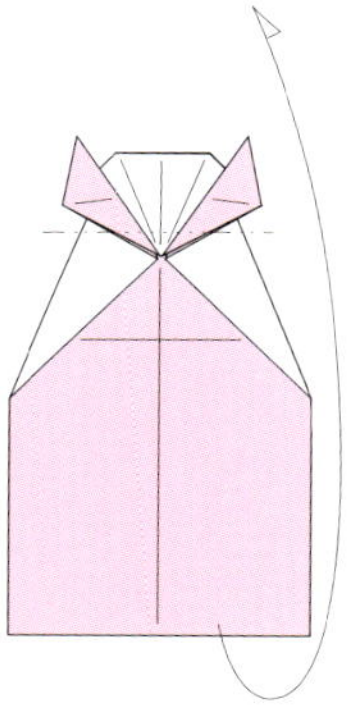

12
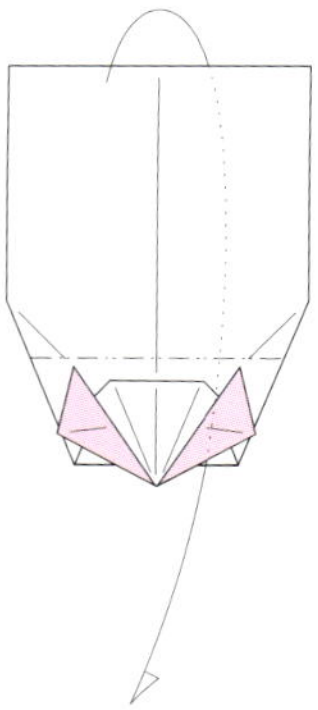

13
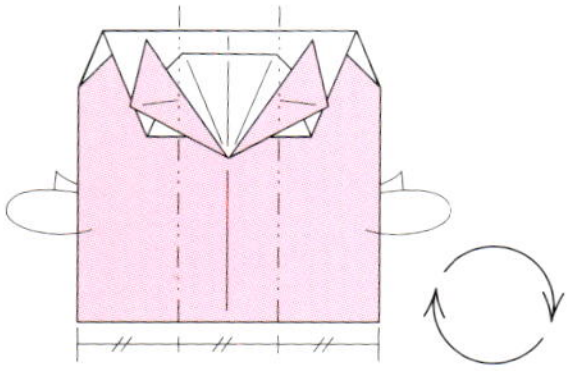

14
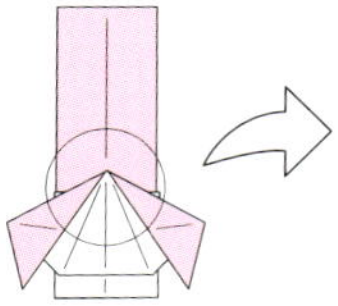

15
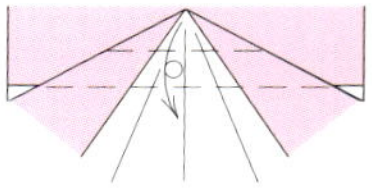

巻くように折る

16
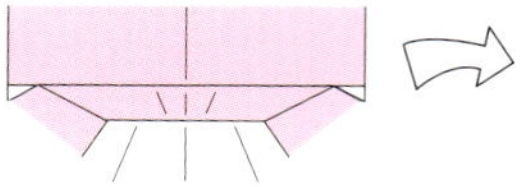

17
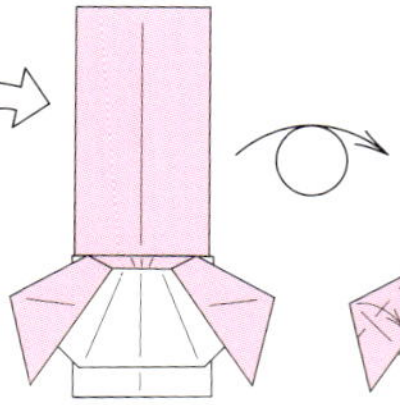

18
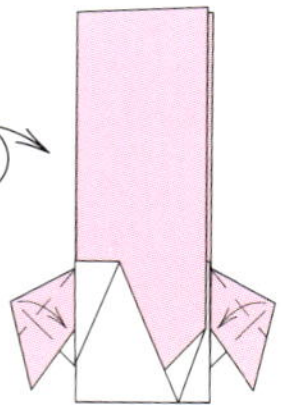

ハウス時間割

難易度★

篠原勇作

●用意する紙●20×20cm　厚手の紙

●アドバイス●初心者の人でも失敗の少ない作品です。ぶら下げる場合には薄手の紙でも十分ですが、壁に立て掛ける場合には厚手のしっかりした紙がよいでしょう。

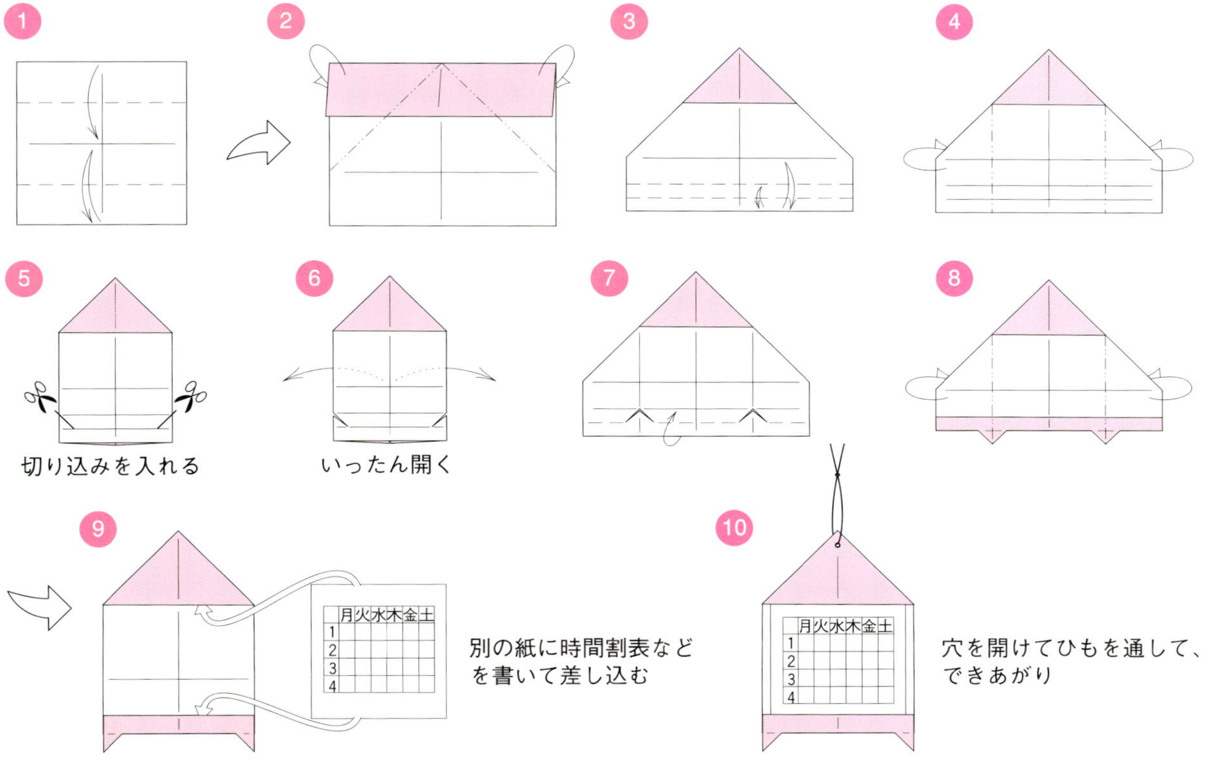

1
2
3
4
5
切り込みを入れる
6
いったん開く
7
8
9
月火水木金土
1
2
3
4
別の紙に時間割表などを書いて差し込む
10
月火水木金土
1
2
3
4
穴を開けてひもを通して、できあがり

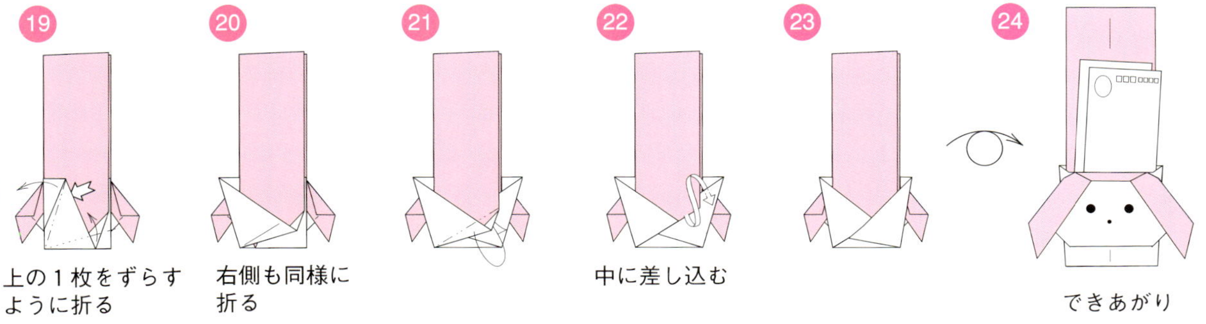

19
上の１枚をずらすように折る
20
右側も同様に折る
21
22
中に差し込む
23
24
できあがり

TOY BOX

片づけるのが楽しくなる

十字おもちゃ箱

中に十字の仕切りがある、整理しやすいおもちゃ箱。仕切りは取り外すこともできます。子供といっしょに作れば、積極的に片づけをするようになるかもしれません。必要ないときは、折りたたんでしまっておくこともできます。

鶴の折り方で
折り始める

くるくるコマ

鶴を折る方法でこんな楽しいコマができます。実際によく回るのでぜひ試してみて。回転させると色や模様が変わるので、模様つきや多色づかいの紙でもおもしろいでしょう。先の尖った楊枝を使うときは、小さい子供には注意が必要です。マッチ棒でもよく回ります。

TOP

十字おもちゃ箱　難易度★★★　パオロ・バシェッタ作

●用意する紙●箱75×75cm　十字仕切り79×79cm　厚手の紙

●アドバイス●有名な伝承の箱にちょうどピッタリ合う十字の仕切りを組み合わせました。「十字仕切り」の図9 から図10にかけてが難しいところですが、その直後の図11の形になるように折ってみましょう。

[箱を折る]

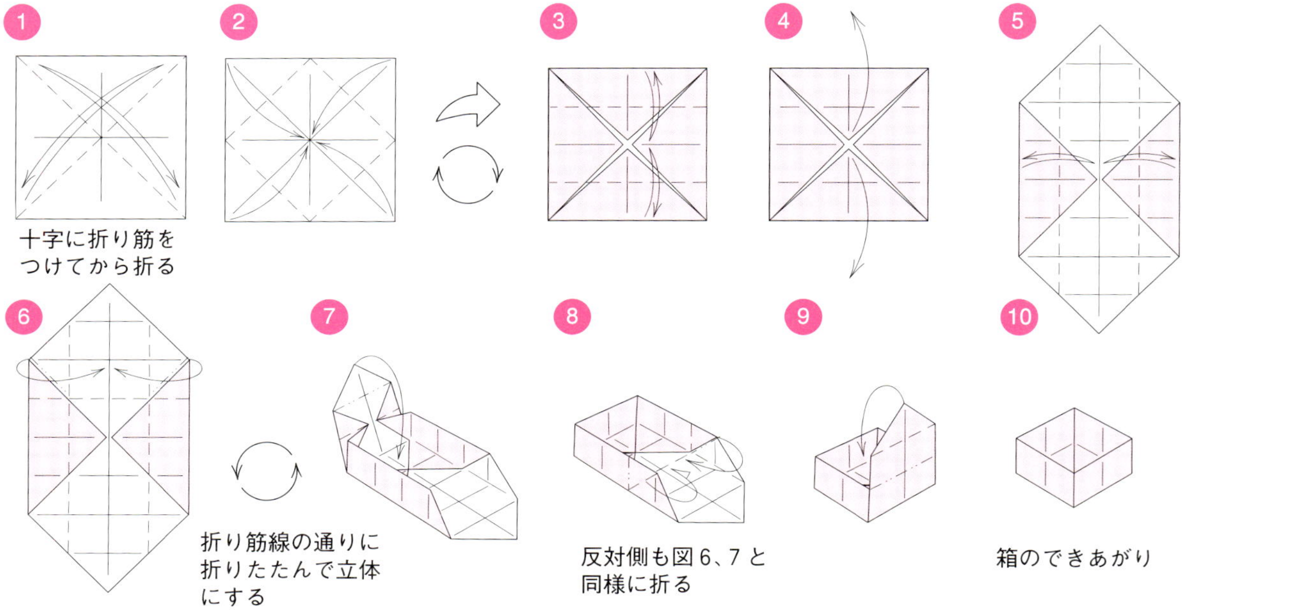
1
十字に折り筋をつけてから折る
2
3
4
5
6
7
折り筋線の通りに折りたたんで立体にする
8
反対側も図6、7と同様に折る
9
10
箱のできあがり

[十字仕切りを折る]

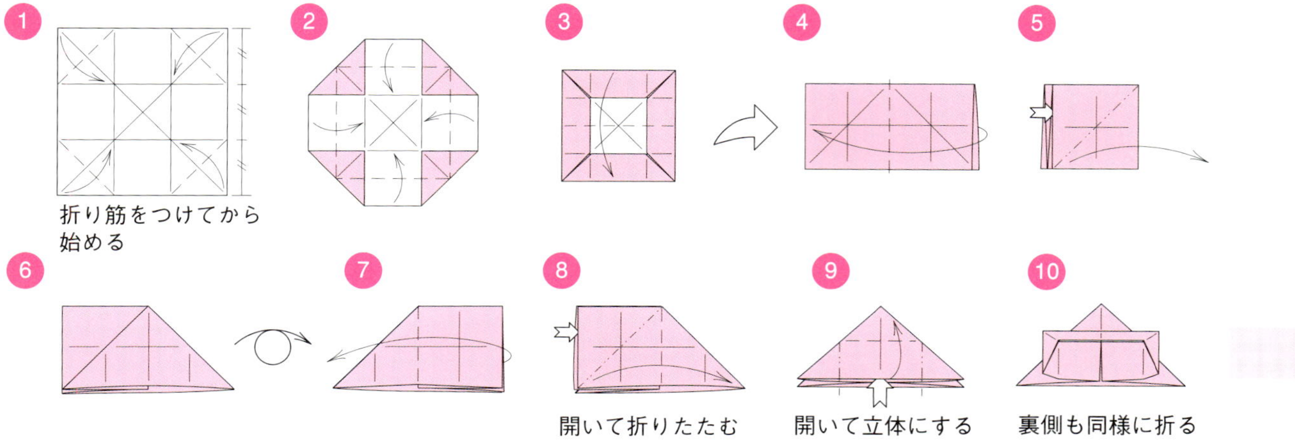
1
折り筋をつけてから始める
2
3
4
5
6
7
8
開いて折りたたむ
9
開いて立体にする
10
裏側も同様に折る

くるくるコマ　難易度★★　奥田光雄作

●用意する紙●15×15cm　薄手の洋紙

●アドバイス●折り図の形が大きく変わるのは図8から9、図11から12、図14から15にかけて。この部分を特に注意して折るようにしましょう。最後に楊枝やマッチ棒を差し込むときは、底を突き抜けないように注意します。

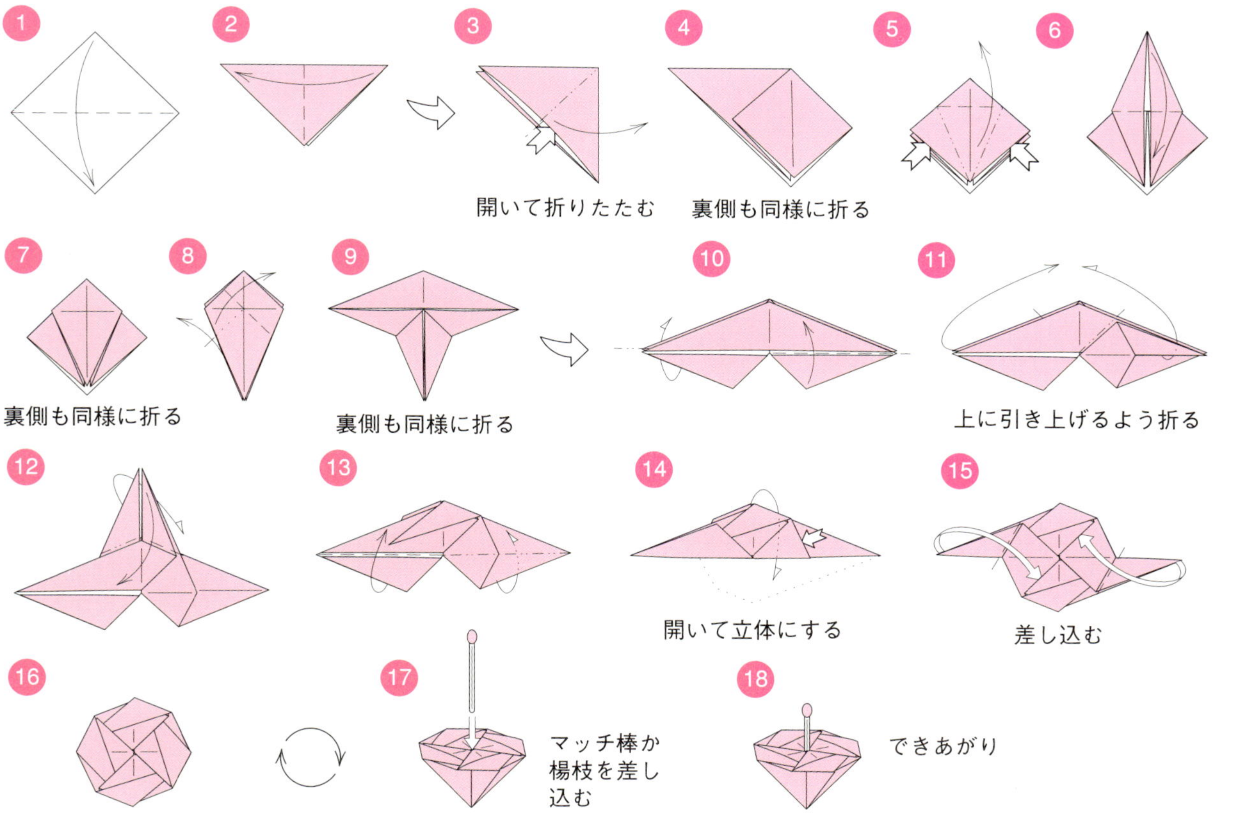
1
2
3
開いて折りたたむ
4
裏側も同様に折る
5
6
7
裏側も同様に折る
8
9
裏側も同様に折る
10
11
上に引き上げるよう折る
12
13
14
開いて立体にする
15
差し込む
16
17
マッチ棒か
楊枝を差し
込む
18
できあがり

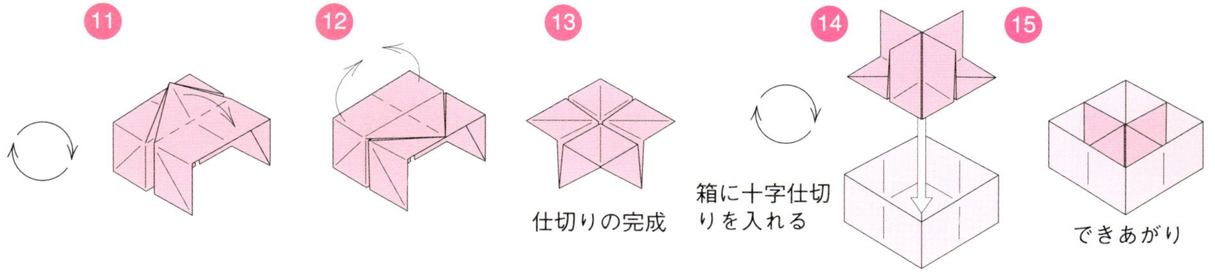
11
12
13
仕切りの完成
14
箱に十字仕切
りを入れる
15
できあがり

CAP

持ち運びにも便利。
折りたたみ式

マウスキャップ

子供が歓声をあげそうなかわいい耳つきキャップです。正方形の1枚の紙で耳まで折ることができます。大きい紙が必要ですが、折リ方そのものはそれほど難しくありません。耳の部分は紙の表面が、その他の部分は紙の裏面が出るので、色合わせに気を配りましょう。

子供部屋に置いたキャップとハット。カラフルな色で折れば、部屋の飾りにもなります。

HAT

折り返しの縁がポイント

サマーハット

風船を折る方法で折り始める縁つきの帽子です。簡単に折れるので、日差しが急に強くなったときにも、手持ちの紙で折ることができます。丈夫な紙で折れば、繰り返し使用することも可能。大人もかぶりたくなるような形のいい帽子です。

マウスキャップ　難易度★★　半田文直作

●用意する紙●37×37cm　厚手の洋紙

●アドバイス●図10で段折りする際に、あらかじめ折り筋をつけておくと、スムーズに段折りすることができます。図15の丸い耳を折るところでは、裏をのりで貼っておくと落ち着きがよくなります。

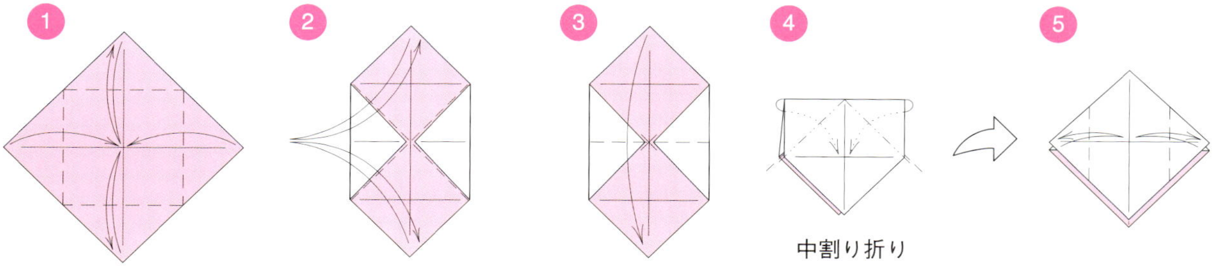

1 折り筋をつけてから始める

4 中割り折り

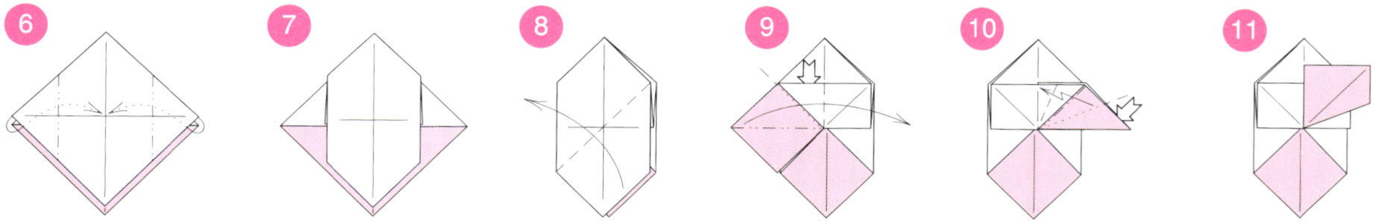

6 中割り折り

7 裏側も図5、6と同様に折る

9 開いて折りたたむ

10 段折りしながら開いて折りたたむ

11 裏側も図8～10と同様に折る

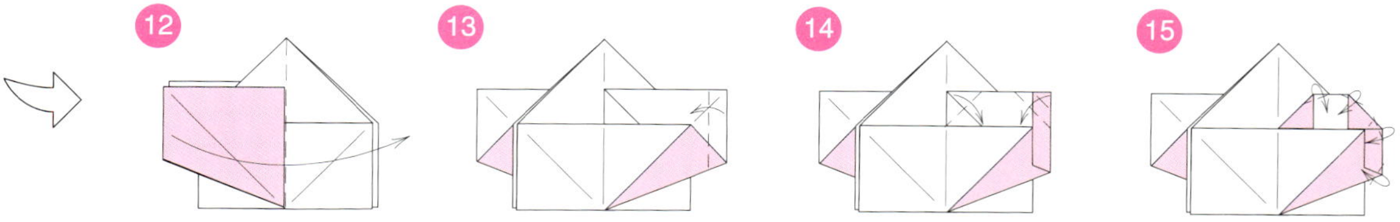

15 角を折って丸くする

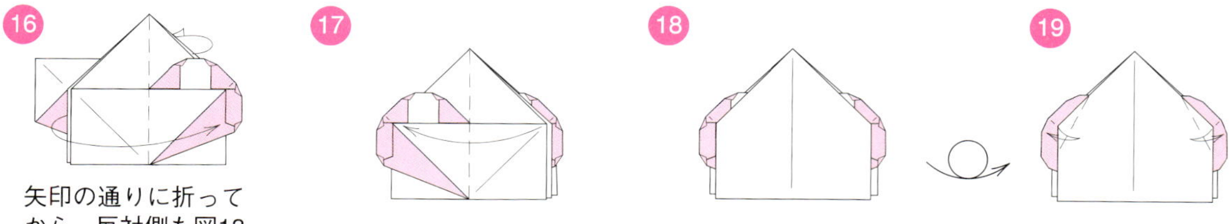

16 矢印の通りに折ってから、反対側も図13～15と同様に折る

サマーハット　難易度★★

高濱利恵作

●用意する紙●50×50cm　厚手の紙

●アドバイス●サマーハットの一番むずかしいところは、図13から14にかけて。図13の点線で示している折り筋を、あらかじめしっかりつけておくとスムーズに図14の形になります。

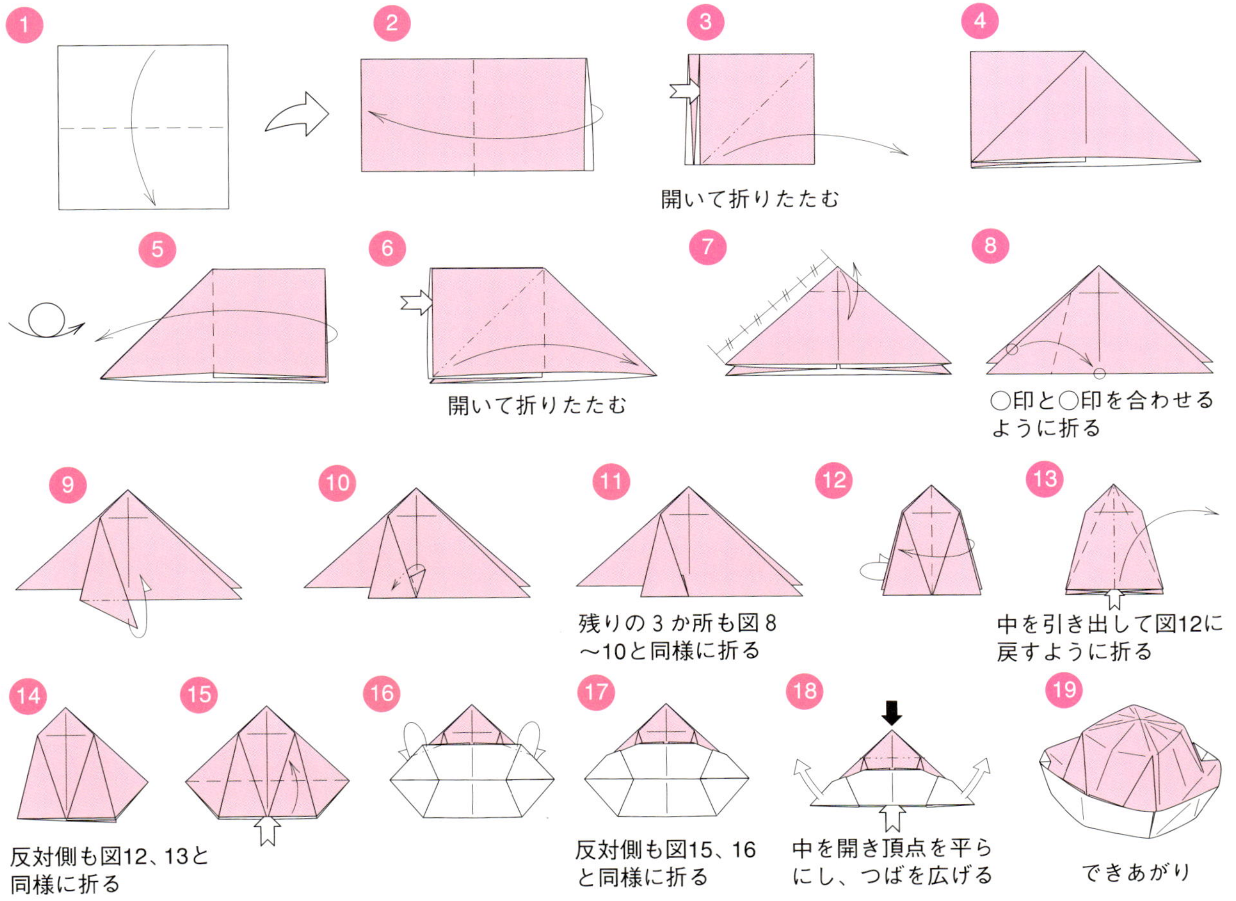

1
2
3 開いて折りたたむ
4
5
6 開いて折りたたむ
7
8 ○印と○印を合わせるように折る
9
10
11 残りの3か所も図8～10と同様に折る
12
13 中を引き出して図12に戻すように折る
14 反対側も図12、13と同様に折る
15
16
17 反対側も図15、16と同様に折る
18 中を開き頂点を平らにし、つばを広げる
19 できあがり

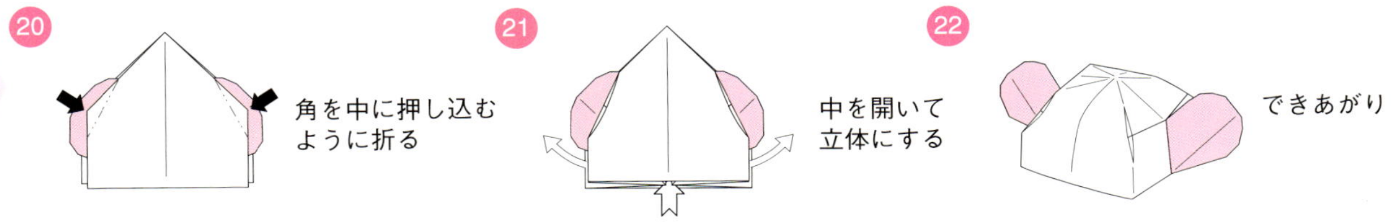

20 角を中に押し込むように折る
21 中を開いて立体にする
22 できあがり

こんな場所にも折り紙を

折り紙で作ったグッズは、車の中や下駄箱でも大活躍。
意外な場所でも役に立つ“折り紙”をご紹介します。

両サイドにマチがついているので、収納力もあります。

車の中で

CAR GOODS

車内の整理整頓に役立つ

チケットポケット

高速の料金所で受け取るチケットや領収書、駐車場の券などを入れておくポケットです。できあがり寸法は縦12cm×横7cmと小さめですが、運転の邪魔にならず、領収書などがしっかり入る大きさです。これでもう慌ててチケットを探すこともなくなりそうです。

鍵などの小物を入れるのにも、
ちょうどいい大きさです。

車の中でも倒れにくい
安定性のある小銭入れ。

高速や駐車場の支払いに便利

すぐ出る小銭入れ

運転中に急に小銭が必要になることは意外に多いものです。例えば、高速道路や駐車場の支払い、ファーストフードのドライブスルーなど。そんなときに、この小銭入れがあればとても便利。使わないときは、折りたたんでしまうこともできます。

すぐ出る小銭入れ　難易度★　石橋美奈子作

●用意する紙●15×30cm　厚手の紙

●アドバイス●裏地が表に出ないので、お好みの紙で折ることができます。ただし、紙の厚さはしっかりした丈夫なものを選ぶこと。コインを入れても形が崩れにくいのでおすすめです。

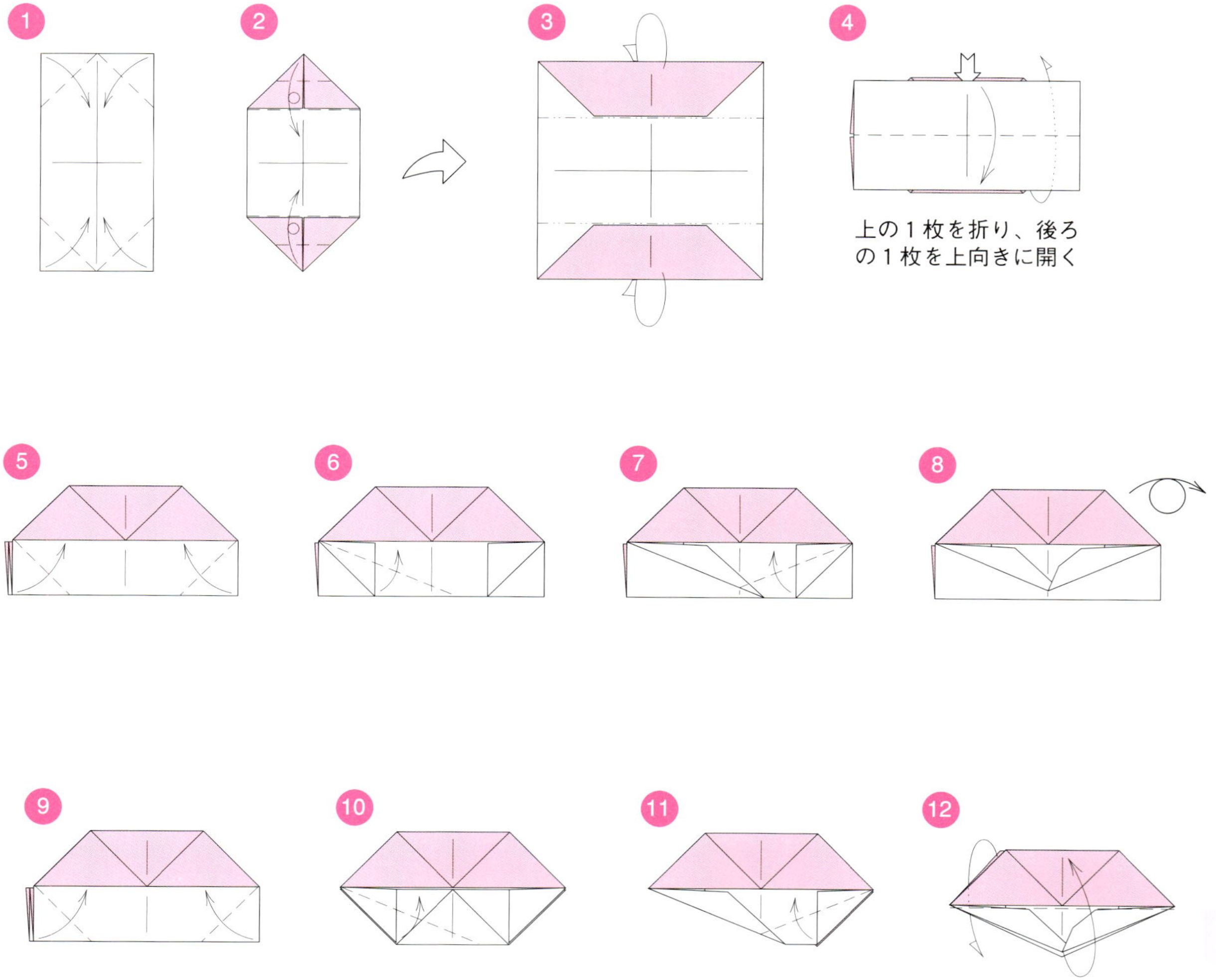
1
2
3
4
上の１枚を折り、後ろの１枚を上向きに開く
5
6
7
8
9
10
11
12

チケットポケット　難易度★　荒木京作

●用意する紙●17×17cm　やや厚手の紙

●アドバイス●図4と6で少しずらすようにして折ることで、マチを作ることができます。簡単に折れるので、初めての人にもおすすめです。大きいサイズの紙で折ると状差しにもなります。

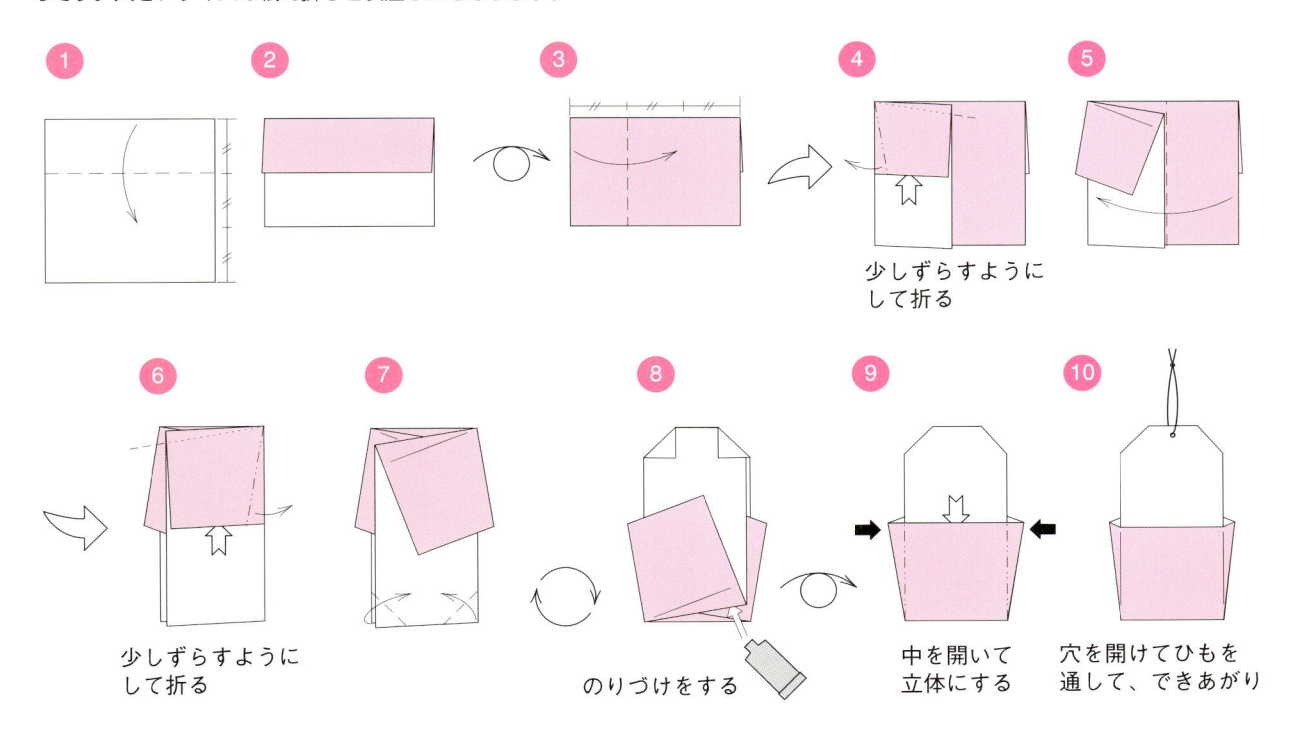

1

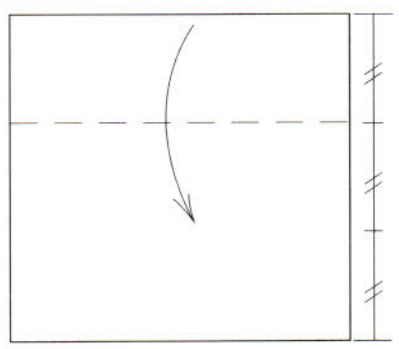

2

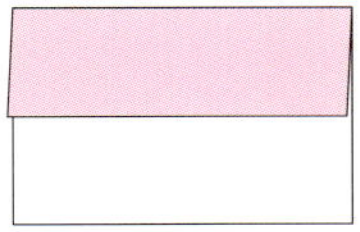

3

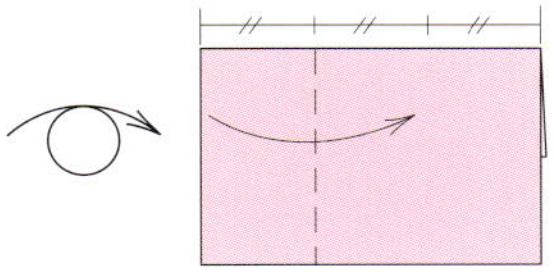

4

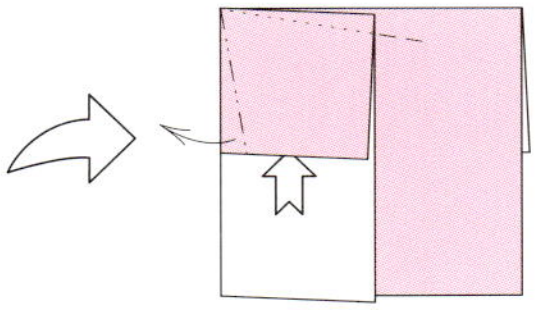

少しずらすようにして折る

5

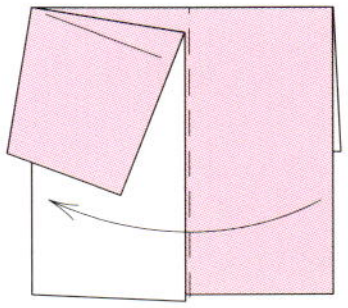

6

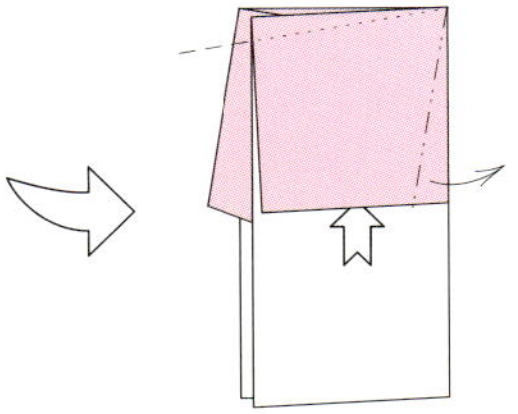

少しずらすようにして折る

7

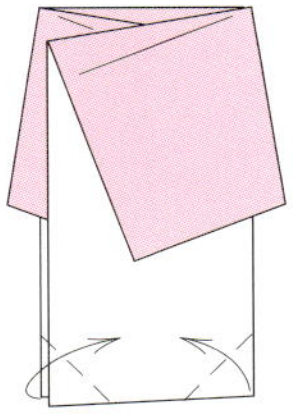

8

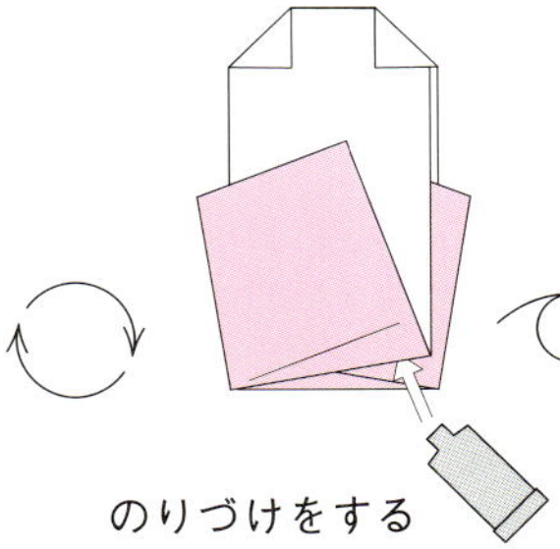

のりづけをする

9

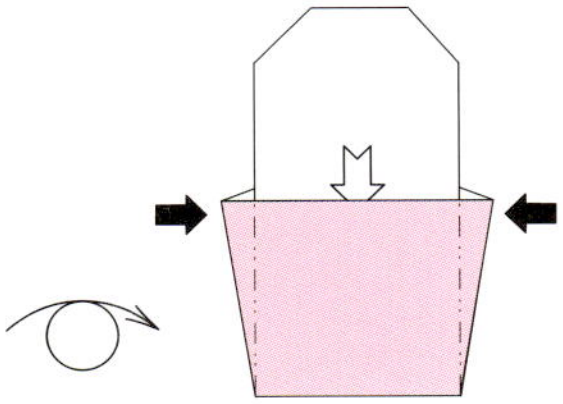

中を開いて立体にする

10

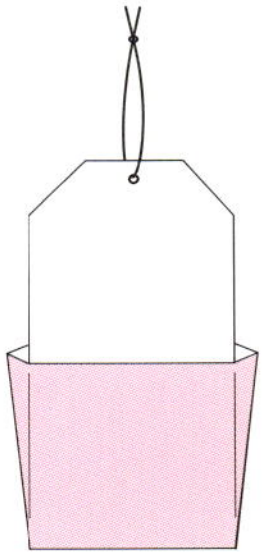

穴を開けてひもを通して、できあがり

13

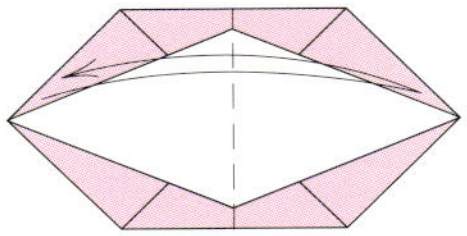

14

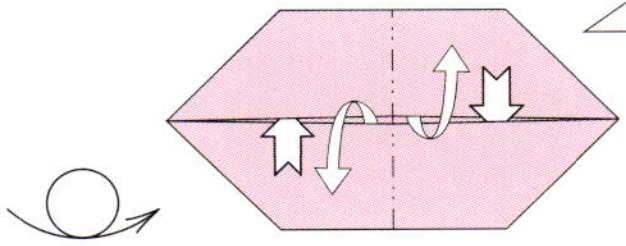

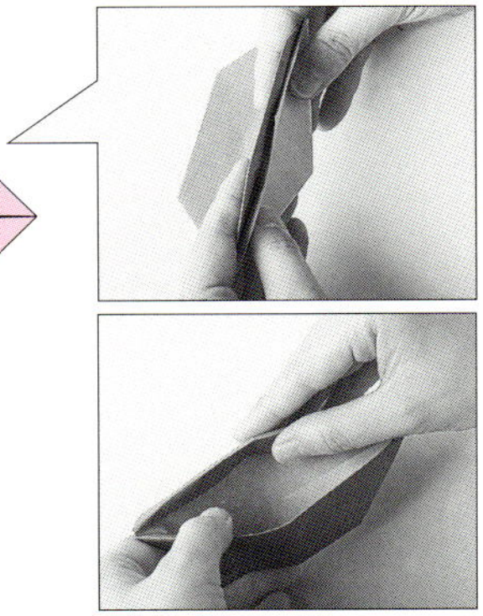

中を開いて形を整える

15

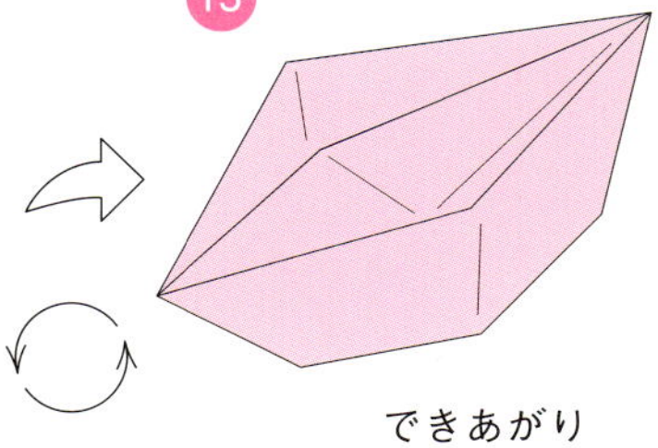

できあがり

下駄箱で

使用済み牛乳パックを使って

靴整理ラック

もうこれ以上入らないという満杯の下駄箱も、各棚の上の方はすき間があいているもの。ここを有効利用しては…という発想から生まれた靴整理用ラックです。牛乳パックをそのまま利用するため、お金も手間もかかりません。

ラックの下と上に靴がきちんと収まるサイズです。

宅配便が来たときに便利

印鑑ケース

下駄箱の上に置く印鑑ケースです。宅配便や書留などが来たときも、印鑑をこんなケースに入れて用意しておけば、慌てずにすみます。家の顔、玄関に置くので、おしゃれであることも大切。季節で色や柄を変えても楽しいものです。

箱とフタは別の紙で折るので、色や柄を変えて、変化をつけることもできます。

のりを使わずに、折って差し込むだけで、箱とフタがピッタリ合います。

SHOE CUPBOARD GOODS

印鑑ケース　難易度★★　谷川有貴美・石橋美奈子作

●用意する紙●箱13×13cm　フタ13×13cm　厚手の紙

●アドバイス●同じサイズの2枚の紙で、箱とフタを別々に折ってから組み合わせます。折り方の中で、最も難しいのが図8。ポケットの部分を大きく開けることで楽に差し込むことができます。箱は裏紙が表に出るので、リバーシブルの紙がおすすめです。

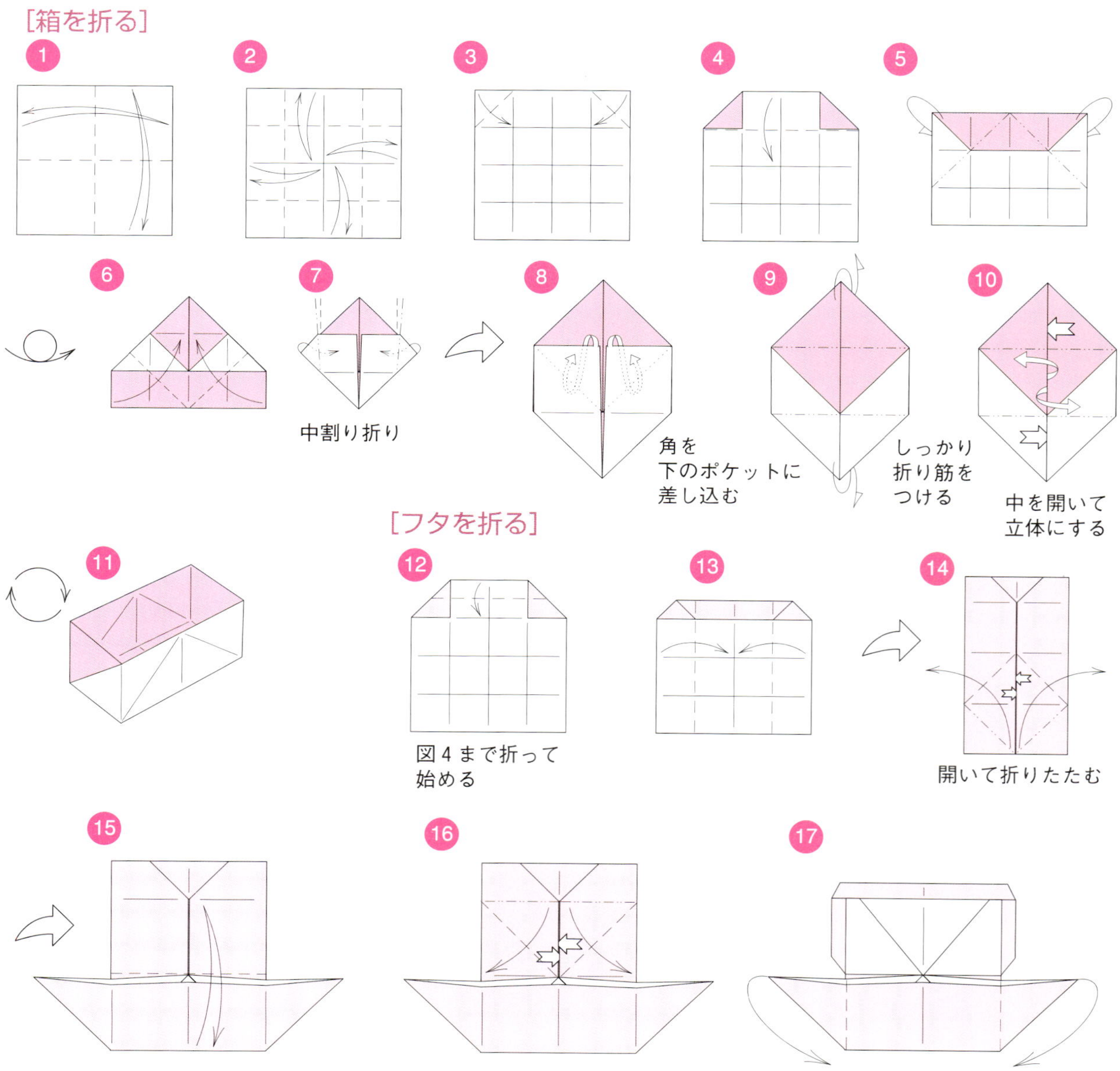

[箱を折る]
1
2
3
4
5
6
7
中割り折り
8
角を
下のポケットに
差し込む
9
しっかり
折り筋を
つける
10
中を開いて
立体にする
11
[フタを折る]
12
図4まで折って
始める
13
14
開いて折りたたむ
15
16
17

靴整理ラック　難易度★　山梨明子作

●用意する紙●1000mlの牛乳パック

●アドバイス●牛乳パックは普通の紙と違って相当厚いので、特に折り筋をきっちり入れることが大切です。後ろの反り返った出っ張りは、靴が滑るのを防ぐためのストッパーです。

1
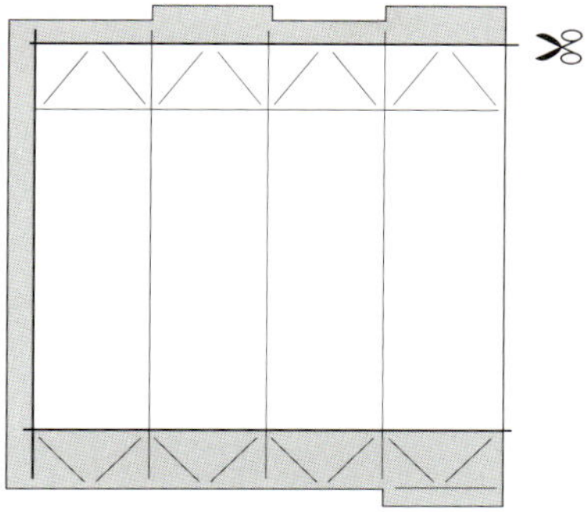
の部分を切り取る

2
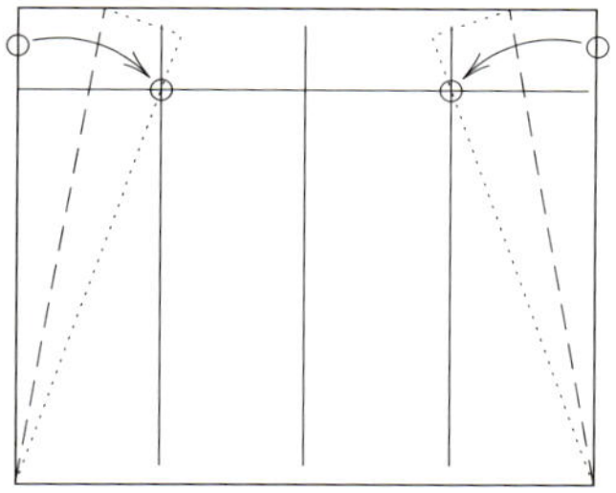
○印と○印を合わせるように折る

3
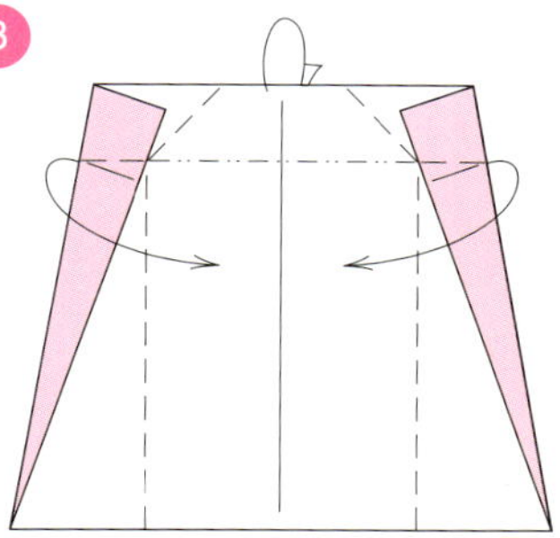
折りたたんで立体にする

4
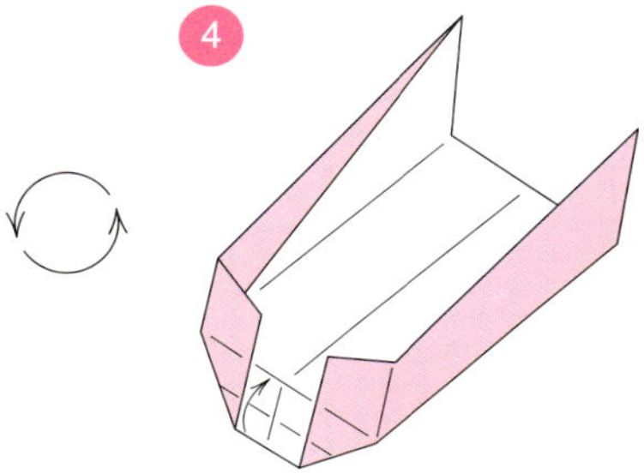

5
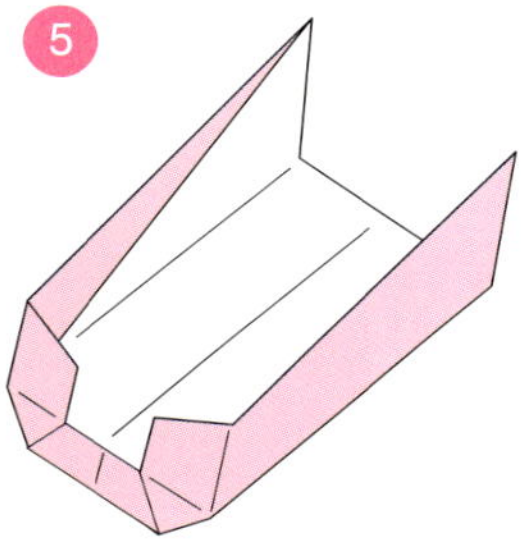

6
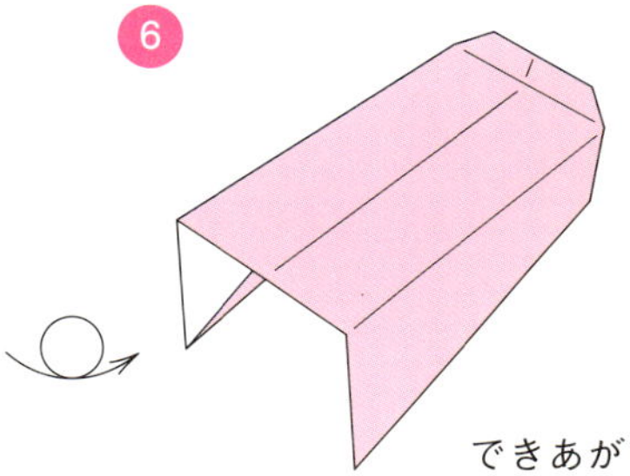
できあがり

[箱とフタを合わせる]

18
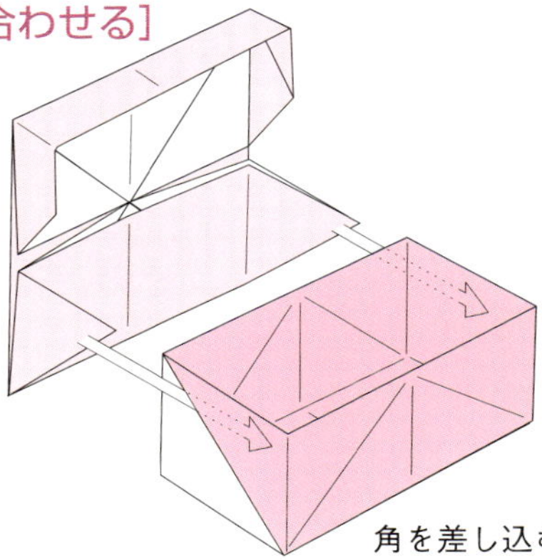
角を差し込む

19
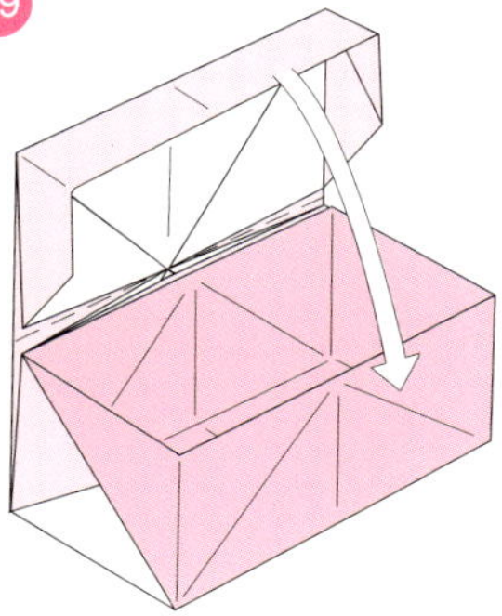

20
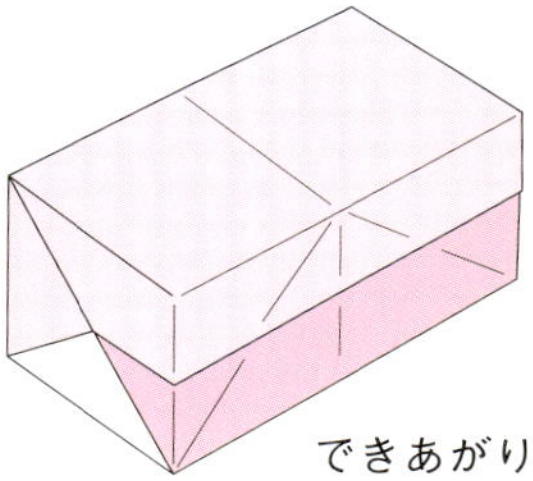
できあがり

●撮影／STUDIO BAN BAN　西田嘉彰　鈴木祐一
●装丁・本文デザイン／金倉デザインルーム
●折り紙作成／萩原きみ江　黒岩琢磨　荒木真喜雄　巽照美　木下一郎　中野光枝
●折り図作成／青木良
●DTP／編集室クルー
●構成・編集／株式会社 フロンテア　久松香枝　大島智子
株式会社 永岡書店　大東靖典

撮影協力

●(株)ポップ・アイ　創作専科事業部
「創作専科」では、折り紙専用の紙を24種類・94柄取り揃えています。サイズはすべて35×35cm。
本書でも、作品の一部に「創作専科」の紙を使っています。
TEL　03-5244-6061
東京都足立区千住緑町2-10-7

●三井ホーム
本書の撮影は、一部三井ホーム新城モデルハウスで行っています。
三井ホーム横浜支店　横浜北営業所
TEL　045-453-2071
横浜市神奈川区栄町5-1
横浜クリエーションスクエア14F

毎日を楽しく彩る
折り紙 ORIGAMI
監修　日本折紙協会
〒102-0076　東京都千代田区五番町12
ドミール五番町2-064
TEL　03-3262-4764
FAX　03-3262-4479
URL　http://member.nifty.ne.jp/noanet/

発行者　永岡修一
発行所　株式会社永岡書店
〒176-8518　東京都練馬区豊玉上1-7-14
TEL　03-3992-5155（代表）
TEL　03-3992-7191（編集）

印刷　横山印刷
製本　ヤマナカ製本

ISBN4-522-41147-2　C2076
落丁本・乱丁本はお取り替えいたします　⑦